2

Babypraat

Vertaald door Marjo Frings-Latour

Risa Green

Babypraat

TRUTH & DARE

EERLIJKE BOEKEN MET LEF

Oorspronkelijke titel: *Tales from the Crib*
Oorspronkelijke uitgave © 2006 Risa Green
Nederlandse vertaling © 2007 Marjo Frings-Latour en Truth & Dare /
Foreign Media Books bv, Amsterdam

Truth & Dare *is een imprint van Foreign Media Books bv, onderdeel van
Foreign Media Group*

Omslagontwerp: pinkstripedesign.com
Foto voorzijde omslag: Michael Storrings
Auteursfoto: Teness Herman
Typografie en zetwerk: Mat-Zet bv, Soest

ISBN 978 90 499 9934 6
NUR 302

www.truthanddare.nl

Voor Davis
Mijn prachtige, prachtige jongen

Inleiding

Terwijl de auto de oprit op rijdt, begint mijn hart van angst in mijn keel te bonzen. Oké, Lara, zeg ik tegen mezelf en haal diep adem. Het is tijd. Als de auto veilig in de garage staat, wend ik me tot Andrew. 'Jij pakt de baby,' commandeer ik. Ik maak de deur open en stap voorzichtig de auto uit, eerst de ene voet, dan de andere. Au. Ik buig voorover, leg een hand op mijn buik alsof ik hiermee op de een of andere manier kan voorkomen dat mijn verse donkerrode litteken openspringt en loop naar binnen, als je de drie stappen die ik per minuut haal lópen kunt noemen. Maar als ik door de voordeur naar binnen ga, word ik in mijn snelwandeling tegengehouden door Zoey, mijn hond, die onmiddellijk opspringt en haar voorpootjes precies op het genoemde verse litteken zet. 'Au!' schreeuw ik tegen haar. 'Kijk uit, Zoey!' In de war omdat ze de afgelopen vier dagen mijn liefde heeft moeten missen, gaat ze af en begint verwoed aan mijn benen te snuffelen alsof ze probeert te ontdekken waar ik zo lang ben geweest. Hmmm, denk ik. Ik vraag me af of ik mijn hond nog steeds kan horen praten, of dat dat alleen maar in de zwangerschap kan, zoals het vermogen om lichaamsgeur op een afstand van vijf kilometer te ruiken.

'Zo?' zeg ik en ik probeer haar aandacht te trekken. Ze spitst haar oren en kijkt me aan, maar als ze al iets zegt, dan hoor ik het niet. Nou ja. Ze begon me toch al op de zenuwen te werken.

Ik klop als troost zachtjes op haar kop en loop de hal in. Ik staar naar de trap die voor me opdoemt en praat mezelf moed in.

Oké, denk ik. Ik doe het.

Terwijl de titelmelodie van *Chariots of Fire* door mijn hoofd speelt, til ik mijn rechterbeen op, zet het op de onderste trede en begin aan de beklimming.

Ba ba ba ba baaaaah ba. Au. Ba ba ba ba baaaaah. Au, au, au, Ba ba ba ba baaaah ba. Holy shit, dit doet pijn. Ba ba ba ba baaaaah. Als ik boven kom, transpireer ik van de pijn en de gang naar mijn slaapkamer lijkt wel de Arabische woestijn, zo lang is die. Ik blijf even staan om op adem te komen en mezelf op te peppen. *Kom op, Lara. Nog maar een paar stappen. Je hebt negen maanden op dit moment gewacht. Beheers je, meid.*

En dan haal ik diep adem en loop door. Als ik bij de deur van mijn slaapkamer ben, ben ik weer op adem gekomen en nu zing ik zo hard als ik kan.

'Ba ba ba ba ba da da da da' – ik ruk mijn bloes over mijn hoofd en gooi hem op de grond terwijl ik naar de badkamer loop – 'ba ba ba ba baaaaah' – (een vreemd klapperend geluid dat ik niet kan beschrijven). Vervolgens trek ik de bh uit. 'Ba ba ba ba ba da da da da...' De lange broek is een beetje lastiger. Ik kan me niet bukken en daarom duw ik met mijn linkervoet de rechterpijp naar beneden en omgekeerd en dan stap ik eruit. 'Ba ba ba ba baaaaah.' Ik doe mijn horloge en mijn ringen af en leg die naast de wasbak. 'Ba ba ba ba baaaaah ba.' Ach wat. Ik doe ook mijn oorbellen uit. 'Ba ba ba ba baaaah.' Ik aarzel even, maar dan denk ik dat ik net zo goed alles uit kan doen en daarom trek ik het elastiek uit mijn paardenstaart en bereik de laatste climax. 'Ba ba ba ba baaaaah ba. Ba ba ba ba baaaah.'

En daar sta ik dan, helemaal naakt met uitzondering van een stuk verband ter grootte van Texas en een witte ziekenhuisonderbroek waar Texas helemaal in past. Trillend zeg ik stilletjes een gebed op.

Alsjeblieft, alsjeblieft, heb medelijden met me.

Dan doe ik mijn ogen dicht en stap op de weegschaal.

Als ik ze weer opendoe, houd ik mijn adem in en kijk naar beneden.

Nee, denk ik. Ik wrijf in mijn ogen voor het geval die in de afgelopen tien seconden staar hebben ontwikkeld of glaucoom of een andere ziekte die het gezichtsvermogen aantast en ik kijk weer naar beneden. Maar het getal is hetzelfde.

Oké, denk ik en ik probeer niet in paniek te raken. Laat ik hier even verstandig over nadenken. Ik doe mijn ogen dicht om te kalmeren en dan denk ik: de broek. Het moet de broek zijn. Ik trek hem met verband en al omlaag en smijt alles met mijn voet op de grond. Vlug stap ik weer op de weegschaal. Niets. *O, mijn god. O, mijn god.*

Ik strompel naar het toilet en ga zitten terwijl de tranen in mijn ogen springen.

'Andrewwwww!' schreeuw ik. 'Andrewwwww!'

'Wat?' brult hij terug en dan hoor ik zware voetstappen als hij de trap op rent naar onze slaapkamer. 'Wacht even, ik kom eraan,' schreeuwt hij. Hij stormt de slaapkamer in. 'Laar? Laar? Waar ben je? Is alles goed? Zijn je hechtingen losgegaan?'

'Ik ben hier,' zeg ik met gebroken stem. Hij rent naar binnen met de baby in zijn armen.

'Schatje,' zegt hij ongerust. 'Ik heb je gezegd dat je nog geen trappen moet lopen. Ik heb je gezegd dat je een paar dagen beneden op de bank moet slapen. Is alles goed?'

'Ja, alles is goed.' Ik snotter. Dan ziet hij het enorme verband op de grond liggen, met de bebloede kant naar boven, en trekt een gezicht.

'Waarom ben je naakt?' vraagt hij.

'Ik moest het weten,' zeg ik en ik wijs met mijn kin in de richting van de weegschaal. Andrew draait zijn hoofd om te zien wat ik bedoel, kijkt weer naar mij en draait met zijn ogen.

'Je heb je gewógen?' vraagt hij. 'We zijn net drie minuten thuis uit het ziekenhuis en je hebt je al gewogen?' Ik knik en ergens heel diep vanbinnen voel ik hoe een tsunami aan kracht wint en met elke ademhaling hoger en hoger wordt. Ik probeer kalm te worden.

'Ik ben maar drie kilo afgevallen,' zeg ik en ik gooi verbijsterd mijn handen in de lucht. 'Hoe kan dat? De baby woog zeven pond en twee ons toen ze werd geboren.' Ik schud mijn hoofd en kijk naar het plafond. 'Je wilt me toch niet vertellen dat ik een pond ben áángekomen?'

Ik voel hoe de tsunami zijn hoogste punt bereikt en dan begin ik opeens te huilen. Ik snik heftig en onbeheerst. Het gaat om niets en toch gaat het op de een of andere manier om alles en als het allemaal door me heen stroomt, krijg ik het angstaanjagende gevoel dat de tranen het beetje verstand dat ik nog heb wegspoelen.

Ik staar naar Andrew. Hij houdt Parker in zijn armen. Die slaapt als een roos en zuigt met haar kleine, vier dagen oude mondje de lucht op. Ik wil denken dat ze schattig is. Ik wil overweldigd worden door liefde voor allebei. Ik wil in de wolken zijn omdat we nu een echt gezinnetje zijn geworden. Maar ik voel alleen maar vijandigheid. Vijandigheid, woede en misschien ook een beetje wrok. Ik kijk Andrew aan.

9

'Voor de rest van mijn leven zal ik een grote, vette koe zijn en dat is allemaal jouw schuld,' zeg ik met trillende stem. 'En die van haar,' knik ik naar Parker. Andrew schudt zijn hoofd.

'O, god,' mompelt hij. 'Daar gaan we weer.'

1

Oké. Ik kom er gewoon recht voor uit: een baby krijgen is waardeloos en het is helemaal niet hoe ik dacht dat het zou zijn. Luister, ik koesterde geen illusies dat ik een granolafreak zou worden die het moederschap héérlijk vindt, maar ik wist niet dat ik de hele dag zou huilen en ook niet dat ik haar in mijn fantasie terug zou sturen. En ik moet je vertellen dat het goed is dat je zo moeilijk kunt uitvinden waar 'terug' is. Precies! Want als ik dat ooit te weten kom, dan is dit kind verdwénen. Ik weet wat je nu denkt. Jij denkt: Wat is er zo vreselijk aan? Wat kan er nu zo erg zijn? Dat is op de eerste plaats het totale gebrek aan slaap. Ik dacht dat ik daarop was voorbereid omdat ik af en toe last heb van slapeloosheid en omdat ik op de universiteit vaker de hele nacht door studeerde. Maar dat duurde twee of drie nachten, prima. Dat was iets voor amateurs. Ik bedoel, ik zou er mijn linkerarm voor willen geven als dit maar twee of drie nachten zou duren. Alsjeblieft, ik zou er mijn rechterarm voor willen geven als dit maar twee of drie weken zou duren. Maar het duurt nu al vijf weken en het einde is zelfs nog niet in zicht. En je krijgt nooit rust. Het is niet zo dat je de hele dag kunt slapen, als je de hele nacht op bent. Nee, dit gaat maar door. Je bent de hele nacht op en vervolgens sta je de hele dag klaar voor dit kleine schreeuwende mensje dat zich er niets van aantrekt dat jij helemaal uitgeput bent en op het randje van een totale instorting staat, en een beetje sympathie voelt voor mensen die een postkantoor binnenlopen en beginnen te schieten. En het helpt al helemaal niet dat ze buikkrampjes heeft en de godganse dag huilt om welke reden dan ook, en dat is dan in elk geval een reden die ik niet kan bedenken.

Dan is er borstvoeding. Dat is verschrikkelijk om te beginnen, maar wordt meer een branden-tot-in-de-eeuwigheid-hel als je daar het feit aan toevoegt dat ik een analyserende, type A, moet-opschema-liggen, bange controlfreak ben en dat mijn baby Dommel de Dwerg is, die geen dertig seconden kan drinken zonder in coma te raken, maar die vervolgens twintig of dertig of vijfenveertig minuten later uitgehongerd wakker wordt en dus zelfs niet in de buurt komt van het door de kinderarts geadviseerde, voedelke-drie-uur-schema, maar de hele dag snackt waarbij ik het gevoel krijg dat ik een idiote, onbeheersbare, menselijke schaal met zoveel-als-je-kunt-eten-popcorn ben.

Maar er is nog iets anders. Het is nog erger dan het huilen en het opstaan midden in de nacht en de afschuwelijke, pijnlijke tepels en ongeregelde voedingen. Ik kan het niet goed uitleggen, maar die tsunami vanbinnen – o, ja, hij is er nog steeds, op zijn hoogste punt – is afschuwelijk. Ik denk dat dat komt door het feit dat, als je een baby krijgt en de pech hebt dat jij moeder wordt, het leven zoals jij het kent opeens en voorgoed voorbij is. Weet je, jij bent er niet meer. Wíj zijn er niet meer. De baby is er en anders niets meer.

Ik wil het je proberen uit te leggen op een manier die je begrijpt. Oké. Nog maar een paar weken geleden verliep een gewone dag voor mij ongeveer als volgt: elke ochtend werd ik om half zeven gewekt door mijn wekkerradio. Ik drukte een paar keer op de sluimerknop, stond op, nam een douche, smeerde antirimpelcrème van tweehonderd dollar per potje op mijn gezicht en roze lipgloss van twintig dollar op mijn lippen en föhnde een halfuur lang mijn haar. Vervolgens kleedde ik me aan, trok een paar prachtige-maar-heel-onpraktische schoenen met hoge hakken aan en at een bord cornflakes. Daarna ging ik naar kantoor waar ik acht uur lang met een groep ongeïnteresseerde tieners sprak over de universiteit waar ze heen wilden gaan, een paar boze, ongeïnteresseerde ouders kalmeerde van wie de kinderen niet op de door hen uitgekozen universiteit waren toegelaten, aan de telefoon met mijn vriendin Julie kletste en als ik echt helemaal niets te doen had, loste ik online de kruiswoordpuzzel van de *New York Times* op.

Om vier uur ging ik naar de sportschool en deed ik mee met de een of andere intensieve cardioles (minder intensief toen ik zwanger was, natuurlijk), met heel goede muziek uitgevoerd door heel coole, onbekende musici die toevallig heel dikke, persoonlijke vrienden waren van de heel hippe fitnessleraar die toevallig die dag les gaf. Daarna ging ik naar huis waar ik op de bank plofte, mijn pijnlijke voeten op een kussen legde en een boek las of tv keek totdat Andrew thuiskwam met een maaltijd van een van de vier restaurants waar we vijf keer per week een afhaalmaaltijd bestelden. Daarna ging ik naar bed en keek naar *Oprah* of *The Sopranos* of wat er ook op tv was, had op woensdagavond stevige, midden-in-de-week, getrouwde seks en viel vervolgens in een diepe slaap die acht volle uren duurde, compleet met een aantal remcycli.

En dan is het nu.

Nu, om vier uur 's nachts, word ik wakker van een geluid uit de monitor dat volgens mij heel erg lijkt op het geluid van een jammerende geest bij een dode. Ik spring mijn bed uit, sla mijn badjas om me heen en ren naar Parkers kamertje waar natuurlijk de weeë, zoete geur hangt van borstvoedingspoep. Omdat ik mijn contactlenzen niet in heb en vergeten ben mijn bril op te zetten, krijg ik allemaal borstvoedingspoep over mijn hand als ik haar een schone luier omdoe en nadat ik mijn handen heb gewassen, ga ik in de schommelstoel zitten en steek mijn tiet, die ongeveer net zo groot en stevig is als een grote, onrijpe meloen, in haar mondje. Vier minuten later valt Parker in slaap en sta ik heel voorzichtig en heel zachtjes op en probeer haar in haar bedje te leggen zonder haar wakker te maken. Maar natuurlijk, als ik mijn arm onder haar wegtrek, doet ze haar oogjes open en begint weer te krijsen. Ik ga dus weer zitten, steek mijn andere tiet in haar mondje en begin weer helemaal opnieuw.

Als ze weer begint te huilen als ik haar de tweede keer in haar bedje leg, weersta ik de overweldigende drang om weg te rennen en nooit meer terug te komen en in plaats daarvan loop ik met haar door de kamer en zing dertig of veertig of zeventig keer 'Old MacDonald', omdat ik op de een of andere manier heb ontdekt dat dit het enige liedje is dat haar kalmeert, *heega-fucking-ho*. Als ze anderhalf uur later eindelijk slaapt, ren ik terug naar mijn kamer en duik mijn bed in, waar ik meteen in slaap val totdat ik misschien twintig minuten later weer wakker word van het geluid van de geest.

Op dit moment is Andrew wakker geworden en maakt zich klaar om naar zijn werk te gaan. Het volgende uur huil ik hysterisch en smeek hem thuis te blijven en me te helpen, wat hij niet doet, en als hij weggaat, bel ik hem op zijn mobiele telefoon en schreeuw vieze woorden en vervloek hem omdat hij mijn leven heeft verwoest, totdat hij bij die plek op Beverly Glen Boulevard komt waar hij geen verbinding meer heeft en ik me realiseer dat ik in een dode telefoon sta te schreeuwen.

Vervolgens breng ik de komende acht uur door met afwisselend de baby verzorgen, huilen, heen en weer lopen in de studeerkamer met de baby over mijn schouder terwijl die schreeuwt, hysterisch snikken en de mensen vervloeken die babystoeltjes en babyschommels maken, omdat die me laten geloven dat mijn baby daar echt stil in blijft zitten terwijl ik ontbijt en de krant lees in plaats van keihard te gillen totdat ik haar eruit pak en weer heen en weer begin te lopen. O, en had ik snikken al genoemd? En ik heb nog steeds mijn badjas aan.

Om vier uur kan ik mijn eigen viezigheid gewoon niet langer verdragen. Ik bind Parker vast in haar autostoeltje, zet het op de grond in mijn badkamer en neem een douche van dertig seconden terwijl ze schreeuwt. Dan trek ik een trainingsbroek, t-shirt en tennisschoenen aan, bind mijn vettige haren vast in een paardenstaart en ga een uur met haar wandelen. De mensen die ik tegenkom, lachen en stellen me vragen over de baby, maar ik knik alleen maar en loop door, want ik kan geen hele zin zeggen zonder in tranen uit te barsten. En ik heb er echt geen zin in om steeds weer opnieuw in te storten waar vreemde mensen bij zijn, die dan thuis tegen hun man over mij praten en me nawijzen als ik de volgende keer tijdens een van deze wandelingen langs hun raam loop.

Als ik thuiskom, probeer ik met haar op de bank te gaan zitten om naar een van de vele afleveringen van *Oprah* of csi te kijken die ik de afgelopen maand heb opgenomen, maar dat gebeurt nooit omdat Parker krijst totdat ik opsta en weer ga lopen. Na een uur of zo, als het heen en weer lopen niet meer werkt, voed ik haar opnieuw en na een minuut valt ze in slaap. De volgende dertig minuten pas ik verschillende technieken toe om haar wakker te krijgen zodat ze verder kan drinken en net als ik erover nadenk of het kwaad kan om haar bij de enkels vast te pakken en boven mijn hoofd rond te slingeren, doet ze eindelijk haar oogjes open. Maar als ze me heeft leeggezogen en ontdekt dat er geen melk meer uit komt, begint ze meteen weer te krijsen. Ik sta op en loop met haar heen en weer tot Andrew thuiskomt met een maaltijd van een van de vier restaurants waar we nu zeven keer per week een afhaalmaaltijd bestellen.

Ik neem drie minuten om mijn eten naar binnen te werken terwijl Andrew met haar heen en weer loopt en dan ruilen we. Dan voed ik haar weer en daarna ren ik huilend naar onze slaapkamer en doe de deur op slot. Ik laat haar achter bij Andrew totdat het tijd is voor de volgende voeding. Op dat moment klopt hij bedeesd op de deur en stelt me ervan op de hoogte dat Parker honger heeft. Vervolgens stel ik hem er vijftien minuten lang in tranen en door de gesloten deur heen van op de hoogte dat mij dat niets kan schelen en als hij de deur eindelijk open krijgt, voed ik haar weer en om half elf valt ze ten slotte in slaap. Om één minuut over half elf val ik in bed en ik moet er weer uit om twaalf uur, om twee uur en om vier uur. Het lukt me om de hele nacht totaal ongeveer zevenentwintig minuten te slapen, terwijl Andrew naast me ligt en zo vast slaapt dat het lijkt alsof hij in coma ligt. En volgens iedereen op de hele wereld moet ik als moeder intens genieten van dit nieuwe leven, dag in, dag uit.

Nou, je mag raden. Dat doe ik dus niet. Om je de waarheid te zeggen, ik mis mijn oude leven, ik wil het terug en ik ben woedend op de wereld omdat die me niet heeft gezegd dat dit moederschap is. Nou, eigenlijk ben ik vooral kwaad op het tijdschrift *People* en US *Weekly*. O, kom op. Die maken die foto's van Kate Hudson en Gwyneth Paltrow in de stad met hun gloednieuwe, drie dagen oude baby en doen alsof het kind niets meer is dan een trendy modeaccessoire. Alsof het een nieuw handtasje is dat álle sterren dit seizoen dragen. Ik zweer je, ik verwacht altijd half de volgende ingezonden brief te zien: *Beste* In Style, *In uw septembernummer had Courteney Cox het schattigste baby'tje bij zich. Kunt u me vertellen waar ik zo'n baby'tje kan krijgen? Dank u wel, Amy Smith, Knoxville, TN.*

Je moet toegeven dat het vreselijk misleidend is. En heel onverantwoordelijke berichtgeving. Ik bedoel, op basis van die publicaties heb ik gewoon gedacht dat ik als ik uit het ziekenhuis kwam kon doorgaan met mijn gewone leven met het enige verschil dat ik een extra stuk bagage moest meesjouwen. Hoe kon ik in 's hemelsnaam weten dat dat stuk bagage de hele dag zou krijsen en non-stop mijn onverdeelde aandacht zou opeisen? Echt, die foto's moeten vergezeld gaan van een disclaimer. Zoiets als dit bijvoorbeeld:

Attentie, echte mensen,
Gwyneth en Kate worden hier getoond terwijl ze winkelen op de
markt of brunchen in Santa Monica met opgemaakte haren en
make-up, een paar dagen nadat ze zijn bevallen. Laat je daar-
door niet wijsmaken dat jij ook je zaakjes goed op orde krijgt zo-
dat je in de nabije toekomst ook maar tien minuten uit huis kunt
gaan, want dat gaat echt niet lukken. – Red.

En weten jullie, tijdschriftenmensen, als jullie dit lezen dan zouden jullie alle vrouwen op de wereld een enorm groot plezier doen
als jullie een paar foto's zouden plaatsen van de sterren in hún
badjas om vier uur 's middags, helemaal dik en gezwollen van het
wekenlange huilen. Dat zijn pas foto's die ik graag zou willen zien.
Maar goed, de moraal van dit verhaal is dat ik me beroerd voel
en zo voel ik me al sinds de dag dat we uit het ziekenhuis kwamen.
Dat komt deels ook omdat ik me gewoon eenzaam voel. Afgezien
van een bezoek aan de kinderarts en een sprintje naar de drogist
om Mylicondruppels te halen (op de zesde dag was ik ervan overtuigd dat ze huilde omdat ze lucht in de darmpjes had. Maar natuurlijk had ik dat geluk niet. Toen ik haar de Mylicon had gegeven,
huilde ze zelfs nog harder) had ik in geen vijf weken een levend,
ademend, volwassen mens gezien (en Andrew telt niet mee, want
ik haat hem en zijn stomme penis om wat ze me hebben aangedaan). Ik heb er vreselijk behoefte aan om met iemand te praten
die begrijpt wat ik doormaak, dus vandaag heb ik mijn trots opzijgezet en mijn vriendin Julie gebeld. Zij is de enige persoon die ik
ken die een baby heeft, en de enige persoon die ik ken die niet
werkt en die me dus midden op een dinsdag een lunch kan komen
brengen.

Als Julie door mijn voordeur stormt met salades en een cadeautje
voor Parker, omhels ik haar zo hard dat ik bijna haar ribben breek.
Ik zweer het je, ik denk niet dat ik ooit in mijn leven blijer ben geweest om een ander mens te zien. En van iemand die op het punt
staat een echte mensenhater te worden, wil dat heel wat zeggen.
Ik zet Parker in de schommel – natuurlijk huilt ze niet als er iemand anders kijkt – en als Julie de salades op de bordjes smijt, zit
ik aan de keukentafel en kijk naar haar.
'Jul,' zeg ik en ik probeer te verbergen dat ik over ongeveer drie

seconden een totale zenuwinzinking krijg, 'je weet dat ik van je hou, maar ik kan niet geloven dat je me niet beter hebt voorbereid. Je had me moeten vertellen dat het zo zou zijn.'

'Hoe?' vraagt ze terwijl ze de troep in de keuken in zich opneemt.

'Zo vreselijk. Zoals nooit meer weg kunnen. Zoals een totaal slaapgebrek en voortdurend voeden. En het huilen. Waarom heb je me niet gewaarschuwd voor het huilen?'

Ze buigt haar hoofd en kijkt me aan. 'Lara, ik veronderstelde dat je wel wist dat baby's huilen. Dat is niets nieuws onder de zon.' Ze loopt naar de gootsteen die helemaal vol ligt en begint het bestek in de afwasmachine te laden. Maar ze laat de borden staan en ik kan niet zeggen dat ik haar dat kwalijk neem. Die staan er al vanaf de dag dat we naar het ziekenhuis gingen en er groeit een soort schimmel op. Maar ik weiger ze aan te raken want afgezien van het feit dat ik geen tijd heb om ze af te wassen, gebruik ik ze om Andrew te testen. Ik wil zien hoe lang ze in de gootsteen zullen staan voordat hij zich realiseert dat ik ze niet ga opruimen. Na vijf weken begrijpt hij de hint blijkbaar nog steeds niet.

'Ik heb het niet over de baby, Julie, ik heb het over mijzelf. Je hebt me niet verteld dat ík om de dertig seconden zou huilen.'

Ze draait zich om en kijkt naar me met gefronste wenkbrauwen. 'Doe je dat? Echt waar?' Julie knippert met haar ogen. 'Maar waarom dan? Je bent moeder. Je werkt niet en je hoeft de hele dag alleen maar te zorgen voor dat lieve kleine meisje. Wat wil je nog meer?' Ze kijkt naar Parker en precies op dat moment begint Parker te krijsen. Ik zucht. Ik wist dat ze het niet lang in dat ding zou uithouden. Ik sta op, maar voordat ik bij haar ben heeft Julie haar uit de schommel getild en overstelpt haar met kussen. Parker schreeuwt nog harder en Julie straalt.

'God,' roept Julie zodat ik haar boven het geschreeuw uit kan horen. 'Ik vergat hoe lief ze zijn als ze zo klein zijn.' Ze legt haar gezicht dicht bij Parkers hoofdje en haalt diep adem. 'Mmmmmm,' zegt ze. 'Jij bof. Ik kan niet wachten totdat ik de tweede krijg.'

Ik staar naar haar en voel me net een robot die een situatie tegenkomt waar hij niet voor geprogrammeerd is.

'Nou, je kunt haar hebben,' zeg ik beslist. 'Geef haar maar terug als ze kan praten en de nacht doorslaapt.' Julie doet *tsj*.

'Lára,' zegt ze. 'Je bent vreselijk.' Ze schudt haar hoofd naar me alsof ik zojuist iets stoms heb gezegd. 'Je zult het zien. Ze is zo snel groot en dan zou je willen dat ze weer klein was.'

'Dat betwijfel ik ten zeerste,' zeg ik tegen haar en ik probeer de tranen terug te dringen die in mijn ogen schieten. Julie doet weer *tsj* en ik voel een steek van onzekerheid in mijn hart. Wat mankeert er aan mij? Waarom voel ik me niet zoals Julie vindt dat ik me moet voelen?

Opeens steekt Julie een vinger in de lucht alsof ze net een ingeving heeft gekregen.

'Hé, heb je tegen je dokter gezegd hoe je je voelt?' vraagt ze. 'Misschien heb je een postnatale depressie of zo.' Ze tikt met haar wijsvinger tegen haar kin. 'Ik denk dat hij je er iets voor kan geven, zelfs als je borstvoeding geeft.'

'Alsjeblieft,' zeg ik en ik voel een brok in mijn keel. O, hier gaan we dan. Hier komen de tranen. Ik loop naar het aanrecht om een tissue te pakken en begin mijn ogen te betten. 'Er is niet genoeg Xanax op deze wereld.'

Eigenlijk heb ik wel gedacht aan de mogelijkheid van een postnatale depressie. Ik bedoel, ik ben helemaal niet depressief. Elke dag ben ik ongeveer twintig uur lang in tranen en de brok die in mijn keel komt als ik mijn mond opendoe, is zo vertrouwd geworden dat ik hem een naam heb gegeven. Het is Luthor, Luthor de Brok. En de gevoelens die ik heb. Ken je die film met Molly Ringwald? Die film waarin ze zestien is en zwanger wordt en met haar vriendje trouwt? Hij heette *For Keeps*, denk ik. Maar goed, er is een scène waarin ze als de baby is geboren de hele dag in bed ligt en de baby krijst. En als haar vriend/man thuiskomt van zijn werk, doet die alles en blijft zij gewoon in bed liggen met haar hoofd onder de dekens, terwijl de neonverlichting van de bar aan de overkant van de straat door het raam van hun vervallen eenkamerappartement flitst, en ze weigert de baby vast te houden of te voeden of er zelfs maar naar te kijken.

Herinner je je die? Echt waar? Oké, nou, dat is precies hoe ik me voel. Maar ik begrijp het niet echt, want ik ben geen zestien meer en woon niet in een waardeloos appartement en deze baby was geen ongelukje dat mijn plannen voor de universiteit en Parijs en de rest van mijn leven in de war schopte. Nee, ik ben natuurlijk bijna 31, ik woon in een huis met vier slaapkamers in Beverly Hills, ik ben net begonnen aan een betaald zwangerschapsverlof van zes maanden en deze baby was zo nauwkeurig gepland dat ik je op de minuut af kan vertellen wanneer ik zwanger werd. En daarom, ja, ben ik benieuwd of er misschien iets niet in orde is in mijn hersenen. Maar het probleem is dat ik te bang ben om het te vragen. Niet omdat ik bang ben dat ik een postnatale depressie heb. Helemaal niet. Het zou geweldig zijn als dit alles een medische oorzaak had. Eigenlijk ben ik er doodsbang voor dat, als ik naar mijn dokter ga en hem zeg wat er aan de hand is, hij me vertelt dat het géén postnatale depressie is. Dat hij me gaat vertellen dat dat gewoon aan mij ligt en dat mensen als ik niet geschikt zijn voor het moederschap.

'Dus echt,' zei ik met gebroken stem tegen Julie, 'jij hebt nooit gehuild en jij hebt Lily nooit gehaat?'

Julie snuift. 'Nee,' zegt ze kortaf. 'Nooit. Ik heb niet een keer gehuild en ik hou van Lily vanaf het moment dat ze werd geboren.' Voor de goede orde, ik kan dit heel moeilijk geloven. Het moment dat een kind wordt geboren is helemaal niet zo geweldig als beweerd wordt. Ik verwachtte die hele huilerige, dramatische scène die je in films ziet, net als bij elke andere vrouw. Weet je, ik stelde me voor dat de verpleegkundige haar aan me zou geven en als ik haar in mijn armen nam, zou ik haar aankijken en gaan huilen en dan zou ik iets onnozels zeggen dat helemaal niet bij mij past, zoals dat ze het mooiste is dat ik ooit heb gezien. En vervolgens stelde ik me voor dat ik haar een paar minuten zou vasthouden en dat ik zou dagdromen over de toekomst en over alle zaterdagen die we samen op de bank zouden doorbrengen en voor de tv vetvrije yoghurt uit het pak zouden eten. En op de achtergrond, terwijl dit eerste ogenblik tussen ons plaatsvond, stelde ik me voor dat ik de Beatles 'In My Life' hoorde zingen en als het ogenblik lang genoeg was voor twee liedjes zong Stevie Wonder 'Isn't She Lovely'.

Maar wat er echt gebeurde, is dat de verpleegkundige haar aan me gaf en aangezien ik verlamd was van de ruggenprik en mijn armen niet kon voelen, lag ze daar maar op mijn borst terwijl ik moeite deed om mijn hoofd ver genoeg op te tillen zodat ik haar oogjes kon zien, wat zinloos was omdat die waren ingesmeerd met iets wat op vaseline leek. En daarom staarde ik alleen maar naar haar en toen zei ik dat ze precies op mijn grootvader leek, die ik niet bepaald knap vind. Mijn eerste gedachte was: hoe lang moeten we wachten voordat ik dit arme kind een huidtransplantatie kan laten geven? En toen ik haar een beetje beter bekeek, zag ik donkere haartjes op het topje van haar oortjes, een lelijke witte blaas op haar onderlip en haar hele lichaampje was donkerblauw en paars. Ze was nogal dik en ik wilde haar alleen nog maar aan de zuster teruggeven zodat ik naar mijn kamer kon en een paar uur kon rusten, omdat ik die ochtend bij het krieken van de dag was opgestaan om om vijf uur in het ziekenhuis te zijn, hoewel ik pas om zeven uur geopereerd zou worden. En op de achtergrond hoorde ik, terwijl dit ogenblik tussen ons plaatsvond, mijn verloskundige mijn buik aan elkaar hechten en de verpleegkundigen het aantal handdoeken tellen, voor het geval er per ongeluk een in mijn buik was achtergebleven.

Ik trek een gezicht naar Julie alsof ik wil zeggen dat ik haar helemaal niks vind en ze schudt haar hoofd.

'Echt waar, Laar, ik had niets van... van dit alles.' Ze wuift met haar hand in de richting van de gootsteen. O, dat is zo gemeen. En tussen twee haakjes, ik herinner me nu dat een bepaald persoon met de naam Julie de eerste zes weken nadat haar dochter was geboren dag en nacht een kraamverzorgster had en daarom is het heel goed mogelijk dat zij Lily niet haatte. Zij hoefde niet voor haar te zorgen.

Ik loop naar het aanrecht en pak nog een tissue. Ik snuit mijn neus en kijk naar Julie die naar me staat te staren. Vol medelijden.

'Wat?' schiet ik in de verdediging. Ze loopt met Parker in de keuken heen en weer. Haar gekrijs is eindelijk afgenomen tot een zacht gejammer, aangevuld met een gilletje om de paar seconden.

'Niets,' zegt ze en ze haalt haar schouders op. 'Het is gewoon... ik weet het niet. Ik denk dat je je alleen maar concentreert op de negatieve dingen en dat je de goede dingen niet ziet. Ik bedoel, een baby is zo'n wonder. Jij en Andrew hebben een léven gecreëerd.' Ze kijkt naar Parker en lacht gelukzalig, alsof ze de Maagd Maria is die op een schilderij van Botticelli naar baby Jezus kijkt. 'Besef je wel dat je haar hebt gemaakt vanuit het niets? Besef je wel hoe verbazingwekkend dat is? Echt waar, Lara, je zou heel gelukkig moeten zijn.'

O, oké. Op de eerste plaats heb ik haar niet vanuit het niets gemaakt. We hebben haar gemaakt met een eitje en sperma. Het is niet zo dat een ooievaar voorbij vloog en haar bij mijn voordeur liet vallen. En op de tweede plaats, kan ze me nog meer straffen?

Ik werp haar een ik-ben-zo-boos-op-je-en-ik-heb-genoeg-van-al-je-wonderlijke-gelul-over-dat-ik-haar-heb-gemaakt-vanuit-het-niets-blik toe en ik snuif.

'Nou,' kaats ik terug, 'het spijt me dat ik niet voldoe aan je verwachtingen.'

'O, kom op,' wijst Julie mijn sarcasme af. 'Toen je me belde vanmorgen en ik je vroeg hoe het met je ging, zei je, quote, "verdomd belabberd". Je moet toegeven dat dat niet echt normaal is.'

O, ja. Ik denk dat ik dat heb gezegd. Maar ik ben gewoon eerlijk. Ik begin weer te huilen.

'Nou, ik voel me écht belabberd,' snik ik. 'Ik ben in geen weken ergens geweest, ik slaap amper twee uur per nacht, ik krijg Parker niet op een regelmatig voedingsschema en ik verga van de pijn in mijn tepels. Andrew en ik maken voortdurend ruzie en sinds de baby is geboren heb ik geen tv meer gekeken of een krant gelezen of mijn e-mail gecheckt of welke andere menselijke interactie ook gehad. En wat moet ik dan doen? Liegen en tegen je zeggen dat het het geweldigste is op de hele wereld? Want dat is het niet.' Ik huil nu tranen met tuiten, met snot en alles. 'Weet je,' zeg ik en ik wijs met mijn vinger naar haar, 'misschien ben jij degene die niet normaal is. Want ik begrijp niet dat het normaal is als je dit allemaal leuk vindt.'

Julie schudt haar hoofd en negeert mijn aanval op haar normaal-zijn.

'Oké, oké,' zegt ze. 'Waarom neem je dan geen nanny? Iedereen in LA heeft er een. Nou, ik niet – ik zou Lily nooit bij een vreemde persoon achter kunnen laten – maar bij mij is het anders. Mijn moeder is er om te helpen. Maar goed, het is niet zo moeilijk. Jij hoeft geen martelaar te zijn.'

'Ik pr-probeer geen m-m-martelaar te zijn,' snik ik door mijn tranen heen. 'Geloof me, ik wil best hulp hebben. We probeerden iemand aan te nemen voordat Parker was geboren, maar Andrew was zo zuinig. Hij wilde geen bureau in de arm nemen omdat hij het honorarium niet wilde betalen en hij wilde alleen mensen zien die illegaal hier zijn en die geen Engels spreken omdat hij dacht dat die minder zouden vragen en we kregen laaiende ruzie en daarom besloten we te wachten tot we de baby hadden.' Ik haal diep adem en snotter. 'Maar nu kan ik me 's ochtends amper aankleden, laat staan sollicitatiegesprekken voeren en een beslissing nemen...'

Julie luistert niet meer naar me en rommelt in haar handtasje. 'Wacht even,' zegt ze en ze steekt een vinger omhoog. Ze haalt haar portefeuille eruit, pakt ongeveer vijftig visitekaartjes uit een van de vakjes en begint ze een voor een na te kijken. 'Hier!' roept ze als ze het kaartje vindt dat ze zoekt. 'Hier is het.' Ze reikt me het kaartje aan en ik steek mijn hand uit om het te pakken.

Bureau voor blije nanny's
Want blije nanny's maken mammies blij
031-5556438

Ik snotter weer en snuit mijn neus.

'Wat is dit?' vraag ik.

'Een meisje van mijn Mammie-en-ik-klas gaf het aan me voor het geval ik eens iemand nodig heb. Ze zei dat dit het beste bureau voor nanny's in LA is. Je hoeft helemaal niets te doen. Zeg gewoon wat je wilt en ze sturen de volgende dag een fantastisch mens naar je toe. Geen gesprekken, niets.'

Ik staar haar aan. 'Zijn ze erg duur?' vraag ik.

Julie haalt haar schouders op. 'Misschien wel,' zegt ze, 'maar het is jouw baby. Je wilt haar toch niet aan iedereen toevertrouwen? Ik weet zeker dat ze alleen maar goede mensen hebben.'

Ze heeft gelijk. Natuurlijk heeft ze gelijk. Ik weet niet waarom ik naar Andrew en zijn belachelijke ideeën luister. Het is ook mijn geld en als ik dat wil uitgeven aan een astronomisch honorarium en een nanny die belasting betaalt, dan doe ik dat, verdomme. Ik draai het kaartje rond tussen mijn vingers en haal diep en trillend adem.

'Oké,' zeg ik en ik knik naar haar. 'Dank je wel. Ik zal er met Andrew over praten.' Julie pakt haar spulletjes en neemt afscheid.

'Het wordt beter,' zegt ze als ze haar armen om me heen slaat. Dan doet ze een stapje terug, legt haar handen op mijn schouders en kijkt me ernstig aan. 'Probeer gewoon aan blije babydingetjes te denken,' zegt ze doodernstig. 'Het werkt.'

Ik bijt op mijn wang om haar niet in haar gezicht uit te lachen en loop met haar naar de deur.

'Dag, Jul,' zeg ik. 'Dank je wel voor de lunch.'

'Graag gedaan,' zegt ze. Ze draait zich om en loopt weg en als ik de deur achter haar dichtdoe, hoor ik hoe ze mijn naam roept en ik gooi de deur weer open.

'Denk eraan dat je zegt dat je iemand wilt die ook afwast,' laat ze me weten. 'Want jouw gootsteen komt nog eens in opstand.'

2

Zet het apparaat pas aan als de zuignappen correct op de tepels zijn geplaatst, want anders kan ernstig letsel optreden.

O, god. Ik kan niet geloven dat het zover is gekomen. Ik kan niet geloven dat ik echt op het punt sta om een elektrische borstpomp te gebruiken. Luthor zit achter in mijn keel te wachten om door mijn amandelen heen te breken.

Nee. Ik maak dit niet nog erger door te gaan huilen. Dat doe ik níét.

Maar net als ik dit denk, vang ik een glimp van mezelf op in de spiegel en dan is het over. Ik begin te janken als iemand die op de derde plaats is geëindigd bij een schoonheidswedstrijd. Maar echt, je kunt me geen ongelijk geven. Als jij jezelf op de grond zag zitten, naakt en met een handsfree pomp-bh en een citroengele, katoenen onderbroek (maat L) die je hele kont bedekt, geloof me, dan zou jij ook gaan huilen. Ik bedoel, de bh alleen is al genoeg om in huilen uit te barsten. Hij ziet eruit als een sm-uitrusting van arme mensen. Stel je een wit katoenen bikinitopje voor waarvan de voorkant is vastgeritst, met twee ronde gaten waar je tepels doorheen steken en stel je vervolgens vijf kilo vet voor dat er aan alle kanten overheen hangt.

Ik neem even de tijd om rustig te worden en dan zucht ik.

Kijk gewoon niet hoe het eruitziet, zeg ik tegen mezelf. Denk aan het hele verhaal. Denk eraan dat jij vannacht slaapt en dat Andrew opstaat en haar voedt. Denk aan wraak.

Ik verzamel alle woede en wrok die ik de afgelopen vijf weken jegens Andrew heb gekoesterd – Andrew, die de hele dag aan het werk is en in alle rust en vrede op zijn stoel zit, Andrew, die elke nacht acht uur kan slapen, Andrew, die me vanmorgen in alle ernst vroeg of ik het erg vond als hij zaterdag ging golfen – en Luthor glijdt terug mijn keel in als een schildpad die zich terugtrekt in zijn schild. Ik adem uit en dan duw ik snel de zuignappen in de opening van de bh en zet de schakelaar op de pomp aan. *Tik, tik, tik, tik.* De lucht begint door de slangetjes te pompen en ik kijk hoe mijn tepels naar buiten worden getrokken.

Oké. Het is niet zo erg. Ik heb het in elk geval gedaan. De vorige keer toen ik probeerde te kolven, ongeveer drie weken geleden, kwam ik zelfs niet verder dan de bh. Ik huilde zo hard toen ik hem aantrok dat er zelfs een bloedvaatje in mijn linkeroog kapot sprong. En met die enorme rode vlek in mijn oog zag ik er tien dagen lang niet echt aantrekkelijk uit, dat kan ik je wel vertellen.

Na ongeveer tien seconden krijg ik het vreemde, brandende gevoel dat mijn melk eruit komt en dan begint de melk plotseling uit mijn tepels en in het flesje te stromen. *O, afschuwelijk.* Ik haal diep adem en probeer niet opnieuw in tranen uit te barsten en ik zie opeens een beeld van mezelf in mijn favoriete outfit. Het is mijn pikzwarte lange broek recht-van-voren en met-strakke-pijpen, een slanke grijze trui van kasjmier met breed uitlopende mouwen en mijn zwarte pumps van Zanotti met een wit bloemetje aan elke teenband. O, als de verkoopsters bij Barneys me nu konden zien. Ik ben in nog geen twee maanden tijd veranderd van *beau monde* in een rund. Maar dan zie ik Andrew om drie uur 's nachts in Pakers kamertje heen en weer lopen terwijl ik slaap – o, prachtige, heerlijke slaap – en ik lach. Loop naar de verdommenis, jullie verkoopsters bij Barneys. Dit is het waard.

Als Andrew thuiskomt van zijn werk, zeg ik niets tegen hem. De arme jongen heeft zelfs helemaal niets gedaan, maar ik heb mezelf zo opgejuind over hem toen ik aan het kolven was, dat ik nu woedend op hem ben en de behoefte voel hem een klap te geven, alleen maar omdat ik leef. Ik zweer je, soms heb ik zo'n medelijden met Andrew. Ik denk dat hij er geen idee van had wat hem te wachten stond op de dag dat hij met me trouwde.

'Nou, ook hallo,' zegt hij en hij zet zijn tas op de grond. Ik haal diep adem om kalm te worden en geef Parker, die natuurlijk aan het schreeuwen is, aan hem. Als hij haar over zijn schouder legt, kijk ik hem woedend aan.

'Ik heb het gehad,' kondig ik aan. Andrew kijkt me verbijsterd aan.

'Gehad met wat?' vraagt hij.

'Met alles,' zeg ik. 'Omdat ik de enige ben die voor haar zorgt. Omdat jij helemaal niets doet terwijl ik in dit huis wegkwijn en mijn gezond verstand verlies.'

'Ik doe niets,' schreeuwt Andrew. 'Ik loop elke avond als ik thuiskom bijna een uur met haar rond. Ik doe haar voortdurend een schone luier om. En als ik op tijd thuis ben om haar in bad te doen, dan doe ik dat ook altijd.'

'Geweldig,' gil ik terug. 'Maar ik moet de hele nacht voor haar opstaan en jij staat nooit op. Ik ben uitgeput, Andrew. Uitgeput. En ik kan niet meer.' Luthor is er weer. Ik geef me nog drie woorden, maximaal vier, voordat ik in tranen uitbarst. Andrew gooit zijn handen in de lucht.

'Ik kan geen borstvoeding geven, Lara. Het is niet mijn schuld. En bovendien zou je god moeten bedanken dat je bij mij bent, want ik doe heel wat meer dan de meeste andere mannen.'

Ik knijp mijn ogen dicht en probeer ze uit alle macht vuur te laten schieten. 'Wat b-bedoel je daarmee?' En daar komen de tranen. Zoals ik zei, vier woorden. 'Ik wil je eraan herinneren dat jij voor vijftig procent verantwoordelijk bent voor haar bestaan! Meer nog als je het feit meetelt dat jij me heb overgehaald om haar te krijgen. Jij doet meer dan de meeste andere mannen? Jij moet minstens de helft doen.'

'Ik moet werken!' schreeuwt hij. 'Als ik niet werk, dan verdienen we geen geld en we moeten geld verdienen. We hebben deze discussie al honderd keer gevoerd.'

Ik sla mijn ogen ten hemel. Ik heb genoeg van zijn we-moeten-geld-verdienen-speech. Hé, ik heb nooit gezegd dat ik redelijk ben. Probeer jij maar eens vijf weken niet te slapen en kijk dan hoe redelijk je bent. Ik hyperventileer even in een tissue en een fractie van een seconde verwacht ik dat hij naar me toe komt en zijn armen om me heen slaat. Maar dat doet hij niet en ik herinner me opeens dat dat komt omdat de Dingen Zijn Veranderd.

Weet je, in mijn oude leven, als ik al aanstalten maakte om te gaan huilen, was Andrew als was in mijn handen. Ik kreeg alles van hem gedaan als ik mijn tranen de vrije loop liet. Alles. Een paar maanden nadat we waren getrouwd, bijvoorbeeld, ontdekte ik een servies dat ik mooier vond dan het servies dat we hadden besteld en hoewel ik nooit van mijn leven een maaltijd klaar zal maken en er absoluut nooit een klaar zal maken die een mooi servies vereist, was Andrew zo radeloos over mijn verdriet dat hij de hele set voor me ging kopen. Twaalf couverts én alle schalen en kommen. Het moet hem een klein fortuin hebben gekost. Intussen zijn we vier jaar getrouwd en natuurlijk heb ik het niet één keer gebruikt. Ik denk eigenlijk dat het nog steeds in dozen in de garage staat. Hij raakte van streek omdat ik huilde over een verdomd servies. Zelfs ik zou tegen mezelf hebben gezegd dat ik erover moest ophouden.

Maar sinds de baby is geboren, maakt mijn huilen hem zelfs niet meer van streek. Het is alsof hij er ongevoelig voor is geworden, zoals een student voor bier. Ik zweet het je, als ik een hele oceaan bij elkaar huilde, zou Andrew gewoon een vlot kopen en elke ochtend naar zijn werk roeien.

Nou, als de tranen niet meer werken, dan moet ik mijn toevlucht nemen tot Lara Logica. Wat, zoals we allebei weten, helemaal niet zo logisch is. Maar misschien merkt hij dat niet.

'Goed,' zeg ik. 'En stel dat ík weer ga werken en jij thuisblijft en voor haar zorgt. Hè? Wat vind je daarvan?' Andrew snuift. Terwijl we deze discussie voeren, houdt hij Parker tegen zijn borst en doet langzame, zware stappen door de keuken. Hij buigt elke knie en stuitert dan een keer op en neer voordat hij de knie weer strekt. Hij ziet er belachelijk uit, als een van de zombies uit Michael Jacksons 'Thriller'. Maar het werkt, want Parker is eindelijk stil. Nu jammert ze alleen nog maar, zoals Zoey dat in haar slaap doet als ze een nachtmerrie heeft en haar pootjes heel snel bewegen, alsof ze wegrent voor een enorme stofzuiger of waar hondjes verder nog van dromen.

'Oké, Laar,' zegt hij sarcastisch. 'Jij gaat weer werken. En de volgende keer dat je vijfhonderd dollar wilt uitgeven voor een paar nieuwe schoenen, kun je die van jóúw salaris betalen.' Ik pluk een nieuwe tissue uit de doos op het aanrecht en snuit mijn neus.

'Nou, Andrew, ik denk niet dat ik al heel snel nieuwe schoenen nodig heb, omdat ik de hele tijd van jou op blote voeten moest rondrennen.'

Hij doet zijn ogen dicht en knarsetandt, alsof hij uit alle macht probeert niets te zeggen waar hij later spijt van krijgt.

'En tussen twee haakjes,' kondig ik aan, 'jij gáát opstaan vannacht.' Ik loop naar de koelkast, maak hem open, pak het flesje dat ik vanmiddag heb afgekolfd en houd het in de lucht zodat hij het kan zien. 'Dit,' zeg ik, 'is voor jou. Vannacht, als ze om twee uur wakker wordt, ga jij haar voeden.'

Vervolgens maak ik zonder een woord te zeggen de koelkast dicht, ren naar mijn slaapkamer en sla de deur met een harde klap achter me dicht. Ik laat me op het bed vallen, snikkend, maar nu huil ik omdat ik het vreselijk vind dat ik zo tegen Andrew heb geschreeuwd en omdat ik de persoon haat die ik ben geworden – deze persoon die zonder aanleiding tegen haar man schreeuwt – en ten slotte omdat ik, hoewel ik weet dat ik ongelijk had, mezelf er niet toe kan brengen om hem mijn excuses aan te bieden.

Maar dan hoor ik Andrews stem vanuit het niets.

'Jij bent gemeen,' zegt hij. Ik kijk om me heen, maar hij is niet in de slaapkamer. Het is alsof God tegen me aan het praten is of Orson uit *Mork & Mindy*. 'Je bent echt gemeen.'

Ik volg het geluid van zijn stem en dan zie ik waar het uit komt. Het komt uit de babyfoon. Hij is in Parkers kamer en hij praat in de babyfoon. Ik ga recht zitten en kijk naar het televisiescherm op mijn nachtkastje. Andrew houdt zijn gezicht precies voor de camera en ik staar recht in zijn neusgaten. Oké, laat me eraan denken dat ik hem dit jaar een tondeuse voor zijn neusharen koop voor Chanoeka.

Ik lach door mijn tranen heen over de absoluut dwaze situatie en ik kijk naar hem terwijl hij doorpraat.

'Maar ik zie het door de vingers omdat ik weet dat je moe bent en dat je last hebt van je hormonen en dat jij er niets aan kunt doen. Een cliënt van mij vertelde me dat hij dacht dat zijn vrouw Tourette had gekregen nadat hun baby was geboren, omdat ze alleen maar tegen hem aan het vloeken was. Dus ik denk dat ik nog geluk heb.'

Ik moet hierom lachen. Ik moet wel.

'Maar goed, ik sta vannacht graag op met haar. Geloof me, er is geen ander mens op deze aarde die liever wil dan ik dat jij wat kunt slapen.' Dan loopt hij weg van de camera en het wordt weer stil in de kamer.

Ja, ja, ik weet het. God zij dank ben ik met Andrew getrouwd. Een gewone man had me nu vast en zeker al vermoord.

Om tien uur geef ik Parker borstvoeding en ik lig om kwart voor twaalf in bed. Een nieuw record. Ik zweer bij God dat jij er de brui aan zou geven als je ook maar ziet welke moeite ik elke avond moet doen om haar in slaap te krijgen. Weet je, dat is nog een ding waar ik woest over ben. Niemand heeft me verteld dat je haar niet gewoon in haar bedje kunt leggen en weglopen. Het is een hele verdomde beproeving. Het begint ermee dat ze op mijn schoot 'in slaap valt' terwijl ik het zweefvliegtuigje heen en weer beweeg, maar zoals de aanhalingstekens aangeven is het geen echte slaap. Het is eerder een bewustzijnstoestand die líjkt op slapen, maar die door het minste geluid, de lichtste beweging of de kleinste verandering in druk wordt verstoord. Daarom houd ik haar precies in dezelfde positie als waarin ze 'in slaap viel' en sta heel langzaam en heel voorzichtig op uit de schommelstoel, terwijl ik tegelijkertijd met mijn lichaam heen en weer beweeg en de schommelbeweging nadoe zodat ze niet merkt dat ik me bewogen heb.

Ik blijf een paar minuten zo staan en schommel heen en weer en als ik ervan overtuigd ben dat ze nu echt slaapt, loop ik langzaam naar het bedje. Ik houd haar nog steeds in dezelfde positie, buig zo ver mogelijk naar voren en laat haar zakken totdat ze op de matras ligt. Om haar te laten denken dat ze nog steeds op mijn borst ligt, laat ik mijn borst heel zachtjes boven op haar rusten. Dan trek ik een hand voorzichtig onder haar bips uit en tel tot twintig. Met Mississippi's.

Als ik eenmaal zeker weet dat ze niet wakker is geworden, trek ik héél voorzichtig mijn andere hand onder haar rugje vandaan (tussen twee haakjes, ik lig nog steeds boven op haar) en tel opnieuw tot twintig. Dan kom ik recht, een wervel tegelijk en tegelijkertijd laat ik mijn onderarm op haar liggen zodat ze de verandering in druk of temperatuur niet merkt. Als ik helemaal recht sta, verstijf ik. Als ze beweegt, buig ik me meteen weer naar haar toe en begin helemaal opnieuw. Als ze niet beweegt, laat ik me op de grond vallen en kruip op handen en voeten de kamer uit, zodat ze me niet op mijn tenen naar buiten ziet sluipen als ze toevallig haar oogjes opendoet.

Ik moet zeggen dat het me twee op de tien keer lukt. Bij de andere acht keer begint ze te schreeuwen als ik op de gang ben en soms moet ik het zes keer opnieuw proberen voordat ik eindelijk uit dat kamertje kom. Maar vanavond had ik maar twee pogingen nodig en ik kwijl bij de gedachte dat Andrew dit in de kleine uurtjes van de nacht moet doorstaan terwijl ik lig te slapen, me niet bewust van zijn lijden. In gedachten lach ik een diepe, hatelijke, slechte, ha-ha-ha-ha-ha-de-wereld-is-van-mij-alleen-lach en dan sluit ik mijn ogen, trek het dekbed over me heen en ga eindelijk weer eens een hele nacht doorslapen.

***

Precies op tijd begint het geluid van de geest, een paar minuten over twee, en opgewekt schop ik Andrew tegen zijn been.

'Sta op,' zeg ik misschien met een beetje te veel sadisme in mijn stem. 'Jij bent aan de beurt.' Hij bromt naar me en rolt het bed uit en ik ga weer liggen en lach in het donker. Hij gaat naar Parkers kamertje en pakt haar op en dan hoor ik hem met haar naar de keuken gaan terwijl ze schreeuwt.

Stom, denk ik. Hij had het flesje eerst moeten opwarmen. O, goed. Mijn probleem niet. Ik ga weer op mijn kussen liggen. *Oké, Laar, ga slapen.*

Maar ik kan niet slapen. Het geschreeuw in de keuken is te hard en nu zingt Andrew ook nog voor haar en ik word gek omdat ik niet kan bedenken welk liedje het is.

'Bom bom bom bom, bom bom ba-ba-ba-bom, bom bom bom bom, bom bom, ba-ba-ba-bom.'

Wat is dat? denk ik. Het komt me vaag bekend voor. Ik luister naar hem en probeer de melodie te koppelen aan de echte muziek... Wacht, ik heb het. Het is 'Safety Dance'. Hij zingt 'Safety Dance' voor een kind van vijf weken. Oké. Mij best. Nu ik weet wat het is, kan ik gaan slapen. Ik doe mijn ogen dicht en probeer niet naar hem te luisteren

'S-S-S-S-A-A-A-A-F-F-F-F-T-T-T-T-Y-Y-Y-Y... safety... dance. Bom bom, bom bom, bom bom, ba-ba-ba bom, bo–'

O, mijn god. Ik sla met mijn hand op de matras en probeer me te beheersen maar dat kan ik niet. Zo hard ik kan gil ik door het huis: 'E! *Safety* spel je met een E!'

'Dank je wel,' schreeuwt hij sarcastisch terug. 'Denk je dat ze ophoudt met huilen als ik het goed spel?'

O, dat hij doodvalt. Ik sluit mijn ogen en begin vanaf duizend terug te tellen. *Negenhonderdnegenennegentig. Negenhonderdacht-*

ennegentig. Negenhonderdzevenennegentig. Ik ben bij zevenhonderdzesenvijftig als ik me realiseer dat ik helemaal niet kan slapen. *Verdomme.*

Eenentwintig minuten later komt Andrew weer naar bed.

Dit moet een grapje zijn.

Als hij zijn hoofd op het kussen legt, ga ik woedend rechtop zitten.

'Wat doe je?' vraag ik. Hij draait zich om en kijkt me aan.

'Ik ga slapen. Wat ben jij aan het doen?' Ik wil hem niet vertellen wat ik heb gedaan. Ik heb in bed gelegen, klaarwakker, met mijn ogen gefixeerd op de monitor van de babyfoon en ik heb vol spanning liggen wachten tot zijn ellende begint. Ik heb in mijn hoofd ook geoefend hoe ik de ik-heb-je-gezegd-dat-ze-een-kwade-terrorist-is-en-begrijp-je-nu-waarom-ik-me-zo-beroerd-heb-gevoeld-speech zou formuleren die ik absoluut zou gaan afsteken als hij uit haar kamertje komt en uit pure frustratie met zijn vuist tegen de muur bonkt.

Maar de ellende kwam niet. De vuist en de frustratie ook niet. Nee, het ging nog beter dan verwacht. Hij gaf haar het flesje, neuriede 'Rock-a-Bye Baby' en liet haar praktisch in haar bedje vallen. En ze vertrok geen spier.

'Ik begrijp er niks van,' schreeuw ik. 'Hoe heb je dat gedaan?'

'Wat gedaan?' vroeg hij slaperig.

'Dát,' gil ik. 'Hoe kreeg je haar in bed zonder haar wakker te maken? Hoe. Heb. Je. Dat. Gedaan?'

De hele kamer was rood. O, mijn god, ik zie alles rood. Ik wist niet dat dat ook echt kon. Ik heb altijd gedacht dat dat gewoon een uitdrukking was. Heel ver weg hoor ik Andrew tegen me brullen.

'Lara! Wees eens rustig. Dóé kalm!'

Ik schrik als ik hem zo hoor schreeuwen. Hij heeft nog nooit zo'n toon tegen me aangeslagen. Ik begin te huilen.

'Waarom schreeuw je tegen me?' jammer ik. Hij lijkt van zijn stuk gebracht en gaat zachter praten.

'Schatje,' zegt hij, 'je moet je beheersen. Echt waar. Ik weet niet hoeveel ik nog kan verdragen.'

'Hoeveel jíj nog kunt verdragen?' schreeuw ik. 'Denk je dat ik dit leuk vind? Denk je dat ik om de vijf seconden wil huilen? Denk je dat ik het leuk vind om een hekel aan mijn eigen kind te hebben? Denk je dat ik het prettig vind om me volkomen en totaal stuurloos te voelen? Denk je dat?' Ik ben nu bijna hysterisch en ik ben bang dat hij me gaat slaan. Ik zweer je, ik sla hem meteen terug. Maar hij beweegt zich niet. Hij staart me aan alsof hij me nog nooit van z'n leven heeft gezien.

'Lara,' zegt hij met sissende stem, 'wat wil je van me?'

O, alsjeblieft, waar moet ik beginnen? Eens kijken...

Ik wil dat je achteruit rond de wereld vliegt en de tijd terugdraait tot voordat ik zwanger werd, zoals Superman dat deed in de eerste film, toen Louis stierf bij de aardbeving.

Nee. Te sci-fi. Wat vind je van:

Ik wil dat jij borstklieren krijgt en oestrogeen gaat produceren en ik wil dat jij borstvoeding gaat geven en de hele dag huilt.

Ja, ja, ik weet het. Te wraakzuchtig. Oké. Ik heb het:

Ik wil dat je erkent dat zorgen voor een baby vreselijk is en als jij een vrouw wilt hebben die thuisblijft en dat doet, dan moet ik er ook een hebben.

Perfect.

'Ik wil een inwonende nanny hebben,' zeg ik. 'Nu meteen.'

Gefrustreerd gooit hij zijn handen in de lucht. 'Goed,' zegt hij geïrriteerd. 'Neem een nanny. Ik wilde er een inhuren voordat ze geboren werd, weet je nog?'

Ja, ik weet het nog. Hij wilde een vrouw inhuren die alleen maar het woord *tafel* in het Engels kon zeggen. O, en *grootmoeder*. Laten we niet vergeten dat ze ook *grootmoeder* kon zeggen.

Ik strek mijn hand uit naar het nachtkastje en pak het kaartje van Julie uit de bovenste la.

'Hiervan,' zeg ik en ik zwaai het kaartje voor zijn neus. Andrew gaat rechtop zitten en doet het licht aan zijn kant van het bed aan. Hij pakt het kaartje en leest wat erop staat en ik zet me schrap voor de tweede ronde. Maar tot mijn verbazing zucht hij alleen maar.

'Weet je wat, Laar?' vraagt hij en hij geeft me het kaartje terug. 'Als die jou gelukkig kunnen maken, dan hebben ze mijn zegen.'

En dan doet hij het licht uit, rolt op z'n zij en valt in slaap.

3

Twee dagen later gaat de bel precies om negen uur 's ochtends.

Woe-hoe, denk ik. Ik ren de trappen af met een spartelende Parker over mijn schouder, die weer aan het schreeuwen is en terwijl ik probeer niet over mijn badjas te struikelen, zing ik in mijn hoofd een liedje.

Mijn nanny is er en ik ben zo opgewonden want ik krijg mijn leven terug. La la la, la la la. La la la la la la.

Ondanks mijn opwinding fladderen er ook een paar serieuze vlinders in mijn buik, want met uitzondering van de schoonmaakploeg die twee keer per maand komt, heb ik nog nooit een werknemer in huis gehad. En een inwonende? Ik heb er geen idee van hoe dat werkt. Moet ik samen met haar eten? Tot hoe laat blijft ze op met de baby? Zal ze elke avond bij ons zitten en televisie kijken? Zo sociaal ben ik helemaal niet. Ik wil in mijn eigen huis niet over koetjes en kalfjes praten.

En dan ben ik natuurlijk ook zenuwachtig omdat ik niet weet wat ik kan verwachten. Ik bedoel, ik heb geen gesprek gehad met deze vrouw. Ik heb alleen het bureau gebeld en gezegd dat ik iemand wilde die ervaring heeft met pasgeboren baby's, die bereid is de was en licht huishoudelijk werk te doen, die uitstekend Engels spreekt en die meteen kan beginnen. Twee uur later belden ze al terug dat ze de perfecte persoon hadden gevonden. Ze heeft de afgelopen twintig jaar in drie gezinnen gewerkt en was daar begonnen toen de kinderen werden geboren, ze poetst en Engels is haar moedertaal. Fantastisch, dacht ik. Maar toen ik vroeg of ze me een beetje meer kon vertellen, zodat ik een idee kreeg over wie er in mijn huis kwam wonen, zei de vrouw dat ze de nanny's niet kent en dat ze alleen maar receptioniste is en dat de man die ik moet hebben net een wortelkanaalbehandeling heeft gehad. En daarom heb ik de afgelopen vierentwintig uur geprobeerd me een beeld te vormen van mijn redder, maar het enige beeld dat ik me voor de geest kan halen is dat van Mary Poppins.

O, kom op. Waar moet ik dan anders aan denken? Denkt niet iedereen aan Mary Poppins als ze het woord *nanny* horen? Je denkt toch ook meteen aan Oprah Winfrey als presentatrice van een talkshow. Dat verband leg je automatisch. Maar zelfs als ze niet verweven was met de Amerikaanse cultuur, zou ik toch aan haar denken, want ik heb iets met *Mary Poppins*. Je moet begrijpen dat ik helemaal bezeten was door die film toen ik klein was. Ik heb hem vast wel vijfhonderd keer gezien en tot de dag van vandaag ken ik de hele tekst nog vanbuiten. Ik weet eigenlijk niet precies waardoor dat kwam. Ik bedoel, in die tijd vond ik mijn ouders fantastisch. Maar om de een of andere reden verlangde ik naar een Engelse nanny die mij zou begeleiden, die mij op het juiste pad zou houden en op de een of andere manier al mijn problemen zou oplossen met een slim, zij het ietwat Pollyannaans lied.

Het is ook grappig, omdat het me tot nu toe nog steeds is bijgebleven. Niet de bezetenheid voor de film – want die heb ik in jaren niet gezien – maar meer wat de film voor mij betekent. Ik bedoel, ik heb gemerkt dat ik soms, als ik heel gestrest ben, droom over schoorsteenvegers en dansende pinguïns. Het is alsof mijn onderbewustzijn me probeert te vertellen dat ik aan Mary Poppins moet denken, zodat ik de controle over de dingen terugkrijg. Overbodig te zeggen dat de dromen de laatste tijd buitengewoon levendig zijn.

Maar nu er werkelijk een echte, levende nanny komt... kan ik er gewoon niets aan doen. Het is alsof ik weer tien ben. Ik verlang naar iemand die hier gewoon binnen komt vallen, het heft in handen neemt en alles beter maakt. Je hebt er geen idee van. Toen de vrouw van het bureau me vroeg wat ik van een nanny verwachtte, kostte het me heel veel moeite om haar niet te vertellen dat ik iemand wilde die kan vliegen en in krijttekeningen kan springen. Maar goed, ik weet dat het belachelijk is, maar een klein deel van mij hoopt dat als ik zo meteen die deur openmaak, Julie Andrews voor me staat met een reistas in haar hand.

Als ik naar de voordeur loop, probeer ik enthousiast te glimlachen. Ik wrijf met mijn hand over mijn haar en maak de deur open. Een grote zwarte vrouw met zo'n harde, leren, avocadogroene koffer uit de jaren zeventig staat bij de deur. Ze moet meer dan een meter tachtig lang zijn en wel honderd of honderdtwintig kilo wegen en ze heeft haar schouderlange haren vanmorgen nog in de krulspelden gehad. Ze draagt jeans, een rood T-shirt en Reeboks.

Oké. Ze is dus geen Julie Andrews en het is ook niet echt een reistas. Maar dat is goed. Niemand heeft gezegd dat Mary Poppins niet zwart kan zijn. Ze kan geüpdatet worden voor de eenentwintigste eeuw. De nanny glimlacht.

'Ik ben Deloris,' zegt ze en ze probeert zichzelf verstaanbaar te maken boven het kabaal van Parkers geschreeuw. Ze heeft een zwaar Jamaicaans accent. 'Blije nanny's zei dat je hulp nodig had.'

Ja. Dat is het understatement van het jaar.

Deloris zet haar koffer op de grond, steekt haar handen uit en pakt Parker van mij over. Parker houdt meteen op met huilen en sluit haar oogjes.

'Dat is goed, schatje,' kirt ze. 'Je hoeft niet meer te huilen. Deloris is nu hier.'

Ze loopt langs me heen het huis in en laat mij in de hal staan. Ik grijp haar koffer en ren achter haar aan. Ik vang een glimp van mezelf op in mijn badjas, met mijn bril nog op en zonder make-up, als ik in de hal langs de spiegel loop.

God, denk ik. Ik zie er afschuwelijk uit.

'Ik ben Lara,' roep ik achter haar aan. 'En dat is Parker. Ze is bijna zes weken en ze heeft echt last van krampjes. Ze wordt pas stil als je met haar heen en weer loopt. Anders huilt ze gewoon de hele dag.' Ik ren de studeerkamer in en zie dat Deloris al op de bank is geploft. Parker staart haar aan en maakt geen enkel geluid. Ik schud mijn hoofd.

'Ik weet niet hoe je dat hebt gedaan. Ik kan nooit gaan zitten.' Deloris bekijkt me van top tot teen en lacht.

'Baby's zijn slim, mevrouw Lara. Ze merkt het wanneer je gestrest bent en zoals je eruitziet, zou ik zeggen dat je het grootste deel van de tijd tamelijk gestrest bent.'

Niet op mijn gemak strijk ik mijn haren weer glad. 'Nou, vandaag is toevallig een bijzonder slechte dag...' Ze trekt die wenkbrauw weer op, alsof ze wil zeggen dat ze weet dat dat niet alleen vandaag is. Ik zucht. 'Ja, ik weet het.'

'Luister,' zegt ze tegen me. 'Doe jij wat je moet doen en Deloris let op de kleine juffrouw Parker.' Ze kijkt omlaag naar de baby. 'We gaan een beetje pret maken, nietwaar, schatje?'

'Echt waar?' vraag ik. 'Weet je het zeker? Omdat ze vaak honger heeft en ik borstvoeding geef, kan ik niet erg lang weggaan–'

'Hoe laat heb je haar gevoed?' vraagt Deloris.

'Ongeveer een uur geleden,' zeg ik. 'Ze dronk tien minuten aan een kant, maar toen viel ze in slaap na vierenhalve minuut aan de andere kant. Ze zal dus snel weer honger hebben–'

Deloris valt me in de rede. 'Ga maar. Ze hoeft de komende twee uur niet gevoed te worden, dat beloof ik.'

Ik trek mijn wenkbrauwen op. Die vrouw weet niet waar ze het over heeft. Sinds ze is geboren heeft Parker nog nooit meer dan veertig minuten tussen twee voedingen gehad. Maar goed. Deloris zal het wel merken.

'Oké,' zeg ik sceptisch. 'Ik ben op mijn slaapkamer als je me nodig hebt. Tussen twee haakjes, jouw kamer is aan het einde van de hal. Hij is nog niet helemaal klaar, maar ik beloof je dat ik dat dit weekend zal doen. Ik zet je koffer erin.'

'Oké,' zegt ze en ze duwt haar neus in Parkers gezichtje en lacht naar haar. Ik loop naar haar kamer, draai me om en loop terug.

'De luiers liggen op de aankleedtafel op haar kamer,' zeg ik en ik wijs naar boven in de richting van Parkers kamer. 'We gebruiken geen vochtige doekjes – mijn dokter zei dat ik de eerste drie maanden gewoon verbandgaasjes met water moest gebruiken – en ik gebruik het gefilterde water in de wasbak omdat het kraanwater een soort wit bezinksel bevat dat ik een beetje akelig vind en–'

'Mevrouw Lara, sorry, maar je moet je ontspannen. Wij redden ons wel.'

Ik hef mijn handen op alsof ik wil zeggen dat ik haar niet meer lastig zal vallen. 'Oké,' zeg ik. 'Dan ga ik nu een dutje doen.'

Ik zet haar koffer op de grond in haar slaapkamer en ga naar boven. Ik ga op bed liggen en zet de televisie aan, maar ik kan er mijn gedachten niet bij houden. *Je moet je ontspannen.* Mary Poppins zou zoiets nooit zeggen. Ik bedoel, hoe neerbuigend. Zij is niet degene die om moet gaan met een schreeuwend kind dat de hele dag wil drinken. Zij is niet degene die voortdurend ruzie heeft met haar man en die al bijna vier maanden geen seks heeft gehad. Zij is niet degene die de afgelopen vijfenhalve week in een badjas rondloopt en haar benen al die tijd niet heeft geschoren. Ontspan je, ezel. Ik wil zien hoe zij zich kan ontspannen als ze mijn leven had. Ik adem diep in en uit.

Oké, denk ik. Laat het los. Je hebt nu even vrij, probeer ervan te genieten. Ik sluit mijn ogen en begin vanaf duizend terug te tellen...

Anderhalf uur later schrik ik wakker en ik ben helemaal in de war. Wacht, denk ik. Wat is er gebeurd? Waar is Parker?

Maar dan komt het allemaal terug. Het bureau voor nanny's. Deloris. De groene koffer. Het Jamaicaanse accent. Ik rek me uit en sta op. God, wat was het heerlijk om even te slapen. Ik vraag me af hoe het met Deloris gaat. Ik vraag me af of Parker sterft van de honger. Ik trek een trainingsbroek en een T-shirt aan – geen badjas! – en als ik door de gang loop, krijg ik het gevoel dat er iets niet helemaal klopt. Het lijkt anders... stil. Dat is het. Het is stil in huis. En dan realiseer ik me plotseling dat dat komt omdat Parker niet huilt.

O, mijn god, denk ik. Deloris heeft haar vermoord. Ze kon niet tegen het huilen en heeft haar met een kussen gestikt. Ik ren naar de studeerkamer, maar daar zijn ze niet. *O, mijn god. O, mijn god.*

Dan hoor ik een geluid in Parkers kamer. Het klinkt als zingen. Ik storm naar binnen en zie Deloris op de grond zitten voor Parker die op een rood-wit-zwart kleed ligt. Uit het kleed steken twee gekruiste, met stof beklede stokken omhoog waar verschillende stukken speelgoed aan hangen, waaronder iets dat voor een inktvis moet doorgaan, maar dat er eerder uitziet als een rode paprika met ogen en tentakels. Het hele geval heet een gym-en-nog-iets, denk ik. Een Gymini. Dat is het. Hm. Ik was dat hele ding vergeten. Het heeft in de kast gelegen sinds de dag dat Julie me naar Babies 'R' Us heeft gesleept om babyspulletjes te kopen toen ik negen maanden zwanger was. En dat is niet het enige wat Deloris heeft gevonden. Ze heeft ook de cd met klassieke muziek uitgepakt die iemand me cadeau heeft gegeven voor de baby, maar die ik nog altijd niet open had gemaakt. De liedjes zouden naar verluidt de hersenen van baby's stimuleren en het moet werken, want Parker trappelt met haar voetjes en zwaait met haar armpjes en maakt kirrende geluidjes, net als de baby's in luierreclames.

Ach wat...

Ik knijp mijn ogen dicht, kijk naar Deloris en dan weer naar Parker.

'Hoi,' zeg ik in de deuropening, een heel klein beetje verrast.

'Het lijkt alsof jullie je goed amuseren.' Deloris kijkt me aan en lacht.

'Ze is zo'n lief meisje,' zegt Deloris. Ze buigt zich voorover en knijpt voorzichtig in Parkers dij. 'Ben je geen lief klein meisje?'

Nu trek ik een wenkbrauw op. 'Ik zou haar eigenlijk niet lief noemen. Alles wat ze doet is eten en huilen.'

Deloris kijkt me recht in de ogen. 'Niet bij Deloris,' zegt ze. 'Ze heeft niet één keer gehuild sinds jij weg bent gegaan.'

Er is iets in haar stem – veroordeling? ziekelijk plezier? – dat me vertelt dat dit eerder een stilzwijgende conclusie is dan een waarneming. Ik wacht even en kijk naar Parker, die in haar korte leventje nog nooit zo rustig en tevreden is geweest en ik weet niet of ik Deloris moet omhelzen of ontslaan.

'Nou,' zeg ik en ik doe het allebei niet. 'Ze moet uitgehongerd zijn.'

'Ja, het zal nu wel tijd zijn voor de voeding,' zegt Deloris.

Ik pak Parker op van de grond en ze begint meteen te jammeren. Ik kijk even naar Deloris. Ik verwacht half dat ze gaat lachen omdat mijn eigen baby me haat, maar als ze al leedvermaak heeft, dan laat ze dat niet merken. Ik voel een overweldigende, concurrerende behoefte om te doen alsof ik een liefdevolle moeder ben en dat Parker en ik een nauwe, speciale band hebben en daarom ga ik drie octaven hoger praten.

'Sst, sst,' zeg ik. 'O, het is oké, schatje. Mammie is hier. Het is alleen maar tijd voor de lunch.' Ik ga in de schommelstoel zitten en leg Parker op mijn schoot, maar Deloris zit nog steeds op de grond en kijkt naar ons. Oké, ik ga Parker niet voeden als zij daar naar me zit te kijken. Borstvoeding geven in het openbaar is voor mij absoluut *no way, José*. Andere mensen hoeven dat niet te zien. En een sjaal over het hoofdje van de baby leggen maakt het er ook niet beter op, oké?

'Eh, ik voel me niet echt op mijn gemak als ik borstvoeding moet geven waar andere mensen bij zijn,' zeg ik. 'Het is niet persoonlijk bedoeld, maar zo ben ik nu eenmaal.' Deloris knikt en staat op.

'Dat is oké,' zegt ze. Maar ik begrijp niet hoe je het klaarspeelt als je het niet in het openbaar wilt doen. Je kunt dan nooit langer dan twee uur weggaan.' Ja, denk ik. Daar was ik ook al achter. Ik besluit haar mijn geheime plan te vertellen.

'Ik weet het,' zeg ik. 'Ik denk er eigenlijk over om te stoppen. Het werkt niet echt goed bij mij.' Deloris zet grote ogen op.

'Ga je stoppen na zes weken?' sist ze naar me. 'Dat is helemaal niet goed. Borstvoeding is een geschenk van God. Van die kindervoeding verzuren ze helemaal vanbinnen. Ze krijgen een slechte adem en hun poep gaat stinken. Het is gewoon niet natuurlijk. Je moet minstens drie maanden borstvoeding geven.'

Ik trek een gezicht naar haar. O, geweldig. Dus nu gaat ze me daarvoor ook al veroordelen. Nou, ze kan in de rij gaan staan, want Andrew heeft hier praktisch een monopolie op. Ik zweer je, die man is een borstvoedingsnazi. Je zou denken dat hij een stichtend lid van de La Leche League was, zoals hij erover praat.

Het begon allemaal met mijn stomme kinderarts. (Tussen twee haakjes, als dit een tv-serie was, dan zou het beeld nu helemaal wazig worden en zouden de acteurs weer verschijnen met een slechte pruik uit de jaren tachtig en dragen de meiden turquoise sokken over hun legging en de jongens een T-shirt van Van Halen of een outfit van *Miami Vice*, zodat de kijkers weten dat dit een flashback is.) Op de dag dat Parker werd geboren, lag ik op de operatietafel toen de verpleegkundige die haar wiegje aan het klaarmaken was, van de andere kant van de ok naar me schreeuwde.

'Hé, mama,' riep ze (en het duurde even voordat ik me realiseerde dat ze het tegen mij had), 'ga je borstvoeding of flesvoeding geven?' Alle ogen keken naar mij (en het waren, griezelig genoeg, alleen maar ogen omdat iedereen een steriel chirurgisch masker droeg) in afwachting van mijn antwoord.

'Eh, eh, eh,' stamelde ik en ik probeerde een beetje tijd te winnen om erover na te denken. Nu weet ik wel dat de meeste mensen al van tevoren weten hoe ze hun baby gaan voeden. Ik realiseer me dat de meeste mensen een cursus volgen en/of boeken over borstvoeding lezen en dat de meeste mensen er een duidelijke mening over hebben of ze het wel of niet willen doen (en met 'de meeste mensen' bedoel ik de mensen die we in de tv-serie *Thirtysomething* 'yuppies' noemen). Maar op een helemaal niet karakteristieke manier voor iemand die net zo analyserend en *thirtysomething*-ig is als ik, heb ik dat allemaal niet gedaan en daarom had ik geen idee wat ik moest zeggen. Ik denk dat ik het gewoon even wilde afwachten (hoewel ik nog nooit van mijn leven iets aan het toeval heb overgelaten) en een beslissing wilde nemen als de baby was geboren. Want voordat de baby was geboren, walgde ik van de gedachte aan borstvoeding. Maar ik wilde het idee nog niet meteen verwerpen, alleen maar voor het geval ik na de geboorte een belangrijke persoonlijkheidsverandering zou ondergaan en plotseling een liefdevolle moeder zou worden, die ik niet was toen ik zwanger was (en nog steeds niet lijk te zijn).

Maar ik wist niet dat ik metéén moest beslissen en daarom was ik niet op de vraag voorbereid. Maar voordat ik een kans had om erover na te denken, antwoordde een stem van de andere kant van de kamer – de kant van de kamer waar een vijftal mensen de baby aan het wegen en meten waren, haar vingerafdruk namen en haar, voor zover ik weet, ondervroegen over mogelijke oorlogsmisdaden – op de vraag.

'Zij gaat borstvoeding geven,' zei de stem met een duidelijk New Yorks accent dat het eigendom leek te zijn van de kleinste van de gemaskerde mensen in de hoek.

Wacht even, dacht ik. Wie zei dat?

Maar toen realiseerde ik me door de nevelen van de narcose en de medicijnen heen opeens dat het dokter Newman was, de verticaal gehandicapte man uit Brooklyn die ik als mijn kinderarts heb genomen om één enkele reden: in een noodgeval wil ik een dokter die snel besluiten neemt en die niet bang is om mensen rond te commanderen en ik dacht dat een New Yorker met een Napoleoncomplex heel geschikt was.

En toen drong het tot me door dat ik echt beter moest nadenken over wat ik zou willen.

Ik zag hoe de verpleegkundige haar wenkbrauwen optrok en naar me keek om te zien of ik het daarmee eens was. Maar weer kon ik geen antwoord geven. Dokter Newman knikte naar haar.

'Het is beter voor de baby,' zei hij tegen de kamer en hij keerde zich vervolgens naar Andrew en bevestigde het nog eens. 'Veel beter,' vertrouwde hij hem toe en hij klikte plechtig.

En zo begon mijn reis naar de prachtige wereld van multifunctionele tieten.

Ik had moeten weten dat het niet zou werken op het moment dat ik de lactatiekundige van het ziekenhuis ontmoette. Ongeveer drie uur nadat Parker was geboren verscheen ze in mijn kamer, precies op tijd om me te helpen met mijn eerste borstvoedingssessie. Aan de ene revers van haar jasje zat een witte speld met

BORST IS BEST in vetgedrukte rode letters erop en aan de andere de bronskleurige badge van het ziekenhuis. Een blik en ik wist dat ik een probleem had. Ik zag dat ze Marge heette. Ze was, zoals de naam al doet vermoeden, lang en ze was een norse, no-nonsense griet die op de middelbare school ongetwijfeld door mensen als ik gepest werd en die nu wraak neemt op de ene vrijwillige keizersne-depatiënte na de andere.

De eerste eis van Marge was dat ik rechtop ging zitten, wat helemaal absurd was omdat ik plat op mijn rug lag en mijn buikspieren drie uur geleden doormidden waren gesneden. Maar Marge duldde geen tegenspraak. Ik probeerde haar uit te leggen dat zelfs het verschuiven van mijn gewicht pijnlijk was, laat staan dat ik mijn hele bovenlichaam omhoog kon hijsen, maar ze keek me alleen maar boos aan alsof ze wilde zeggen: *Nou, daar had je aan moeten denken voordat je om een keizersnede vroeg, dikke schat.*

En daarom had ik geen andere keus. Ik keek haar ook boos aan, trok een moedig gezicht en hees mezelf op in een zittende positie zonder ook maar een spier te vertrekken. (Als je niet onder de indruk bent, dan moet je dat wel worden – een zware buikoperatie, mensen.) Toen ik dat eenmaal had klaargespeeld, kwam Marge meteen ter zake. Ze schoof mijn operatieschort opzij en begon in mijn tepel te knijpen, hárd, zogezegd 'om te kijken of er iets uitkomt'. En net toen ik ging denken dat Marge wel heel erg gemeen tegen me deed en ik overwoog om een proces tegen het ziekenhuis aan te spannen ten behoeve van alle vrijwillige keizersnede-patiëntes, kwam er iets uit. Het was een dikke, boterbloemgele vloeistof die Marge colostrum noemde en blijkbaar was dit goed, want toen ze het zag, glimlachte Marge zowaar. Ik was echter geschokt – op een aantal punten. Op de eerste plaats kwam er vies geel spul uit mijn tepel en op de tweede plaats liefkoosde een onaantrekkelijke vrouw die dringend haar bovenlip moest laten ontharen mijn linkerborst.

Maar goed, toen ze mijn 'vloeibaar goud' zag (haar term, niet die van mij, en in het begin dacht ik dat ze een of ander seksueel glijmiddel of zoiets bedoelde en vroeg ik me af of ze me aan het versieren was), greep Grote Marge Parker rond haar middel vast en gooide haar praktisch onder mijn rechterarm. Vervolgens pakte ze Parkers hoofdje met één hand, greep mijn tiet met de andere hand en voor ik zelfs maar in de gaten had wat er gebeurde, waren Parker en ik verbonden.

En toen schreeuwde ik.

Ik zweer bij God, het was alsof een krab mijn tepel tussen zijn scharen had, of alsof een dertienjarige jongen me een *purple nurple* gaf. Ik bedoel, het deed écht pijn. Maar Marge verzekerde me dat Parker goed was aangelegd.

Ze zei en ik citeer: 'Het duurt een paar dagen voordat je tepels harder worden.'

En harder werden ze. Ze kloofden en bloedden, er kwamen korsten op en ze ondergingen zelfs de vernedering van *zuigplekken* – en alsjeblieft, ik heb geen zuigplek meer gehad sinds de wintervakantie toen ik in de tweede klas van de middelbare school zat en ik de een of andere Canadese jongen aan de haak had geslagen die ik op het strand van Boca Raton had ontmoet – totdat ze zo hard waren dat ze zelfs een vleesmolen overleefden.

En elke keer als ik jammerde omdat het zoveel pijn deed en elke keer als ik gilde van de pijn als mijn shirt, hoe zachtjes ook, tegen mijn rauwe, pijnlijke borst schuurde, was Andrew er en ging op elk uur van de nacht tepelhoedjes en lanoline voor me kopen en fluisterde bemoedigende woorden in mijn oor.

Het is beter voor de baby. Het is beter voor de baby.

En toen ik eenmaal besefte dat dit borstvoedingsgedoe geen grapje was – dat het betekende dat Parker dag en nacht maar hoeft te kikken, dat het betekende dat ik altijd degene was die 's nachts om twee, vier en zes uur naar haar toe moest gaan, dag in, dag uit, dat het betekende dat ik nooit weg kon gaan tenzij de wereld mijn enorme, opgezwollen borsten mocht zien – veranderde het bemoedigende gefluister in een klagend schuldgevoel.

Het is beter voor de baby. Het is beter voor de baby.

De eerste keer wilde ik stoppen toen we na twee weken met Parker op controle gingen bij dokter Newman. Ik maakte in tranen bekend dat ik haar kunstvoeding wil gaan geven, maar Andrew en dokter Newman schudden gewoon met hun hoofd. Maar toen ik er maar niet over wilde ophouden, pakte dokter Newman een A4'tje met informatie uit een klapper en reikte me die over zijn bureau aan.

Borstvoeding: de perfecte voeding van de natuur.

Statistieken tonen aan dat baby's die borstvoeding krijgen:

- een hoger IQ hebben;
- minder vaak ziek zijn;
- minder kans hebben op allergieën;
- een regelmatiger gebit hebben;
- minder kans lopen om als volwassene overgewicht te krijgen en
- eerder de Pulitzer-prijs winnen.

Oké, dat laatste punt stond er niet echt, maar dat had best gekund
'Bij voorkeur,' zei dokter Newman, 'moet je minstens drie maanden alleen maar borstvoeding geven.' Toen begon ik zelfs nog harder te huilen.

Drie maanden? dacht ik. Drie maanden? Ik kon hem niet geloven. Ik bedoel, drie maanden is echt lang. Het is bijvoorbeeld een heel belastingkwartaal, of een schooltrimester. Alsjeblieft, veroordeelde misdadigers krijgen een kortere straf dan drie maanden.

Maar goed, toen het me eenmaal duidelijk werd dat dokter Newman een al te ambitieus begrip van mijn toewijding als moeder had, besloot ik te proberen Andrew te overtuigen, omdat die de gebreken van mijn karakter veel beter kent. Maar tot nu toe heb ik niet veel vooruitgang geboekt. Elke keer als ik zeg dat ik een hekel heb aan borstvoeding geven en dat ik ermee wil ophouden (en dat is bijna elke dag), zet hij een pruillip op en schudt zijn hoofd.

'Maar onze baby moet toch het beste van het beste krijgen,' zegt hij. 'Wil jij onze baby dan niet het beste geven?'

En omdat ik niet wil toegeven dat het me eigenlijk een zorg zal zijn als hij onze baby in een afvalcontainer zou gooien, stort ik in. Maar in een hopeloze poging om te bewijzen dat ik zijn toestemming niet nodig heb als ik ermee wil ophouden (hoewel ik die wel moet hebben, omdat ik het over vijftien jaar niet wil horen als ze te zwaar is, of als ze de staartdeling niet onder de knie krijgt, of als ze een beugel heeft), zeg ik tegen hem dat ik het nog maar één week doe en dat het dan over is. O-V-E-R, over.

Maar als je bedenkt dat ik dit nu al vier weken zeg en dat ik nu hier zit en Parker vandaag al voor de vijfde keer voed, dan is het me niet echt gelukt om zijn tegenstand te overwinnen.

'Nou,' ik kijk Deloris aan. 'Ik heb nog niet definitief besloten dat ik ermee stop. Ik zal wel zien.'

Deloris trekt een gezicht naar me, knikt en verdwijnt dan in de gang.

'Ik ben op mijn kamer aan het uitpakken als je me nodig hebt,' roept ze.

'Oké,' zeg ik vrolijk. 'Dank je wel!'

Als Deloris eindelijk is verdwenen, adem ik uit. Parker maakt gekke geluidjes als ze verwoed probeert door mijn shirt heen mijn tiet op te eten.

'Oké, oké,' zeg ik tegen haar terwijl ik mijn topje omhoogtrek en de rechterkant van mijn voedings-bh losmaak. Als ik haar aanleg en ze begint te drinken, kijk ik naar haar.

'En wat is er toch met jou aan de hand?' vraag ik aan haar. 'Je houdt meer van een dikke Jamaicaanse dame dan van mij?'

Ik zucht en probeer mijn gevoelens te begrijpen. Eens kijken... Ik zeg altijd dat ik me ellendig voel met Parker, maar toch ben ik geschokt dat ze liever Deloris heeft dan mij. Ik wil dat Deloris goed is voor Parker, maar ik wil niet dat Parker van haar gaat houden. Ik wil dat Deloris lijkt op Mary Poppins en de touwtjes in handen neemt, maar ik wil niet dat ze mij vertelt wat ik moet doen. Ik schud mijn hoofd en sla mijn ogen ten hemel.

Wanneer is alles toch zo ingewikkeld geworden?

Nou, voor het geval jij het je net als ik ook afvraagt – Deloris werkt tot zeven uur 's avonds. Precies. Ik heb echt nog nooit zoiets gezien, om eerlijk te zijn. Om een minuut voor zeven zit ze met Parker in de schommelstoel op Parkers kamertje en zingt 'Vader Jacob' en amuseert zich gewoon kostelijk. Maar om zeven uur precies, net als ik me op de bank installeer om naar *Access Hollywood* te gaan kijken, stopt ze midden in het liedje met zingen (echt waar, de klokken hadden nog helemaal niet geluid). Plotseling verschijnt Deloris in de studeerkamer en geeft Parker aan mij.

'Alsjeblieft,' zegt ze. 'Tijd voor Deloris om er een punt achter te zetten.' Nou ja, denk ik. Misschien moet ik een prikklok in de keuken hangen en haar een klokkaart geven.

'Oké,' zeg ik met een brede glimlach en ik probeer mijn ergernis niet te laten zien over het feit dat ik nu de volgende aflevering over Ashton en Demi mis. Ik neem Parker van haar over, maar zodra ik haar in mijn armen neem, begint ze te schreeuwen. Deloris kijkt me aan en schudt haar hoofd.

'O, juffrouw Parker, het is oké. Deloris moet nu gaan slapen. Blijf jij nu even bij je mamma. Deloris is er morgen weer, maak je maar niet ongerust.'

Voor de goede orde, ik erger me er echt aan dat Deloris alleen in de derde persoon over zichzelf praat en ik ben een beetje beledigd omdat ze denkt dat Parker liever bij haar dan bij mij is, zelfs als dat waar is. Maar ik zeg niets, omdat ik niet de vrouw wil zijn die haar nanny een standje geeft en die zich door het minste of geringste bedreigd voelt, zelfs als dat zo is. Daarom lach ik.

'Ja, Parker, ik ben niet zo erg, toch?' vraag ik haar. Parker begint nog harder te huilen en daarom verander ik van onderwerp. 'Deloris, er staat een pizza in de diepvries als je dat wilt, of je kunt met mij en Andrew een afhaalmaaltijd eten als Andrew thuiskomt.'

Deloris trekt die wenkbrauw weer op. 'Wat voor een pizza?' vraagt ze.

'O,' zeg ik. 'Een gewone pizza.'

Ze schudt haar hoofd. 'Nee, van welk merk?'

Ik staar haar aan. Houdt ze me voor de gek? 'Weet ik niet,' zeg ik. Ik ben al in geen twee maanden naar de winkel geweest en ik kan me zelfs niet herinneren wanneer ik die pizza heb gekocht. Hij is misschien al twee jaar oud. Ik loop naar de keuken en kijk in de diepvries.

'Dr. Oetker,' zeg ik en ik probeer boven Parkers geschreeuw uit te komen. Deloris trekt een gezicht.

'Nee, dank je. Ik lust alleen Iglo.' O, nou, sorry. 'Wat krijgen we straks te eten?' vraagt ze.

'Chinees,' antwoord ik. 'Ik kan je het menu laten zien.' Ze trekt weer een gezicht en schudt haar hoofd.

'Nee, dat is oké. Het enige oosterse gerecht dat Deloris eet is sushi.' O, mijn god. Mijn nanny, de diva. 'Het is oké,' zegt ze. 'Ik heb wat meegebracht voor vanavond. Maar misschien kun je morgen naar de winkel gaan. Ik zal je een lijstje geven met wat ik deze week nodig heb.'

O, natuurlijk, denk ik. *En ik zal je was bij de stomerij halen en een verjaardagscadeautje voor je neefje kopen, omdat ik blijkbaar je* personal assistant *ben.* Ik kijk haar stralend aan.

'Geen probleem,' zeg ik. 'Ik moet morgen een heleboel dingen doen. Dat doe ik dan morgenvroeg het allereerst voordat ik de andere dingen ga doen.'

'Dank je wel,' zegt ze nors. 'Goeienacht.' En dan loopt ze zomaar door de hal, gaat haar kamer in en doet de deur achter zich dicht.

Een uur later komt Andrew binnen met onze oosterse maaltijd van slechte kwaliteit en huilt Parker harder dan ooit. God. Je zou denken dat Deloris het zou horen en me komt helpen, maar het is alsof ze het land heeft verlaten. Ik denk dat ik me er geen zorgen over hoef te maken dat ze met ons televisie komt kijken.

'Waar is de nanny?' vraagt Andrew, terwijl hij om zich heen kijkt.

'Ze ging naar béd,' zeg ik. 'Om zeven uur.' Ik geef Parker aan Andrew en hij loopt heen en weer in de kamer. Parker blijft schreeuwen op zijn schouder.

'O,' zegt hij teleurgesteld. 'En, vind je haar aardig?' fluistert hij. 'Is ze hot?' Ah, vandaar de teleurstelling. Andrew lijkt te denken dat we, omdat we een bureau hebben ingeschakeld en niet iemand hebben aangenomen die in een ton met meel op een schip dit land in is gekomen, een meisje van negentien uit Zweden krijgen. In feite, toen ik hem vertelde dat ze vandaag iemand zouden sturen, zei hij dat ze maar beter negentien kon zijn en uit Zweden kon komen voor het geld dat we voor haar moesten betalen.

'Hot? Nee. Ik denk niet dat je haar hot vindt. Maar ik denk dat ze oké is. Ze is geen Mary Poppins, maar ze is goed voor de baby, dat is een ding wat zeker is. Parker houdt op met huilen als zij haar pakt. Het is nogal ergerlijk, eigenlijk.' Andrew schudt zijn hoofd en kijkt zelf geërgerd.

'Jij bent onmogelijk, weet je dat?' vraagt hij.

'Waarom?'

'Daarom. Jij wilde iemand om je te helpen en ze moest goed zijn voor baby's, maar nu je iemand hebt, erger je je omdat ze te goed is.'

Ik duw mijn tong tegen mijn wang en denk erover na hoe hij tot dat inzicht is gekomen. 'Dat is niet waar,' lieg ik. 'En zelfs als het waar is, is dat niet alleen omdat ze te goed is. Ze wrijft het onder mijn neus. Jij was niet hier. Jij hebt niet gezien hoe ze naar me keek. Jij hebt niet gehoord hoe ze tegen me praatte. Ze bleef suggereren dat Parker liever bij haar dan bij mij was.'

Andrew is stil als ik dit zeg en zijn stilzwijgen spreekt boekdelen.

'O, dank je wel, Andrew,' zeg ik. 'Je hebt haar nog niet ontmoet, maar je weet al dat Parker meer van haar houdt dan van mij. Dat is fantastisch. Dat is een grote steun.' Ik begin te huilen. Ik kan er niets aan doen. Ik heb het de hele dag ingehouden omdat ik niet wilde dat Deloris het zou zien, maar nu kan ik mijn tranen gewoon niet langer bedwingen.

Andrew zucht. 'Kijk, schatje, ik weet zeker dat ze het je niet onder de neus wilde wrijven. Maar als je het niet eens bent met de manier waarop ze tegen je praat, dan moet je er iets van zeggen. Jij betaalt deze vrouw, weet je. Zij werkt voor jou.'

Ik slaak een diepe zucht. 'O, oké,' zeg ik bitter. 'Ik zeg gewoon tegen haar dat ik heb gezien hoe ze me met haar ogen beoordeelde en dat ik het niet leuk vind dat ze me het gevoel gaf dat ik met haar moest wedijveren, ondanks het feit dat ze alleen maar zei dat Parker niet heeft gehuild toen ik er niet was.' Ik vaar snuivend tegen hem uit: 'Ik weet zeker dat me dat heel goed gaat lukken.'

Nu slaakt Andrew een diepe zucht. 'Oké,' geeft hij het op. 'Doe wat je wilt. Maar je moet wel bedenken dat Parker voelt dat je ongelukkig bent en dat ze daar gewoon op reageert. Misschien als je graag bij haar zou zijn, zou zij graag bij jou zijn.'

Ik doe alsof ik diep onder de indruk ben van zijn genialiteit. 'Wauw, Andrew,' zeg ik. 'Daar heb ik nooit aan gedacht. Je hebt gelijk. Ik moet gewoon gelukkiger zijn. Wat een fantastisch idee. Weet je, dat zou je moeten publiceren. Ik weet zeker dat depressieve mensen op de hele wereld heel graag over jouw inzicht willen horen.'

Hij doet alsof hij lacht. 'Je bent zo grappig, Lara. Misschien moet je op tournee gaan. Of wacht – ik heb een idee. Misschien moet je de dokter bellen en zeggen dat je depressief bent, in plaats van te hopen dat het vanzelf over zal gaan.'

'Begin niet over iets anders te praten,' zeg ik en ik wijs naar hem. 'Dit gaat niet over mijn depressie. Jij kiest partij voor een vrouw die je nog nooit hebt gezien, boven je eigen vrouw. Daar gaat het om.'

Andrew legt Parker over zijn andere schouder en haalt verslagen zijn schouders op. 'Goed,' zegt hij. 'Als jij het daarover wilt hebben, dan is dat goed. Ik ga haar in bad doen.' Hij draait zich om en loopt de keuken uit. Parker huilt nog steeds op zijn schouder. Maar in de gang draait hij zich weer om. 'Je weet dat ik gelijk heb. Je hoeft het niet toe te geven, maar je weet dat ik gelijk heb.'

Hij loopt weg en ik haal achter zijn rug mijn neus op.

Wijsneus, denk ik. Meneer de betweter.

Ik zucht en ga op een krukje voor het aanrecht zitten. Ik moet toegeven, zijn timing is heel goed. Ik moet morgen inderdaad op controle bij dokter Lowenstein. Misschien is het goed om met hem te praten over hoe ik me voel. Maar heel diep vanbinnen voel ik me ongerust. Ik weet namelijk niet zeker of ik wel wil horen wat hij te zeggen heeft.

4

Ik lag de hele nacht wakker en dacht na over wat Andrew had gezegd. Nou, ik was toch al de hele nacht wakker om Parker om de tien minuten te voeden, maar ertussenin dacht ik na over wat Andrew had gezegd. Dat ik gewoon gelukkiger moest zijn. En ik besloot dat hij gelijk heeft. Natuurlijk zal ik dat nooit tegen hem zeggen, maar ik denk dat hij hier een punt heeft. En daarom heb ik besloten dat ik mezelf ga dwingen om weer grip op mijn leven te krijgen. Ik bedoel, het is zes weken geleden, ik heb nu een nanny en ik moet ophouden met treuren om het verlies van mijn oude leven en gewoon doorgaan met mijn nieuwe. En ja, ik zal mijn dokter vragen wat hij ervan vindt, want als er een pil voor is, sta ik als eerste in de rij voor een glas water. Maar depressie of geen depressie, het is tijd dat ik ophoud met huilen, dat ik orde op zaken stel en dat ik weer naar buiten ga. O, en het is tijd voor een manicure. Absoluut tijd voor een manicure.

Het is opwekkend, tussen haakjes, dit vastberaden gevoel. Ik ben mezelf weer, op de een of andere manier – alsof ik de spinnenwebben heb opgeruimd en mijn leven weer in de hand heb. En is dat niet altijd al belangrijk voor mij geweest? Controle? Ja, natuurlijk. En dus is de eerste stap in dit Grip Krijgen Plan stoppen met die borstvoedingsonzin. Ik moet stoppen. Ik moet. *Ik moet, ik moet, ik moet mijn borsten kleiner maken.* Sorry. Ik had hier zojuist gewoon even een Judy Blume-momentje. Maar goed, ik weet dat ik dit al een keer heb gezegd, maar nu meen ik het echt. Nu ga ik munitie verzamelen.

Ik pak de telefoon en bel mijn vriendin Stacey.

'Het kantoor van Stacey Horowitz.'

'Hallo, is ze aanwezig?' vraag ik. *Alsjeblieft, alsjeblieft, alsjeblieft ben er.*

'Wie mag ik zeggen dat er aan de telefoon is?'

'Lara Stone. Zeg tegen haar dat het héél erg belangrijk is.'

Sinds een paar maanden, toen Stacey ontdekte dat ze dit jaar partner zou kunnen worden van haar advocatenkantoor, mag ik haar niet meer op haar werk bellen. Ze zei dat ze niet meer met me wil praten tenzij ze me een rekening kan sturen voor mijn tijd. En omdat ze me geen rekening kan sturen voor een bezoek in het ziekenhuis of voor een kort bezoekje om de nieuwe baby van haar beste vriendin te zien, doet ze dat ook niet. Echt waar, zes weken en ze heeft de baby zelfs nog niet gezien. Als het iemand anders was, dan zou ik die nooit meer willen zien. Maar bij Stacey is dit normaal. En bovendien, ik weet wat het is om op een advocatenkantoor te werken en ik begrijp haar obsessie en daarom neem ik het haar niet kwalijk. Ik heb me tot nu toe zelfs neergelegd bij haar stomme niet-bellen-beleid, maar dit kan gewoon niet wachten.

De lijn tikt als Stacey oppakt.

'Dit kan maar beter belangrijk zijn,' kondigt ze aan.

'Het spijt me, maar ik moet je even een heel snelle vraag stellen en ik moet het antwoord meteen weten.'

'Wat?' zegt ze geïrriteerd. God, wat ben ik blij dat ik geen jurist meer ben. Stacey is zo gestrest over dit partnergebeuren. Als het niet lukt, weet ik echt niet wat ze gaat doen. Ik weet alleen dat ik niet in de buurt wil zijn als dat gebeurt.

'Oké. Heb jij borstvoeding gekregen?'

'Wat?'

'Als baby. Heeft jouw moeder je borstvoeding gegeven of heb je flesvoeding gekregen?'

Ze ademt hoorbaar uit. 'Dit was zo belangrijk? Lara, weet je hoe mijn leven er nu uitziet? Als ik eind augustus geen vijfentwintighonderd uur heb gedeclareerd, kan ik wel inpakken. En nu heb ik er pas eenentwintighonderd voor het hele jaar en dat betekent dat ik de komende drie maanden nog voor vierhonderd uur werk moet vinden en jij stelt me onbelangrijke vragen over wat ik als baby heb gegeten en dat helpt niet echt.'

'In feite,' zeg ik gepikeerd, 'als je gewoon ja of nee had gezegd in plaats van een preek te houden, had je je een twintigste van een uur kunnen sparen. Jezus, Stacey. Nou, heb je het wel of niet gekregen?'

Ze ademt weer uit. 'Ik weet het niet. O, wacht. Nee, ik geloof het niet. Oké? Is dat alles?'

50

Ik lach. 'Ja. Dat is perfect. Dank je wel.' Ik wil al neerleggen, maar Stacey zegt nog wat.

'Maar waarom wil je dat weten?'

'Dat doet er niet toe. Ik wil niet nog meer van je kostbare tijd verspillen. Tot over drie maanden.'

'Nee,' zegt ze. 'Vertel het me maar.'

'Oké,' zeg ik op een toon van jij-vroeg-er-zelf-om. 'Ik doe een onderzoek onder alle slimme mensen die ik ken om te zien wie borstvoeding heeft gekregen. Want ik wil ermee ophouden, maar Andrew bezorgt me een schuldgevoel en als ik mensen ken die intelligent en relatief normaal zijn en die geen borstvoeding hebben gekregen, dan heb ik een bewijs. Oké?'

Ze ademt nog eens gestrest uit. 'Jij hebt je verdomde verstand verloren. Ik hoop dat je dat weet.'

'Daar ben ik me heel erg van bewust, dank je wel.'

Mijn onderzoek levert betere resultaten op dan ik had gedacht. Ik heb de hele ochtend aan de telefoon gezeten en tot nu toe hebben maar twee mensen gezegd dat ze borstvoeding hebben gekregen. De eerste is de man van Julie, Jon, die wel slim is, maar ik wil toch niet dat mijn kind later op hem lijkt. Ik bedoel, de favoriete band van de man is de Miami Sound Machine, in godsnaam, hij kan niet heel erg slim zijn. De tweede ben ik helaas zelf. Ja, ik. Laat het maar aan mijn moeder over om een van de ongeveer drie vrouwen te zijn die in de jaren zeventig borstvoeding hebben gegeven. Bijna achttien maanden lang.

Het is om gek van te worden, echt waar. Als ik geen borstvoeding had gekregen, dan zou ik me nu niet zo schuldig voelen. Maar ik heb wel borstvoeding gehad en ik had als kind in die verdomde folders van La Leche League kunnen staan die Andrew overal in huis heeft gelegd. Alles wat erin staat als voordeel van borstvoeding klopt in mijn geval. Ik heb als kind nooit oorontsteking gehad, ik heb nooit echt problemen met mijn gewicht gehad, ik ben naar een universiteit uit de Ivy League gegaan, en verdorie, ik heb zelfs geen beugel gehad. Begrijp je nu waarom ik me zorgen maak? Ik bedoel, het is heel goed mogelijk dat dit allemaal ook van toepassing was als ik geen borstvoeding had gekregen, maar het feit dat ik die mogelijkheid niet kan uitsluiten, maakt me heel erg ongerust. Maar omdat ik Staceys naam kan toevoegen aan de 'nee'-rij word ik wat rustiger. Zij is ongetwijfeld een van de intelligentste mensen die ik ken en die meid heeft in haar hele leven nog nooit een onsje lichaamsvet gehad.

Oké. Er is nog maar één persoon die ik moet bellen. Ik pak de telefoon en draai het nummer.

'Hallo?'

'Hoi, mamma, met Lara.' Nee, niet mijn moeder, die van Andrew.

'O, hallo, schatje. En hoe gaat het vandaag met mijn kleine kleindochter?'

'Ze is een terrorist. Maar mijn nieuwe nanny is gisteren begonnen. Hopelijk gaat het nu beter.'

'O, gelukkig. Ik kan niet geloven dat je het zo lang in je eentje hebt gedaan. Ik zweer je, Lara, ik ken niemand die geen fulltime hulp heeft gehad.'

Ik draai met mijn ogen en ga zachter praten. 'Weet je, Arlene, ik heb geruchten gehoord over een afgezonderde stam in Zimbabwe waar de vrouwen de kinderen zelf moeten opvoeden. Maar men zegt dat de stam uitsterft, omdat de vrouwen niet genoeg kinderen krijgen. Kinderen zijn gewoon te veel om te kunnen overleven.'

'Ha, ha,' zegt ze. 'Je zult het zien, Lara. Je wilt niet geloven hoe je het ooit zonder haar hebt klaargespeeld.' Ah, Arlene, Arlene. Je moet begrijpen dat ze toen Andrew klein was, niet één maar twee inwonende nanny's had – eigenlijk was het een inwonend échtpaar, een man-en-vrouw-team dat in het achterhuis woonde – plus een huishoudster en een chauffeur. Ja, je hebt het goed gehoord. Een chauffeur. In Los Angeles, het land van ruimschoots voldoende gratis parkeerplaatsen en portiers bij de supermarkt die je auto wegzetten. Dolkomisch, nietwaar?

Maar goed, Andrew houdt vol dat hij borstvoeding heeft gehad, maar dat kan ik gewoon niet begrijpen. Op de een of andere manier vind ik Arlene niet het type om maanden aan een stuk aan een baby vast te zitten als ze in plaats daarvan kan gaan shoppen op Rodeo Drive en daarom heb ik besloten wat onderzoek te doen.

'Eigenlijk,' verander ik van onderwerp, 'moet ik je iets vragen. Andrew denkt dat je hem borstvoeding hebt gegeven tot hij een jaar was. Klopt dat?' Aan de andere kant van de telefoon lacht ze zo hard dat ik bijna kan voelen hoe ze op me spuugt.

'Denkt hij dat echt? Ik heb hem flesvoeding gegeven vanaf het moment dat hij werd geboren. Ik heb nooit borstvoeding gegeven. Dat is walgelijk.'

Dank je wel!!! Dat is precies wat ik dacht dat ze zou zeggen. Oké, denk ik lachend. Ik weet genoeg.

De rest van mijn dag zit propvol. Mijn afspraak bij dokter Lowenstein is om half twaalf. Daarna ga ik lunchen met Julie en dan moet ik naar de supermarkt voor Deloris. Nog een keer. Ik ben vanmorgen vroeg al geweest, om zeven uur, maar de Ralphs-supermarkt bij ons in de straat verkoopt de kaas die zij lekker vindt niet en daarom moet ik daar vanmiddag extra voor naar Whole Foods rijden, want ik heb blijkbaar niets anders te doen op mijn eerste volle dag met hulp dan tijdens het spitsuur dwars door de stad naar Brentwood te rijden.

Ik kijk op mijn horloge: tien uur. Oké. Ik moet aan de slag. Ik moet afkolven, zodat Parker iets te eten heeft als ik weg ben en daarna moet ik me aankleden. Ik trek mijn bh aan, ga op de grond naast mijn bed zitten en verbind me met de pomp. Ik huil niet meer als ik het doe – dat stadium ben ik voorbij – maar man, ik kan niet wachten totdat ik dit ding naar het ziekenhuis kan terugbrengen en deze vieze oude bh kan weggooien. O ja, ik kan je verzekeren dat ik geen traan zal laten als het zover is. Als ik twee flesjes heb geproduceerd, maak ik de zuignappen los, zet de flesjes in de koelkast en loop terug naar de slaapkamer. Oké. Nu moet ik nog iets vinden om aan te trekken.

Mijn god. Wat ga ik aandoen?

Positief is, laat me dat zeggen, dat ik sinds mijn eerste onderneming op de weegschaal op de dag dat ik uit het ziekenhuis kwam, meer dan tien kilo ben afgevallen. Tien kilo afgevallen zonder lijnen, sporten of slapen. Als je je ooit hebt afgevraagd waar ze de modellen voor die goedkope advertenties voor gewichtsverlies vandaan halen die altijd op de achterkant van tijdschriften staan – *verlies vijftien pond en drie centimeter in maar drie weken!* – verbaas je niet meer. Ze moeten bij de ziekenhuizen gaan staan en alle vrouwen die met een baby naar buiten komen geld aanbieden.

Niet zo positief is echter, laat me dat ook zeggen, dat ik nog tien kilo moet afvallen. Tien kilo die god weet waar ergens zitten, want tot nu toe heb ik niet durven kijken. Echt waar, ik ben een vampier vanaf de hals naar beneden, ik probeer spiegels te vermijden en mijn lichaam zo min mogelijk aan daglicht bloot te stellen. Ik douche zelfs met mijn ogen dicht. Maar nu heb ik geen keus. Vanmiddag ga ik uit – midden in Beverly Hills – en ik wil er niet slonzig bijlopen. Ik bedoel, stel dat ik iemand van mijn werk zie of een van mijn vroegere leerlingen. Stel dat ik iemand van mijn oude advocatenkantoor tegenkom. Nee, ik wil niet dat mensen roddelen over hoe ik eruit zie nu ik een baby heb. Ik moet mijn imago beschermen en dat zal ik koste wat het kost doen. Zelfs als het betekent dat ik me in de spiegel moet bekijken. Naakt.

Dat brengt me naar stap twee van het Grip Krijgen Plan: een totale beoordeling van het hele lichaam.

Overbodig te zeggen dat ik doodsbang ben.

Ik zet me schrap, loop naar mijn kleedkamer, doe de deur dicht en terwijl ik mijn ogen dichthoud, laat ik mijn badjas op de grond vallen en sta voor de manshoge spiegel die aan de muur hangt. Ik open een oog en daarna het andere.

Ho. Ik bekijk mijn borst, mijn buik, mijn armen, mijn heupen, mijn dijen en dan draai ik me om en kijk naar mijn achterwerk. Snel draai ik me weer om. Ik haal een paar keer diep adem. Oké, het is erg. Niet zo erg als ik me had voorgesteld – ik had me voorgesteld dat vetrolletjes van kwarkkleurig vlees over elkaar heen hingen – maar het is toch vrij erg. Ik doe een paar stappen terug en bekijk mezelf opnieuw, van top tot teen. Goed. Hier zijn de (niet zo) magere tieten: Je weet al dat mijn tieten weerzinwekkend groot zijn, zo groot als die van een pornoster. En niet op een goede manier. Maar ik hoop dat die weer zo klein worden als vroeger zodra ze niet meer als melkflessen worden gebruikt. En dat gebeurt. Heel snel.

Armen: Mijn armen zijn dan wel dikker dan vroeger, maar honden of andere vleesetende dieren die ik op straat tegenkom, zullen er waarschijnlijk niet achteraan gaan in de veronderstelling dat het gevulde worstjes zijn en geen armen, zoals het geval was tijdens de laatste weken van mijn zwangerschap. Als ik ze echter uitstrek en zachtjes op mijn triceps sla, schrik ik heel erg als ik zie dat ze fladderen. Net als vleugels.

Heupen: Mijn heupen zijn absoluut breed geworden, maar Julie heeft me verzekerd dat ze na een paar maanden weer normaal zijn en daarom ga ik daar maar niet over stressen.

Dijen: Deze hebben kussentjes die ze vroeger niet hadden, maar ze overlappen elkaar ten minste niet meer als ik met mijn benen tegen elkaar sta en dat is een enorme vooruitgang. Enorm.

Achterwerk: Ook enorm. Ik heb het over *junk* in de *trunk*. O, ja. Hier moet ik absoluut aan werken, absoluut!

En ten slotte, ik weet zeker wat jullie je nu allemaal afvragen. Wat elke vrouw wil weten. Dames en heren, het belangrijkste nummer van dit postpartumcircus, de Griezeligste Show op Aarde: klap in de handen en heet hartelijk welkom... mijn buik.

Goed. Ik ga er geen doekjes om winden. Maar om eerlijk te zijn, zó afschuwelijk is het nu ook weer niet. Hij is min of meer plat, als je met plat bedoelt dat je de vloer kunt zien, en ik heb geen zwangerschapsstrepen, gelukkig. Hij heeft dus tenminste een normale kleur en ziet er helemaal niet rood en streperig uit. Hij is een beetje kwabbig, denk ik, maar ik maak me echt ongerust over de huid. De huid is ruw en gerimpeld en hij hangt gewoon. Vooral recht boven mijn litteken. Daar ligt een kleine huidplooi, die eruitziet alsof hij strakgetrokken en afgeknipt moet worden – ik denk dat ze dat een tummy tuck noemen. Hm. Misschien moet ik mijn opvattingen over plastische chirurgie toch maar herzien.

Oké. Weet je wat? Ik herzie mijn eerste verklaring. Het is niet zó erg. Verdorie, in vergelijking met mijn zwangere ik ben ik al bijna een supermodel. Ik wil zelfs zover gaan en zeggen dat er waarschijnlijk een paar mensen op de wereld zijn die dit lichaam heel graag willen hebben. Nou, natuurlijk niet in Los Angeles, maar misschien iemand in Minnesota of misschien Nebraska. Het punt is dat het veel erger had kunnen zijn.

Ik lach en begin mijn kleren te passen.

Ik stop mijn linkerbeen en dan mijn rechterbeen in mijn Blue Cult jeans van maat 36 en begin hem op te trekken. Maar aan dat optrekken komt bij de knieën abrupt een einde en ik lach niet meer als ik me iets afschuwelijks realiseer: de hele tijd heb ik me vergeleken met mijn dikke, zwangere ik, omdat ik me mijn oude, magere ik helemaal niet meer kan herinneren.

O, mijn god, denk ik, als de realiteit van de situatie tot me begint door te dringen. Wie houd ik hier voor de gek? Natuurlijk zie ik er goed uit in vergelijking met mijn zwangere ik. Mijn zwangere ik was een beest.

Met de jeans nog steeds op mijn knieën maak ik een pinguïn-achtige halve draai en kijk in de spiegel nog eens naar mijn achter-werk. O, ja, ik ben dik. Dik met een hoofdletter D. Verdomme, dik met een hoofdletter D, I en K, nu we het daar toch over hebben.

Ik begin als een gek in mijn kast te graaien op zoek naar iets, om het even wat, wat past.

Oké. Had ik geen ribbroek die me te groot was? Ja. Die bruine die ik in New York heb gekocht. Perfect.

Ik graaf achter in mijn kast waar ik de spullen heb liggen die ik in geen jaren heb gedragen. Hier is hij. Ik trek hem snel aan, maar hij komt niet over mijn heupen heen.

Shit. Wacht! En die Banana Republic-broek die ik heb gekocht toen ik afstudeerde en acht kilo was aangekomen? Ik graaf hem op van onder een stapel kleren die al twee jaar geleden gereinigd had moeten worden, maar die ik nooit naar de stomerij heb gebracht toen ik eenmaal zwanger werd en ik trek hem aan. Hij gaat om-hoog. Helemaal omhoog.

Yes, denk ik. Hier gaan we dan. Maar als ik hem probeer dicht te maken, krijg ik de knoop niet verder dan zo'n zeven centimeter van het knoopsgat. Ik haal een paar keer diep adem. *Misschien moet ik een paar bloezen passen.*

Ik pas er vijf achter elkaar, maar ze passen geen van alle. Ze zijn allemaal te strak en tien centimeter te kort omdat mijn tieten zo verdomd groot zijn. Ik kijk naar mijn positiekleren, die netjes op-gestapeld in zakken op de bodem van mijn kast liggen te wachten tot ik ze weggeef aan de eerste vriendin, het eerste familielid of de eerste collega die aankondigt dat ze zwanger is.

Nee. Geen sprake van. Ik ga liever naakt dan dat ik die spullen weer draag. Er moet iets zijn. Er moet iets zijn.

Tegen de tijd dat ik klaar ben, heb ik elk kledingstuk in mijn kast gepast. En ik bedoel élk kledingstuk. Ik zocht zo wanhopig naar een outfit dat ik zelfs een beige, nep-slangenleren broek met een elastieken taille en alle kleuren van de regenboog paste die ik vijf jaar geleden voor een gekostumeerd feest had gekocht – Andrew en ik gingen als Dennis Rodman en Carmen Electra – en als mijn achterwerk niet leek op een reusachtige boa constrictor die net een kameel met twee bulten had verslonden, dan zou ik die heb-ben gedragen.

Ik kan alleen maar zeggen: godzijdank voor de rok. Ik heb ontdekt dat als je een rok niet dichtgeritst krijgt als hij op je heupen rust, je hem wel dicht kunt krijgen als je hem optrekt tot het smalste deel van je lichaam (wat in mijn geval het bovenste stuk van mijn ribbenkast is). En als je dan een bloes draagt die lang genoeg is en niet laat zien dat je je rok tot onder je tieten hebt opgetrokken, dan kom je toch nog goed weg met je hele outfit. Daarom draag ik ondanks het feit dat het zomer is en ongeveer dertig graden een lange bruine coltrui en een roomkleurige wollen rok, die op de kuiten moet vallen maar die nu op de helft van mijn dijen komt.

Wat goed dat de minirok weer in de mode is.

***

Als ik eindelijk ben hersteld van mijn shock en de make-up heb bijgewerkt die ik er tijdens het passen van mijn kleren heb afgezweet, realiseer ik me dat ik nu te laat ben voor de afspraak bij de dokter en daarom ren ik naar de kamer van Deloris om haar te zeggen dat ik weg ben. Maar als ik bij haar deur kom, blijf ik stokstijf staan. Ik wil haar niet bespioneren of zo, maar de deur staat een stukje open en Deloris staat midden in de kamer met haar ogen dicht, draait rondjes en zwaait met een stok. Met de andere hand strooit ze elke keer als ze ronddraait een handvol poeder uit. Ik schraap mijn keel.

'Hm, Deloris?' Deloris lijkt me niet te horen en eerlijk gezegd ben ik een beetje bang om haar te storen. Ik klop heel zachtjes op de deur en deze keer houdt Deloris op met draaien en doet haar ogen open.

'Sorry,' zegt ze. 'Ik heb je niet gehoord. Soms raak ik in een trance als ik mijn bezweringen doe.' Haar bezwéringen? Ze maakt de deur open en gebaart me naar binnen te komen.

'O,' zeg ik en ik probeer beleefd en objectief te zijn. 'Dat is oké.' Uit mijn ooghoek zie ik dat de kamer er anders uitziet en ik kijk rond terwijl Deloris met haar rug naar me toe staat. Gisteren lag er niets anders in de kamer dan een paar oude lakens en stond er een stel witte rieten meubelen die Andrews moeder me een paar maanden geleden heeft geleend, en vandaag is hij een kruising tussen een voodoo-altaar, de set van een slechte decoratieshow en een winkel met spullen voor drugsgebruikers.

Op het bed ligt een dik, bloedrood dekbed. Daar bovenop ligt een verzameling zwarte teddyberen gekleed in een kleurige tuniek en bijpassende hoed. Voor het raam hangt een rood, glimmend gordijn dat vermoedelijk is gemaakt van bedrukt katoen, en aan de muur hangt een reproductie van drie griezelige witte duivelse schepsels onder een rode zon. Op de boekenplank staan allemaal kaarsen, flessen olie, een miniatuurkop van een krokodil, gekleurde wierookstokjes, een kleine zwarte ketel die waarschijnlijk (hoop ik) is bedoeld als wierookbrander en een verzameling kleine mensen van stro waarvan ik bijna zeker weet dat het voodoopoppen zijn. Oké, dan. Voor het geval iemand het zich afvraagt, Deloris is officieel níét Mary Poppins.

Ik schraap mijn keel nog eens en ik vraag me af waar ik verdomme in terecht ben gekomen.

'Ik wilde je alleen maar even zeggen dat ik weg ben,' zeg ik. Ik kijk om me heen en realiseer me plotseling dat ze alleen is. Zonder Parker. 'Waar is Parker?' vraag ik achterdochtig en ik vraag me af of baby-oortjes ingrediënten waren voor de bezwering die ze aan het doen was. Deloris legt haar stok neer – of misschien is het een toverstokje – en klopt het poeder van haar bloes.

'O, ze doet een dutje,' zegt ze.

Ik staar haar ongelovig aan. 'In haar bedje?' vraag ik. Parker doet nooit een dutje in haar bedje. Ik heb wel duizend keer geprobeerd om haar in haar bedje te leggen nadat ze op mijn schouder in slaap was gevallen, maar elke keer wordt ze wakker als haar hoofdje het kussen raakt.

'Ja,' zegt Deloris. 'Ik moest het een paar keer proberen, maar Deloris heeft een magische kracht.' Ze knipoogt naar me als ze het woord krácht zegt.

Geen sprake van, denk ik. Heeft ze mijn baby betoverd? Huilt Parker daarom nooit als ze bij haar is? Ik wacht even om te bedenken a) of ik hierin geloof en b) of het acceptabel is, ongeacht mijn antwoord op vraag a). Ik besluit dat de antwoorden op deze vragen *néé* en *verdomme néé* zijn, maar ik heb nu geen tijd meer om met haar in discussie te gaan.

'Geweldig,' zeg ik in plaats daarvan met een brede glimlach. 'Nou, ik ben over twee uurtjes terug. Er staan twee flesjes melk in de koelkast en mijn mobiele nummer ligt op het aanrecht. O, en ik heb ook het nummer van de dokter opgeschreven, omdat je daar geen mobiele telefoon mag gebruiken. En voor het geval ligt er ook het nummer van het werk van mijn man – hij heet Andrew – jij was al op je kamer toen hij gisteravond thuiskwam – en het nummer van de kinderarts. En in geval van nood bel je gewoon 112.'

Deloris kijkt me aan alsof ik helemaal gek ben. 'Maak je geen zorgen, mevrouw Lara. Wij redden ons wel.'

Ik haal diep adem. 'Dat weet ik,' zeg ik. 'Ik ben het gewoon niet gewend om zomaar weg te gaan.' *En*, wil ik toevoegen, *het is heel goed mogelijk dat ik niet meer terugkom.*

Deloris knikt. 'Vind je het goed als ik een stukje met haar ga wandelen als je weg bent?'

'O, ja,' zeg ik. 'Ga je gang. De kinderwagen staat in de garage.' Ik draai me om en zwaai half naar haar. 'Oké, tot straks!'

Ik pak mijn tas en mijn sleutels en vlieg de deur uit en als het huis in mijn achteruitkijkspiegel verdwijnt, slaak ik een diepe zucht. Voor de eerste keer in zes weken ben ik babyloos. En ondanks mijn gewicht voel ik me zo licht als een veertje. Ik voel me van een last bevrijd. Ik voel me ongebonden. Ik ben een idioot dat ik niet veel eerder iemand in dienst heb genomen.

Ik trek de zonneklep naar beneden en lach in de spiegel tegen mezelf. Vandaag is de eerste dag sinds Parker is geboren, waarop ik echt tijd had om make-up op te doen.

Liefje, denk ik, welkom terug.

,

5

Ik kom tien minuten te laat in de praktijk van dokter Lowenstein en word meteen naar een van de behandelkamers gebracht. Ik ga op het bed liggen en sluit mijn ogen en ik val meteen in slaap. Als de deur opengaat en dokter Lowenstein binnenstormt, val ik van schrik letterlijk van het bed af.

'Nou,' lacht hij, 'ik hoef niet te vragen of de baby al de nacht doorslaapt.'

Ik sla mijn ogen ten hemel bij deze opmerking en schud mijn hoofd. 'Niet echt,' zeg ik.

Ik klim weer op het bed en ga zitten en dokter Lowenstein pakt mijn kaart.

'Zo,' zegt hij. 'Hoe gaat het?'

'Het is oké, denk ik,' antwoord ik, hoewel mijn toon iets anders suggereert.

Dokter Lowenstein merkt het en kijkt me bezorgd aan. 'Weet je het zeker?' vraagt hij. 'Je klinkt namelijk niet erg overtuigend.'

Als Luthor tevoorschijn komt, denk ik eraan dat ik vandaag grip wilde krijgen en dat ik die niet ga verliezen in de praktijk van mijn gynaecoloog. Ik haal diep adem om kalm te worden en slik mijn tranen in.

'Nee, het is goed,' zeg ik aarzelend. 'Het is alleen... Ik voel me een beetje... ik weet het niet, een beetje minder.'

Hij knijpt zijn ogen dicht. 'Minder? Wat bedoel je daarmee?'

Ik haal mijn schouders op. 'Gewoon, weet je, depressief, denk ik.'

Dokter Lowenstein gaat zitten en kijkt me ernstig aan. 'Heb je zelfmoordneigingen? Of wil je de baby iets aandoen?'

Ik ben een beetje van mijn stuk gebracht door dit soort vragen. Ik bedoel, ik zei dat ik depressief was, niet krankzinnig.

'Nee,' zeg ik. 'Dat helemaal niet.' Maar dokter Lowenstein laat niet los.

'Weet je het zeker? Want het is niet erg als je dat hebt. Maar dat moet je me dan wel vertellen.'

Ik schud mijn hoofd. 'Nee, ik zweer het. Het is niet gewelddadig. Ik huil alleen heel veel. En ik ben ook niet echt gelukkig. Ik bedoel, heel vaak wilde ik dat ik haar nooit had gekregen.'

Dokter Lowenstein is opgelucht. 'O,' knikt hij. 'Dat is geen postnatale depressie.'

'Maar wat is het dan wel?' vraag ik. Mijn hart begint te bonzen terwijl ik erop wacht dat hij me zegt dat het niets medisch is, dat ik het moederschap alleen maar shit vind.

'Sommige mensen noemen het de baby blues,' zegt hij. 'Het zijn vooral de hormonen, maar het gaat doorgaans weg na de eerste twee of drie weken.'

Ik trek mijn wenkbrauwen op. 'Maar ik heb het nog steeds en het is nu al zes weken.'

Hij haalt zijn schouders op alsof hij wil zeggen: Nou, wat verwacht je dan?

'Sommige vrouwen hebben nu eenmaal wat meer tijd nodig om zich aan het moederschap aan te passen. Je leert het wel. Iedereen doet dat uiteindelijk.'

Oké, in wezen heeft hij me dus zojuist verteld dat ik het moederschap shit vind, nietwaar? Weet je, ik wist dat dit ging gebeuren. Ik had het nooit moeten vragen. Ik knipper drie of vier keer hard met mijn ogen om mijn tranen terug te dringen.

Dan loopt dokter Lowenstein zonder iets te zeggen naar me toe en trekt mijn trui omhoog. Als hij naar de ritssluiting van mijn rok tast, lijkt hij in verwarring gebracht. O, nee. Hoe gênant.

'Die is hier,' zegt ik verlegen. Ik rits de rok open en trek hem naar beneden waar hij behoort te zitten. 'Hij paste anders niet.'

Dokter Lowenstein knikt alsof hij het allemaal al eens heeft gezien en hij trekt de string naar beneden waar ik vanmorgen mijn dikke kont in heb geperst, want geen haar op mijn hoofd die eraan denkt om een man – dokters inclusief – het enorme katoenen omaondergoed te laten zien dat ik draag sinds ik zeven maanden zwanger was en een aambei kreeg.

'Je litteken geneest goed,' zegt hij terwijl hij er met zijn vinger overheen gaat. 'Heb je nog pijn?'

'Niet echt,' zeg ik. 'Ik voel het soms als ik opsta of als ik moet hoesten, maar dat is geen pijn.'

Hij is trots op zijn werk. 'Goed. Dat is een goed teken.' Hij loopt naar zijn stoel en gaat weer zitten en begint iets in mijn dossier te krabbelen. Als hij klaar is, kijkt hij me aan. 'Je kunt vanaf nu weer elke lichaamsbeweging doen. Er is geen risico meer dat de wond weer openbarst.'

Ik staar hem aan en plotseling maken de tranen plaats voor opwinding. 'Bedoelt u dat ik nu weer naar de sportschool mag?'

Hij knikt. 'Absoluut. Ik zou het nog een paar weken rustig aan doen met sit-ups, maar de rest kun je heel goed doen.'

'Tae-bo? Wandelen? Dat is oké?'

'Oké,' zegt hij. Maar dan kijkt hij me streng aan. 'Overdrijf het niet in het begin. Je lichaam maakt een heleboel mee tijdens een zwangerschap. En je verliest toch al niet alle gewicht zolang je borstvoeding geeft, werk je dus niet uit de naad op de sportschool. Als je borstvoeding geeft, houdt je lichaam minstens vijf tot tien pond vet vast.'

Wát? Borstvoeding maakt je ook nog dik? O, dat is écht het einde.

Dokter Lowenstein lacht naar me en staat op alsof hij op het punt staat om te gaan.

'Wacht,' zeg ik gedwee. Hij draait zich om, gaat weer zitten en kijkt me vragend aan. 'Stel dat ik nu wil stoppen met de borstvoeding, wat moet ik dan doen?'

Hij fronst het voorhoofd. 'Je wilt na zes weken al stoppen?' vraagt hij. 'Weet je, het beste is als je het drie maanden doet.' Alweer die drie maanden. Is er dan niemand op de hele wereld die begrijpt hoe lang drie maanden kunnen duren?

'Dat heb ik gehoord,' zeg ik. 'Maar gewoon theoretisch gezien, als ik nu zou willen stoppen, hoe moet ik dat dan aanpakken?'

Hij zucht. 'Er zijn twee mogelijkheden. Je kunt het op een natuurlijke manier laten opdrogen. Als je niet meer voedt, krijgt je lichaam het bericht dat het tijd is om te stoppen. Maar dat kan een aantal weken duren en is tamelijk pijnlijk vanwege de stuwing. De andere mogelijkheid is een pil. Ik kan je die nu voorschrijven en als je wilt stoppen neem je die acht dagen lang twee keer per dag. Tegen de tiende dag moet het helemaal zijn opgedroogd.'

Bingo. 'Ik denk dat ik de pil neem. Dank u wel.'

'Oké,' zegt hij en hij pakt een receptenblokje. 'En heb je nog een voorbehoedsmiddel nodig? Als je niet meer zelf voedt, kan ik je weer de pil geven.' Voorbehoedsmiddel? Meent hij dat? Andrew en ik kunnen op dit moment amper fatsoenlijk met elkaar praten. En bovendien, zelfs als ik het wilde, wanneer? Wanneer zouden we seks moeten hebben? Tijdens de vier uur waarin ze 's nachts werkelijk slaapt? Ik dacht het niet.

'Dank u wel,' zeg ik. 'Maar ik denk niet dat ik dat binnenkort nodig heb.'

Hij schudt zijn hoofd. 'Je moet tijd maken voor seks. Als je dat nu niet meteen doet, wordt het heel gemakkelijk om het maar helemaal te vergeten en geloof me, dat wil je niet.'

'Goed, oké,' geef ik toe. 'Geef me maar een recept. Ik denk dat ik op een bepaald moment weer van mijn man ga houden.' Dokter Lowenstein scheurt twee recepten van zijn blokje en geeft ze aan me en helpt me dan van het bed af.

'Oké,' zegt hij en hij geeft me een kus op de wang. 'Ik zie je over zes maanden. Veel geluk met de baby.' Hij loopt naar buiten, draait zich om en steekt zijn hoofd door de deur. 'En probeer de borstvoeding vol te houden. Het is echt het beste voor haar.'

Ja, ja, ja. Alsof ik dat niet al eerder heb gehoord.

Als ik bij het restaurant kom, zit Julie al aan een tafeltje. Met Lily. Ze heeft geprobeerd me over te halen om Parker mee te brengen – voor een meidenuitstapje, zei ze – maar dat vond ik niet zo'n goed idee. In het Grip Krijgen Plan hoeft de hele wereld er geen getuige van te zijn dat mijn baby een afkeer van mij heeft.

'Hoi,' zeg ik en ik geef Julie een kus op de wang.

'Hoi,' zegt ze. 'Je ziet er fantastisch uit!' Ik werp haar een alsjeblieft-lieg-niet-tegen-me-blik toe. 'Echt waar,' zegt ze.

'Oké dan. Maar je hebt me niet naakt gezien.' Ik kijk naar de stoel naast haar. 'O, mijn god, kijk naar Lily – ze is kolossaal!' Als ik me niet vergis is Lily nu ongeveer acht maanden. Julie heeft haar haren opgebonden in een dunne, kleine paardenstaart boven op haar hoofdje en ze zit in een hoog kinderstoeltje, bijt op een bijtring en geeft geen kik. Als ze ziet dat ik naar haar kijk, verschijnt er een brede grijns op haar gezichtje.

'Is ze altijd zo stil?' vraag ik.

'Altijd,' zegt Julie. 'Van de geboorte af.'

Ik sluit mijn ogen en voel me verslagen. Het is als de kip en het ei. Huilt Parker omdat ze voelt dat ik me niet goed voel, of voel ik me niet goed omdat ze huilt?

'Nou,' verander ik van onderwerp. 'Heb je nog nieuws?'

'O,' zucht Julie. 'Niet veel. Ik raak alleen gestrest van die peuter-klas. Weet jij al waar je Parker heen laat gaan?'

Waar heeft ze het over? Welke peuterklas?

'Julie,' zeg ik en ik sla mijn menukaart open, 'ze is pas zes we-ken. Ik heb nog wel even tijd.'

Julie maakt haar ogen wijd open en schudt haar hoofd. 'Nee, dat heb je niet,' zegt ze. 'Je moet er nu over nadenken. Ik stond al op een paar wachtlijsten toen ik nog zwanger was. Het is heel prestatiegericht.' Meent ze dat echt?

'Alsjeblieft,' zeg ik. 'Het is mijn baan, weet je nog? Ik help kin-deren om op de universiteit te komen. Niets is meer gericht op prestaties dan dat.'

Julie schudt opnieuw haar hoofd. 'Dat is het wel, Laar. Geloof me. Weet je, er zijn duizenden universiteiten op de wereld, maar er zijn maar ongeveer vier goede peuterscholen in heel LA en de goede kleuterscholen nemen alleen kinderen die op een van die peuterscholen hebben gezeten. Geloof me, je moet nú gaan bel-len.' Ze zucht weer. 'Wij proberen haar op het Instituut te krijgen. Ik heb haar ingeschreven voor het peuterprogramma voor vol-gend jaar. Het is maar een dag per week, maar als ze wordt toege-laten, dan komt ze het jaar daarna automatisch op de kleuter-school. Maar goed, je hebt er geen idee van wat ze allemaal moeten weten.'

Het Instituut? denk ik. Is dat een peuterklas of een gekkenhuis?

'Wat is het Instituut?' vraag ik. Julie kijkt me aan alsof ik van een andere planeet kom.

'Het Instituut voor de vroegtijdige ontwikkeling van kinderen. Het is de beste peuterschool van de stad. Iedereen wil zijn kind erop krijgen. Ze hebben de beste faciliteiten, de beste referenties, het beste programma, de beste leraren... Als je het Instituut een-maal hebt gezien, wil je zelfs nergens anders meer gaan kijken. Geloof me.'

Ik voel hoe mijn prestatiegerichte type A in de versnelling wordt gezet als ik naar haar luister. Daarom haal ik diep adem en pro-beer haar te negeren.

Ik laat me dit niet opdringen. Ik heb geen reden om me dit te laten opdringen.

Weet je, het maakt niet uit naar welke peuterschool Parker gaat, omdat kinderen met talent automatisch op Bel Air Prep komen. Alsjeblieft. Het is een van de redenen waarom ik die baan heb aangenomen.

'Ik wil Parker ergens heen sturen waar het rustig is,' zeg ik tegen haar. 'Ze kan op Bel Air komen, weet je nog?'

Julie zucht treurig en knikt. 'Jij boft,' zegt ze. 'Je wilt niet geloven wat ik moet doen om een afspraak voor een gesprek te krijgen. Je krijgt zelfs geen aanvraagformulier als je geen rondleiding hebt gehad, maar ze hebben maar vijf rondleidingen per jaar en die zitten in twintig minuten vol. En als je dan al een aanvraag mag indienen, dan krijgen maar een paar gezinnen echt een afspraak voor een gesprek en ze doen heel geheimzinnig over hoe ze beslissen wie er een krijgt. Ze gaan die beslissingen nu nemen en ik heb het gevoel dat ik in Washington aan het lobbyen ben. In de hele stad zijn mensen voor mij aan het bellen.' Ze haalt haar schouders op. 'Maar goed, we zullen zien. Zelfs als we een afspraak krijgen, dan weten we toch pas in september of Lily is toegelaten.'

Ik schud mijn hoofd. 'Dat klinkt afschuwelijk,' zeg ik. 'Ik heb niet zoveel connecties, maar als ik iets kan doen om je te helpen, laat het me dan weten.'

Julies ogen beginnen te stralen. 'Eigenlijk hoopte ik dat je me misschien kon helpen met de toelatingsessays. Dat is immers jouw werk.'

Mijn ogen gaan wijd open. 'Je moet essays schrijven? Voor de peuterklas?'

Julie knikt. 'Vier stuks.' Vier? Zelfs Harvard vraagt geen vier essays.

'Natuurlijk,' zeg ik en ik haal mijn schouders op. 'Geef me de vragen maar, dan zal ik ernaar kijken.'

'Geweldig. Heel erg bedankt.' Ze vouwt haar servet open. 'Nou, hoe gaat het met jou? Je ziet er beter uit dan de laatste keer dat ik je zag.'

'Ja,' zeg ik. 'Ik voel me ook veel beter. Deloris is er pas een dag en ik heb al het gevoel dat ik weer een eigen leven heb. En ze is zo goed met de baby.' Ik pak mijn vork en klop ermee op de tafel. 'Maar ik weet het niet. Ik heb gewoon het gevoel dat ze me haat.'

Julie kijkt me verbijsterd aan. 'Wie? Deloris?'

'Nee, Parker. Ze huilt als ik bij haar in de buurt kom en als ik haar oppak, schreeuwt ze. Maar als Deloris er is, dan is Parker kalm en huilt ze nooit. Ik bedoel, ik wil dat ze haar nanny aardig vindt, maar niet meer dan mij.' Ik zucht en probeer niet te huilen. 'En ik weet gewoon niet wat ik met haar moet doen. Weet je dat ik haar de afgelopen zes weken de hele dag als een vaatdoek heb rondgedragen en dat ik er zelfs niet aan heb gedacht om met haar te spelen of zo? Maar gisteren legde Deloris haar bij de Gymini en ze draaide muziek en zong en Parker was zo gelukkig. En ik was natuurlijk de slechtste moeder van de hele wereld, omdat ik haar de hele tijd niet gestimuleerd heb.'

Julie heeft haar ogen wijd open en kijkt me zoals altijd vol medelijden aan. 'O, Lara, je bent geen slechte moeder. Het is gewoon nieuw voor je. Dat kost tijd.'

'Nee,' zeg ik. 'Dat ben ik wel, echt waar. Ik weet niet wat er met me aan de hand is. Mijn dokter wuifde het weg – hij zei dat sommige vrouwen meer tijd nodig hebben om te wennen aan het moederschap. Maar het duurt al zes weken en ik heb nog steeds niet het gevoel dat ik van haar hou. En soms vraag ik me af of ik ooit van haar zal houden.'

Er valt een lange, pijnlijke stilte. Julie kijkt naar beneden en begint op haar duimnagel te kauwen. Ik kijk naar Lily, maar in plaats van glimlachend kijkt ze me nors aan. Alsof ze begrijpt dat ik zojuist iets gemeens heb gezegd over een van haar vriendinnetjes. Eindelijk kijkt Julie omhoog.

'Hé,' roept ze en ze probeert opgewekt te klinken. 'Heb je je niet aangemeld voor de lessen van Susan Greenspan? Die beginnen toch binnenkort?'

O, ja. Helemaal vergeten. Ik heb in september gebeld toen ik drie maanden zwanger was. Ik moest het van Julie. Blijkbaar is het dé Mammie-en-ik-klas in Los Angeles.

'Ja,' zeg ik. 'Dat heb ik gedaan. Ik geloof dat ze zei dat die in juli begint.'

Julie is opgelucht. 'O, goed. Je zult het zien – als je met Susans lessen begint, voel je je zoveel beter. Zij vertelt je precies wat je moet doen met de baby en zij kan alle vragen beantwoorden die je hebt. Ze is echt heel erg goed. Ze kan Joan Crawford in de moeder van het jaar veranderen.' Ik kijk haar van opzij aan. Ik weet niet of dit een belediging is of niet. 'Niet dat jij op Joan Crawford lijkt,' zegt ze snel. 'Ik bedoel gewoon dat zij je kan helpen, dat is alles.'

'Ja, ik weet wat je bedoelt,' zeg ik en ik besluit me niet gekwetst te voelen.

'Maar goed,' zegt Julie, 'het is goed voor je. En je krijgt vast een paar nieuwe vriendinnen. Het is fijn als je mensen van dezelfde leeftijd met een baby kent. Ik vind de meisjes in mijn klas heel aardig. Elke week gaan we samen lunchen.'

Ja, denk ik. Het is leuk om iemand anders te kennen die een baby heeft. God, wat zou ik graag iemand ontmoeten die dezelfde problemen met het moederschap heeft als ik. Je weet wel: incompetent, hulpeloos, totaal waardeloos. O, en vergeet niet Absoluut Zeker Dat Ze Haar Kind Voor Het Leven Verpest Als Ze Dat Al Niet Heeft Gedaan.

Aan een tafeltje achter ons begint een baby te jammeren.

'Bah,' zeg ik. 'Ik heb zo de buik vol van dat geluid. Hoe oud zijn ze als ze gaan praten?'

Julie kijkt op van haar salade en bijt op haar onderlip. 'Hm, Laar,' zegt ze en ze kijkt naar mijn trui.

'Wat?' vraag ik. 'Wat is er?' Maar ze hoeft niets te zeggen. Ik kijk omlaag en zie twee grote natte kringen op mijn trui ter hoogte van mijn tepels. 'O, mijn god,' kreun ik. 'Dat meen je niet. Ik heb een uur geleden afgekolfd.'

Julie trekt een verontschuldigend gezicht. 'Soms kan het geluid van een huilende baby ervoor zorgen dat je melk verliest,' brengt ze me op de hoogte.

'Maar het is niet mijn baby!' zeg ik en ik veeg met mijn servet over mijn trui.

'Nou,' zegt ze, 'dat weet je lichaam niet.'

O, mooi is dat. Het is al erg genoeg dat mijn hersenen niet weten hoe ze met een baby moeten omgaan, en nu is mijn lichaam ook al dom.

Als ik thuiskom, is het huis leeg. Alleen Zoey ligt naast de voordeur te slapen en doet zelfs haar ogen niet open als ik naar binnen loop. Arme hond. Ik heb gezworen dat ik niet een van die mensen zou worden die hun hond negeren als hun baby geboren is, maar ik heb gewoon geen energie voor haar. Het is eigenlijk heel treurig. Ze heeft zelfs de hoop al opgegeven dat ik haar ooit nog zal aaien. Ach, ze had een goede start als enig kind. Ze komt er wel overheen.

Deloris en Parker zijn vast nog aan het wandelen en dat vind ik prima. Het geeft me een beetje tijd om te ontspannen zonder me schuldig te voelen over het feit dat ik haar bij een nanny laat, zelfs als ik thuis ben.

Ik leg de nieuwe kaas voor Deloris in de koelkast en dan bel ik Andrew op zijn werk. Terwijl ik wacht tot hij opneemt, pak ik het flesje met mijn melk-opdroog-pillen.

TWEEMAAL DAAGS EEN TABLET TOT ZE OP ZIJN. MAG NIET WORDEN GEBRUIKT TIJDENS DE ZWANGERSCHAP EN BIJ HET GEVEN VAN BORSTVOEDING.

Nou, doei.

Andrew pakt op.

'Met Andrew Stone.'

'Hoi,' zeg ik verlegen.

'Hoi,' zegt hij kortaf.

'Ik heb vandaag een paar interessante dingen ontdekt.'

'Ja? Wat dan?' vraagt hij.

Ik geef langzaam antwoord en geniet van het moment. 'Ik heb iedereen die ik ken en die is afgestudeerd aan een topuniversiteit gebeld en op twee na hebben die allemaal flesvoeding gekregen. En niemand van hen heeft ernstig overgewicht en maar drie mensen hebben een beetje last van hooikoorts of stofallergie. Zie je wel. Hard bewijs dat borstvoeding niet alles is wat ervan wordt beweerd.'

Hij zucht. 'Ja, maar Lara, de vraag is niet hoe slim ze nu zijn. De vraag is hoeveel slimmer ze hadden kunnen zijn als ze wel borstvoeding hadden gekregen en het antwoord op die vraag zul je nooit weten.' O, hij is soms zo onuitstaanbaar. 'Plus dat jij en ik allebei borstvoeding hebben gekregen en ik zie niet in waarom Parker niet dezelfde goede start zou krijgen die haar ouders hebben gekregen. Echt, we hebben het hier al een miljoen keer over gehad.'

Ik lach tegen mezelf. *Ik ken een geheim, na-na-na-na-na-na.*

'Eigenlijk, schat, moet ik je tot mijn spijt vertellen dat ik vanmorgen met je moeder heb gesproken en jij, mijn vriend, hebt nooit borstvoeding gekregen. Niet één dag.'

Het is stil aan de andere kant van de telefoon.

'Andrew?'

Nog niets.

'Andrew, het is oké. Het is niet zo belangrijk.'

Eindelijk zegt hij iets. En hij is boos. 'Nou,' zegt hij. 'Dat verklaart een paar dingen, nietwaar?'

'Wat?' vraag ik. 'Wat kan dat nou verklaren?'

'Het verklaart op de eerste plaats mijn SAT-cijfers. Als ik vijftig punten meer had gescoord, had ik nooit op de wachtlijst van Penn hoeven staan. Weet je wel hoe verschrikkelijk het was om de hele zomer te moeten wachten voordat ik te horen kreeg naar welke universiteit ik zou gaan? Als ik borstvoeding had gekregen, dan weet ik zeker dat ik gewoon was toegelaten net als alle andere kinderen. Begrijp je dat? Dáárom moet je borstvoeding blijven geven. Precies dáárom. Ik kan mijn moeder niet geloven.'

Oké. Dit is zó griezelig, zelfs voor hem.

'Je bent absurd,' zeg ik tegen hem. 'Ik dacht dat je blij zou zijn als je wist dat je – of ik dacht dat je dat in elk geval zou zijn – heel normaal bent ondanks het feit dat je geen borstvoeding hebt gekregen, maar ik heb me kennelijk vergist. En trouwens, ik gá ermee stoppen. Ik was vandaag bij dokter Lowenstein en hij gaf me tabletten die mijn melk opdrogen en ik kijk er nu naar.'

'Lara,' waarschuwt hij me, 'neem ze niet. Als je een moeder bent, dan neem je die pillen niet.' O, dat is zo gemeen. Ik zweer bij God dat ik, als hij zijn schuldgevoel niet opzijzet, elk onsje van mijn superieure, met borstvoeding grootgebrachte IQ zal gebruiken om van hem te scheiden en ervoor te zorgen dat hij een leven lang flesvoeding moet betalen. En dat zal ik doen ook.

'Echt waar, Andrew, ik heb de buik vol van je dictatuur. Als alles goed zou gaan, dan zou ik helemaal niet stoppen. Het zou anders zijn als ze als een normale baby elke drie uur zou drinken. Het zou anders zijn als ze niet na twee minuten voeden in slaap zou vallen en als ze 's nachts na de voeding eens gewoon door zou slapen. Maar dat doet ze niet. Ze is onmogelijk en ik word gek van het voeden. Ik kan nergens heen gaan, ik kan niets doen. Ik kan geen plannen maken. Ik neem het haar kwalijk. En weet je dat mijn tepels vandaag in een restaurant begonnen te lekken?'

Andrew grinnikt. 'Echt waar?'

'Ja, Andrew, echt waar. En ik ben blij dat jij het zo grappig vindt.' Ik wacht, maar hij zegt niets. 'Weet je nog dat je gisteren zei dat ik gelukkig moest zijn? Nou, ophouden met borstvoeding geven zou me gelukkig maken.' Aan de andere kant van de lijn hoor ik hem zuchten.

'Dat bedoelde ik niet helemaal,' zegt hij. 'Maar het is goed. Als je egoïstisch wilt zijn en onze dochter van gezonde voordelen wilt beroven zodat jij uit kunt gaan, ga je gang. Maar je kunt tenminste een beetje medeleven betuigen met het feit dat ik zojuist heb ontdekt dat mijn hele leven is gebaseerd op een leugen.'

O, mijn god, dat meent hij niet. Je zou denken dat hij zojuist heeft ontdekt dat hij is grootgebracht door wolven en geadopteerd door aardige boeren die hem over het land zagen zwerven met niets meer dan een groot blad, brullend tegen auto's en kippen.

'Dag, Andrew.'

'Ik hoop dat je het leuk vindt dat je me helemaal van streek hebt gemaakt.'

'Ja,' zeg ik, 'heel erg leuk.'

Ik hang op en loop met het flesje in mijn hand naar de badkamer. Ik begin zomaar te huilen. Waarom sta ik het toe dat iedereen me zo'n schuldgevoel hierover geeft? Ik bedoel, je had me in de apotheek moeten zien. Ik voelde me net Hester Prynne. Alsof ik een grote rode doos flesvoeding op mijn borst had vastgespeld. Ik zweer je, ik verwachtte half dat de apotheker me luidkeels zou beschuldigen omdat ik geen borstvoeding meer geef en de dorpelingen oproept om stenen naar mijn hoofd te gooien.

Nou, ze kunnen de pot op! Ik ben het spuugzat.

Ik draai de dop van het flesje en pak een pil in mijn hand. Ik staar er even naar, maar net als ik hem in mijn mond wil stoppen, voel ik een klopje op mijn linkerschouder. Ik draai mijn hoofd om. Het is Andrew. Nou, eigenlijk is Andrew het niet echt. Het is een vijf centimeter grote versie van Andrew, met vleugeltjes als een engel en zo'n goedkope hoofdband die mensen met Halloween bij een engelenpakje dragen – met een metaaldraad aan de achterkant die een valse halo van klatergoud omhooghoudt. Maar goed, de mini-Andrew fluistert in mijn oor en hij klinkt als Yoda van *Star Wars*.

Neem de pil niet. Je moet een goede moeder zijn. Het is beter voor de baby.

Ik aarzel en dan voel ik een klopje op mijn andere schouder. Ik draai mijn hoofd om. Ik ben het. Nou, eigenlijk ben ik het natuurlijk niet echt. Het is een vijf centimeter grote versie van mezelf en ik draag mijn strakste Franki B.-jeans en het roze T-shirt met de enorme tong dat ik een paar jaar geleden op een concert van de Rolling Stones heb gekocht.

Neem hem, zeg ik. *Pak je leven terug. Pak je lichaam terug. Je zult je zoooo goed voelen.* O, geweldig. De mini-ik is de dealer uit die oude Zeg Gewoon Nee-reclame die jaren geleden toen ik op de middelbare school zat op televisie was. Fantastisch.

Ik voel mijn borst ineenkrimpen van angst en ik doe de pil terug in het flesje. Ik moet hier nog even over nadenken. Ik zet het flesje in het medicijnkastje en kijk op mijn horloge: tien minuten over drie. Ik ga mijn kamer uit en loop door het huis. Misschien zijn Deloris en Parker al terug en heb ik ze gewoon niet gehoord. Maar ze zijn er niet.

Waar zijn ze?

Ik ben al thuis sinds half drie. De buurt is niet zo groot. En bovendien krijgt Parker weer snel honger en ze moet mijn flesjes nu wel op hebben.

Oké, Lara, geen paniek. Er is niets aan de hand.

Terwijl ik op haar wacht, pak ik de telefoon en bel Andrew weer.

'Met Andrew Stone.'

'Ik heb hem niet genomen,' geef ik met tegenzin toe. 'Nog niet, tenminste.'

'Luister, bel je alleen maar om weer ruzie te zoeken?' vraagt hij. 'Want ik heb nu geen tijd.'

'Nee,' zeg ik. 'Ik wil geen ruzie met je maken. Het spijt me, oké? Het spijt me dat jouw SAT's laag waren en ik vind het vervelend voor je dat je op de wachtlijst van de universiteit kwam. Het is gewoon moeilijk voor me, oké? Ik wil een goede moeder zijn, maar dit is echt moeilijk.' Ik haal diep adem en begin over iets anders te praten voordat ik weer ga huilen. 'Maar goed, wat vond je van Deloris vanmorgen?'

'Ze is oké,' zegt hij. 'Helemaal niet hot. Maar ze is aardig.'

'Ik weet het niet. Ze doet een beetje vreemd. Ik denk dat ze een voodoo is. Ze heeft allemaal van die poppetjes en drankjes en spulletjes op haar kamer en vanmorgen deed ze een bezwering toen ik haar kamer in liep. Ik denk dat ze Parker ook heeft betoverd. Daarom huilt Parker nooit als zij er is.'

'Dat is belachelijk,' zegt hij. 'Je bent alleen maar jaloers omdat Parker bij jou altijd huilt.'

'Nee,' zeg ik. 'Het is waar. Ze vertelde me dat ze een magische kracht heeft en toen knipoogde ze naar me. Het wás griezelig.' Ik hoor Andrew typen op de achtergrond en dit betekent dat hij helemaal niet meer naar me luistert. 'En ze vertelde me dat ze van jou een voodoopop gaat maken en naalden in zijn ogen steekt. Je kunt dus maar beter oppassen.'

'Hm-hmm,' zegt hij. Zie je wel?

'Maar goed, ze zijn gaan wandelen. Ik ben aan het wachten tot ze thuiskomen.'

'Dat is mooi.' Hij tikt nog steeds. Oké, ik heb genoeg van hem.

'Ja, en dan ga ik naar het bordeel om een paar van mijn oude klanten te zien. Dokter Lowenstein zei dat ik mijn oude leven weer moet oppakken.'

'Oké, veel plezier,' zegt hij. 'Ik zie je wel als ik thuiskom.' Hij wacht even. 'O, ja, ik ben laat. Ik heb om zeven uur nog een telefonische vergadering met een klant uit Londen.'

Ik zucht geïrriteerd. 'De afgelopen maand ben je al bijna elke avond laat geweest,' protesteer ik. 'Als ik niet beter zou weten, zou ik denken dat je me uit de weg gaat.' Eigenlijk vraag ik me af of ik echt beter weet.

'Sorry,' zegt hij. 'Je weet dat ik binnenkort die grote opdracht krijg.'

'Oké,' snuif ik. 'Tot straks.'

Ik loop naar de studeerkamer en ga op de bank het nieuws kijken. Halverwege kijk ik weer op mijn horloge: veertien minuten over vier. Oké. Nu begin ik nerveus te worden. Zelfs als ze zijn weggegaan vlak voordat ik thuiskwam, zijn ze nu twee uur weg, minimaal.

Plotseling krijg ik het hardnekkige vermoeden dat ik de brief van het bureau met alle gegevens van Deloris per ongeluk heb weggegooid. Ik ren naar de keuken en doorzoek de stapel kranten die op het aanrecht ligt, maar daar ligt de brief niet tussen.

O, mijn god.

Ik heb hem weggegooid. Ik weet het zeker. Ik heb geen telefoonnummer en ook geen nummer van haar rijbewijs. Ik weet zelfs niet wat haar achternaam is. Ik sluit mijn ogen en probeer me voor de geest te halen wat er in de brief stond – hij begon met een s, denk ik. Of misschien was het een r. *Shit.* Ik weet het helemaal niet meer. Ik weet alleen dat ik haar mijn kínd heb toevertrouwd en als het moet, kan ik de politie niets over haar vertellen.

O, mijn god.

Ik ben verlamd van angst als ik denk aan alle scenario's die nu zouden kunnen plaatsvinden. Voor zover ik weet, kan Deloris Parker drie uur geleden hebben meegenomen en op een bus naar Mexico zijn gestapt.

Ik ben gewoon niet geschikt als moeder. Ik ben het gewoon niet. Helemaal over mijn toeren bel ik Andrew weer.

'Met Andrew Stone.'

'Met mij,' zeg ik.

'Wat nú?' vraagt hij.

'Ik realiseer me net dat ze al minstens twee uur weg zijn. Ik denk dat Deloris haar ontvoerd heeft. Of misschien heeft iemand Deloris neergeschoten en Parker meegenomen. Iemand is gestopt om de weg te vragen, schoot Deloris door het hoofd en pakte de baby.' Ik ben in tranen. 'Ik kan niet geloven dat ik zo stom ben. Ik weet zelfs niet hoe Deloris heet. Ik weet niets van haar. Ik kon er alleen maar aan denken dat ik wat tijd voor mezelf kreeg. Ik was zelfs niet zorgvuldig genoeg om de brief met de informatie over haar op te bergen en nu is mijn baby verdwenen.'

Ik begin me ontzettend schuldig te voelen over alle vreselijke dingen die ik over Parker heb gezegd. Dat ik haar haat, bijvoorbeeld. En dat ze het product van de duivel is. Is het nooit tot me doorgedrongen dat ik ongeluk over mezelf breng? Hoe stom ben ik eigenlijk? Ik begin te hyperventileren, maar Andrew zucht alleen maar.

'Oké, kalmeer. Ik weet zeker dat het goed is. Sommige mensen houden van lange wandelingen. En ik weet zeker dat het bureau je een kopie van de brief met haar informatie kan sturen.' Dat is een goed punt. Maar ik voel me toch niet beter.

'Nee, er is iets aan de hand.' Ik denk dat ik een soort moederlijke zesde zintuig voel opkomen. 'Ik heb gewoon een slecht gevoel hierover. Moeders weten dat.'

Andrew lacht me uit. 'Lara, je hebt geen enkel moederinstinct gehad sinds Parker werd geboren en nu ben je opeens paranormaal begaafd? Weet je, als je je daarmee beter voelt, waarom rijd je niet even in de buurt rond en kijk je of je ze kunt vinden. Oké?' Dat is echt een geweldig idee.

'Oké. Ik bel je over tien minuten.'

Ik spring in mijn auto en gier de oprit af. Mijn hart bonst en ik zweet en huil en allerlei vreselijke beelden jagen door mijn hoofd, om nog maar niet te spreken over het plaatselijke nieuwsbericht over de vrouw uit Los Angeles wier baby werd ontvoerd door haar nieuwe nanny en dat er nog steeds geen details zijn over wat de moeder dacht toen ze de baby achterliet bij een volslagen vreemde van wie de achternaam nog niet bekend is, maar van wie de autoriteiten denken dat ze een hoge priesteres van de voodoo is die op de lijst van de FBI met de tien meest gezochte personen staat en die verantwoordelijk zou kunnen zijn voor een reeks rituele offers van een aantal baby's in negen verschillende Amerikaanse staten. En als ik me Parkers begrafenis voorstel en ik snikkend bij het kleine kistje sta zonder lichaampje omdat dat nog niet is gevonden, komt Deloris aangelopen. Ze duwt Parkers kinderwagen en fluit een van de liedjes van de klassieke cd.

Ik laat de auto midden op straat staan en ren naar de stoep. Als Deloris me ziet, lacht ze.

'Hallo, mevrouw Lara. Hoe was je dag?' Ik til Parker uit de kinderwagen en druk haar tegen mijn borst.

'Ik dacht dat er iets met je was gebeurd,' zeg ik en ik vecht tegen mijn tranen. 'Ik dacht dat zij ontvoerd was of dat jij was neergeschoten en dat iemand haar had meegenomen.' Ik schud mijn hoofd. 'Weet je wel hoe lang je weg bent geweest?'

Deloris knijpt haar ogen dicht en legt haar hand op haar hart alsof ze diep gekwetst is. 'Mevrouw Lara, Deloris is geen slecht mens. Ik zou nooit een arme, kleine baby pijn doen. We zijn naar het park gegaan en ze viel in slaap in haar kinderwagen. Daarom ben ik op een bank gaan zitten en liet haar lekker slapen in de schaduw. Ik heb je toch verteld dat we gingen wandelen?' Ze schudt haar hoofd, begint van me weg te lopen en mompelt fluisterend iets over neurotische dames en hoe ze beter geen nieuwe baan aan de westkant had kunnen aannemen.

'Het spijt me,' zeg ik en ik probeer haar in te halen. 'Ik dacht niet dat jíj haar pijn had gedaan. Ik dacht alleen dat er iets met jullie allebei was gebeurd. Ik werd ongerust. Je moet begrijpen dat dit de eerste keer is dat ik haar met iemand anders alleen heb gelaten.' Ze blijft lopen.

O, alsjeblieft, stop er niet mee. Alsjeblieft, stop er niet mee.

Plotseling blijft ze staan, draait zich om en kijkt me aan.

'Ik begrijp dat je van dit kind houdt,' zegt ze.

Als ik dit hoor, ben ik geschokt. Wacht even, denk ik. Ze denkt dat ik van haar hou? Wacht. Hou ik van haar? Is dat wat dit is? Oké, geef niet op, Lara. Laat je niet afleiden. Je wordt ontslagen door je nanny.

'Maar ik ben een hoogst gekwalificeerde, zeer ervaren kinderoppas en ik waardeer het niet om zo recht in mijn gezicht beledigd te worden. Nou, Deloris zal dit beschouwen als een misverstand tussen ons twee, maar er is maar één misverstand per klant. Begrijp je wat ik bedoel?' Ik knik van ja om haar te laten zien dat ik het begrijp en op haar gezicht verschijnt een stralende glimlach, alsof de woordenwisseling die we zojuist hebben gehad nooit heeft plaatsgevonden.

'Nou dan,' zegt ze. 'Laten we dit kind naar huis brengen voordat het sterft van de honger. Ze heeft al uren niets gegeten.' Ze pakt Parker van me over en laat mij de lege kinderwagen achter hen aan duwen.

Goed, tot zover het Grip Krijgen Plan.

6

Vijf dagen, vier tae-bo-lessen, drie lunchafspraken met vriendinnen, twee afspraken bij de kapper en een paar Jimmy Choos later
zit ik met Parker op de bank naar *The Wiggles*, een show op Disney
Channel, te kijken. Het is een belachelijke show – vier Australische jongens zingen en dansen op liedjes met een vreselijke,
maar op een vreemde manier pakkende tekst (fruitsalade, lekker,
lekker. Fruitsalade, lekker, lekker. Lekker lekker lekker lekker fruit-
sa-lahahade) – maar ik zit het uit omdat de show Parker absoluut
boeit en haar een recordtijd stilhoudt. En ja, ik ken het onderzoek
dat heeft uitgewezen dat baby's die voor hun tweede levensjaar televisie kijken veel eerder ADHD krijgen, maar dat spijt me dan. Als
Deloris 's avonds naar bed gaat, moet ik íéts doen om haar stil te
krijgen en bovendien hebben we daar straks ritalin voor.

Tot mijn grote ergernis is Andrew alwéér laat thuis en daarom
zit ik hier op de bank de tijd te doden totdat ik Parker in bed kan
leggen. Ik heb deze aflevering opgenomen en dit is de derde keer
dat we er vanavond naar kijken, maar dat schijnt Parker niet te
merken. Maar het is bijna afgelopen omdat kapitein Feathersword, de vriendelijke piraat, *grand jetés* doet op de romp van een
schip terwijl de Wiggles op het strand staan te zingen en na dit
nummer komt alleen nog maar een parodie waarin Dorothé de
Dinosaurus een taartje van rozenblaadjes eet. Ik tik met mijn voet
op de maat van de muziek en beweeg mijn hoofd op en neer.

*Ga, kapitein, ga. Ga, kapitein, ga. Ga, kapitein Feathersword,
ahoy.*

Ik gaap ongegeneerd. Afgelopen nacht was Parker wakker om
elf uur en om drie uur en om half zes en ik ben uitgeput. Ik begin
echt te wennen aan opstaan.

Ik sluit mijn ogen en denk dat ik misschien een paar minuten
kan rusten totdat het programma is afgelopen en ik me weer met

haar moet bezighouden. Ik begin me te ontspannen en dan...

Ik draag een gescheurde witte jurk en sta op de plank van een schip met mijn handen vastgebonden op mijn rug, net als Kristy McNichol in *The Pirate Movie*.

Ahoy daar, bromt kapitein Feathersword en lonkt naar me met het oog waar geen lapje overheen zit. *Nou, laat me met je doen wat ik wil, of ik gooi je overboord*, commandeert hij.

O, kapitein, mompel ik, *kom hier en kietel me met dat grote, rode veren zwaard van je.*

Mijn ogen springen open. Oké. Dat is het. Andrew en ik móéten weer seks hebben. Het maakt me niet uit hoe moe ik ben, of hoeveel ik hem haat.

Dan gaat opeens de bel. Zoey begint woest te blaffen en daarmee schrikt Parker natuurlijk uit haar *Wiggles*-trance en begint luidkeels te schreeuwen. Geweldig. Ik sta op, leg Parker over mijn schouder en kijk op mijn horloge. Wie belt er nu om kwart over acht op een donderdagavond aan? Als ik naar de voordeur loop, schreeuw ik tegen Zoey dat ze moet ophouden met blaffen.

'Zoey, kop dicht! Genoeg! Zoey, koest!' Maar ze negeert me volkomen en door mijn geschreeuw gaat Parker alleen maar harder huilen. 'Wie is daar?' gil ik door de deur, maar ik kan verdomme niets horen met dit kabaal bij mijn oor. Daarom kijk ik door het kijkgaatje, maar ik zie alleen maar een zwarte vlek. Shit. Ik haal diep adem. Oké. Ik gooi gewoon alle voorzichtigheid overboord en ga ervan uit dat het een Jehova's getuige is of een overdreven ambitieuze milieuactivist die me lid wil maken van de Sierra Club en geen serieverkrachter of moordenaar die me de afgelopen weken in de gaten heeft gehouden en die weet dat mijn man elke avond pas om negen uur thuiskomt.

Ik doe de deur open. Een kalende man met een grijze baard, midden vijftig, staat met gespreide armen voor me. Hij draagt een spijkerbroek, een lichtblauw zijden hemd met korte mouwen dat helemaal tot bovenaan is dichtgeknoopt, een paar zwarte suède schoenen en een enorme gouden ring met diamanten aan de pink van zijn linkerhand. Ik kijk hem even scheef aan en probeer hem thuis te brengen en als ik me realiseer wie het is, verstart mijn hele lichaam.

O, mijn god. Ik had absoluut de voorkeur gegeven aan de moordenaar met de bijl.

'Buhbie!' schreeuwt hij. 'Sinds wanneer heb jij een baby?'

Omijngod, omijngod, omijngod. Mijn vader staat op de stoep. Mijn vader van wie ik acht jaar lang niets heb gezien of gehoord, staat op de stoep.

'Pap?' zeg ik verbijsterd. 'Wat doe jij hier?'

Hij grijnst breed en doet zijn armen nog wijder open. 'Je kijkt naar de nieuwste inwoner van Los Angeles.' Hij wacht tot ik lach en als ik dat niet doe, kondigt hij aan, alsof hij vermoedt dat zijn eerste zinspeling niet duidelijk was: 'Ik ben verhuisd!'

Ik staar hem wezenloos aan. Ik heb geen idee wat ik moet zeggen. En dan gaat de telefoon.

'Hm, wil je me even excuseren?' vraag ik. Zonder op een antwoord te wachten doe ik de deur dicht, laat hem bij de voordeur staan en ren naar boven. Met elke trede word ik hysterischer. Ik storm de slaapkamer in en pak de telefoon op.

'Hallo?' vraag ik en ik bid dat het Andrew is.

'O, hm, spreek ik met de BMW-garage?' Ah. We hebben hetzelfde telefoonnummer als de BMW-garage in Valley, maar mensen vergeten altijd het kengetal te draaien.

'Nul-zes-twee, dame!' schreeuw ik en ik probeer mijn tranen te bedwingen. 'Bel nul-zes-twee!' Ik hang op en draai heel snel Andrews kantoor. Geen gehoor. Hij heeft misschien nog een telefoontje met Londen of iets dergelijks.

Oké, Lara. Blijf kalm. Probeer kalm te blijven.

Ik pak de telefoon en draai intuïtief Staceys nummer op haar werk. Stacey was bij me op de universiteit toen mijn vader op een dag zijn telefoon uitzette en besloot dat hij 'alle banden met iedereen wilde verbreken' en zij heeft me geholpen om hem op te sporen via een casino in Atlantic City twee jaar later, alleen maar om zeker te weten dat hij nog leefde. Zij was ook degene die hem de bijnaam @#*! gaf, de Klootzak Vroeger Bekend als Mijn Vader. Ja, Stacey weet wat ik moet doen. Ze is vast en zeker nog op kantoor. Ik hoop alleen dat ze mijn telefoontje aanneemt.

Gelukkig pakt ze de telefoon zelf op.

'Met Stacey,' zegt ze en ze klinkt gehaast.

'Stace, met mij.'

'Lara, als je me belt om te vragen of mijn moeder katoenen luiers of wegwerpluiers gebruikte, sorry dan, want ik moet werken—'

'Stacey, mijn vader is hier. De bel ging en ik dacht dat het ie-

mand was die iets wilde verkopen, maar toen ik de deur open-
deed, stond hij daar. Hij zegt dat hij naar Los Angeles is verhuisd.'
Ik loop als een wild dier op en neer door mijn slaapkamer en Parker is op mijn schouder in slaap gevallen.

'No way,' zegt ze. 'Meen je dat?'

'Zou ik dit uit mijn duim zuigen?' vraag ik. 'Wat moet ik doen?'

'Waar is hij nu?'

'Hij staat nog steeds bij de voordeur, denk ik. Tenzij hij weg is
gegaan. Wacht even.' Ik trek het gordijn voor de balkondeuren van
mijn slaapkamer opzij en kijk naar de straat en ik zie hem daar
staan in het licht van de lamp bij de voordeur. Hij pulkt aan zijn nagels en plotseling heb ik een flashback van mijn kinderjaren.

Ik was ongeveer zes jaar, misschien zeven – nee, ik moet zes
zijn geweest want ik herinner me dat ik net uit school was gekomen en bij mijn moeder uithuilde omdat Mindy Rosenfeld had gezegd dat mijn lievelingstrui, de trui met Kermit de Kikker en Miss
Piggy erop, stom was en Mindy was naar New Jersey verhuisd in
de zomer dat ik zeven werd, dus moet ik zes zijn geweest – en
mijn vader kwam de keuken in gelopen met zijn handen in de
lucht alsof de handcrème moest intrekken, behalve dat er van elke
vingertop bloed druppelde. En toen gilde mijn moeder en zei tegen hem dat hij maar beter naar een psycholoog kon gaan als hij
zijn angst niet onder controle kon houden. Ik durfde het niet te
vragen, maar ik weet nog dat ik me de volgende dagen afvroeg hoe
een psycholoog in 's hemelsnaam mijn vaders vingers beter kon
maken.

Ik laat het gordijn zakken.

'Ja, hij is er nog,' zeg ik tegen Stacey.

'Lara, je moet hem binnenlaten. Dit is je kans om het af te sluiten. Zelfs als je hem na vandaag nooit meer ziet, moet je met hem
praten en hem vragen waarom hij deed wat hij heeft gedaan.' Ik
aarzel. 'Lara, als je er niet voor jezelf achter wilt komen, doe het
dan voor mij, oké. Ik wil net zo graag als jij weten wat hij dacht.'

Ze heeft gelijk. Natuurlijk heeft ze gelijk. Ik wil een verklaring.
Echt waar. Maar ik wil ook de deur in zijn gezicht dichtslaan en tegen hem zeggen dat hij naar de verdommenis kan. Ik wil hem betaald zetten voor alle jaren die hij mij pijn heeft gedaan.

'Ik weet het niet, Stacey. Als ik hem binnenlaat en met hem
praat, denkt hij dat ik het hem vergeef en dat het weer goed is tussen ons en dat verdient hij niet.'

'Natuurlijk verdient hij dat niet. Ik zeg niet dat je hem moet binnenlaten en hem een kopje thee moet geven en hem de oude familiefoto's moet laten zien. Ik zeg dat je deze gelegenheid moet aangrijpen om tegen hem te zeggen hoe jij je voelt. Stort je hart uit en stel hem de moeilijke vragen. Schop hem er dan uit als je wilt en zeg tegen hem dat hij nooit meer contact met je moet opnemen. Het is jouw keuze. Jij hebt de macht in handen.'

Wauw. Je kunt soms goed merken dat Stacey lang in therapie is geweest. De psycholoog heeft haar absoluut geholpen.

In een poging innerlijke moed te verzamelen adem ik in door mijn neus en uit door mijn mond en ik begin naar beneden te lopen.

'Oké,' zeg ik. 'Ik bel je straks terug. Dank je wel.'

Als ik de voordeur weer openmaak, rukt @#*! zich van zijn nagels los en kijkt me vol verwachting aan.

'Sorry,' zeg ik koel. 'Ik moest de telefoon oppakken. De kinderarts belde me terug.'

'Geen probleem,' zegt hij en dan haalt hij diep adem, misschien ook om innerlijke moed te verzamelen. 'Luister, Lara, ik weet dat je waarschijnlijk heel kwaad op me bent over wat ik heb gedaan en dat neem ik je niet kwalijk, maar het ging toen helemaal niet goed met me en ik zweer je, alles is nu anders. Ik ben veranderd.'

Ik duw mijn onderkaak naar voren en staar naar zijn baard. Die was niet grijs toen ik hem de laatste keer heb gezien. 'Ja, nou, ik ben ook veranderd. Ik wil je niet meer in mijn leven hebben.' O, dat was een goeie. Ik kijk hem aan en wacht op een antwoord en ik zie de pijn op zijn gezicht.

Goed, denk ik. Nu kun je zien hoe het voelt.

'Lara,' smeekt hij. 'Ik weet dat ik het verpest heb. Ik weet het. Maar je moet geloven dat ik altijd van je gehouden heb en dat ik je nooit vergeten ben. Ik denk elke dag aan je.' Hij steekt zijn hand uit en aait over mijn wang. 'Je bent nog steeds mijn kleine meisje, weet je.'

O, trok hij zojuist níét de kleine-meisjes-kaart? Dat deed hij vroeger altijd als ik boos op hem was en ik trapte er altijd weer in. Ik voel de brok in mijn keel omhoogkomen en ik wil hem plotseling omhelzen en nooit meer loslaten.

Waarom? denk ik. Waarom laat ik me toch altijd door deze man manipuleren? Ik barst in tranen uit.

'Ik hou ook van jou, papa,' huil ik.

O, god, heb ik hem zojuist papa genoemd? Ja, ik heb hem zojuist papa genoemd. Ik ben zo'n idioot.

Hij lacht. Hij weet heel goed dat hij me heeft geraakt. En dan verandert de blik in zijn ogen net zo snel van een liefdevolle in een zakelijke.

O, hier gaan we weer, denk ik. Nu komt de echte reden waarom hij hier is. Natuurlijk zit er een addertje onder het gras. Die zit er bij hem altijd.

'Zo,' zegt hij en hij strijkt zijn hemd met zijn handen glad. 'Mag ik nu binnenkomen?'

Oeps. Helemaal vergeten dat we nog steeds bij de voordeur staan.

'Ja,' haal ik mijn schouders op en ik probeer kalm te worden. 'Kom binnen.' Ik draai me om en loop met hem naar de studeerkamer en ik kan voelen dat hij schat hoeveel ik waard ben.

'Mooi huis,' zegt hij. 'Het moet je een vermogen gekost hebben met het oog op de prijs van de huizen aan de westkant van de stad.'

'Ja, nou, we hebben het gekocht voordat de huizenmarkt aantrok,' zeg ik snel. Hij hoeft niet te denken dat we schatrijk zijn. Op de eerste plaats zijn we dat niet en op de tweede plaats wil ik niet dat hij me als een potentiële inkomstenbron beschouwt voor zijn gokverslaving.

Ik ga voorzichtig op de bank zitten om Parker niet wakker te maken en sla mijn benen over elkaar. @#*! kijkt me stiekem aan.

'Ik denk eraan om zelf een huis te kopen,' zegt hij. 'In de buurt van het strand, misschien. Ik ben al lang niet meer bij een oceaan geweest.'

Ik hoor het sceptisch aan. In een straal van vijftien kilometer van de kust krijg je niets voor minder dan één miljoen en voor één miljoen krijg je alleen maar een afbraakpand. En de laatste keer dat ik met mijn vader gesproken heb, zat hij tot over zijn oren in de schulden en bezat hij geen rooie cent.

'Echt?' vraag ik. 'Waarmee?'

Hij lacht. 'O, ik heb nu geld. Geld is niet echt belangrijk meer voor me.' Ik trek mijn wenkbrauwen op en er verschijnt een glimlach op zijn gezicht. 'Ongeveer zeven maanden geleden heb ik vier miljoen dollar gewonnen bij Bally in Vegas. Ik dacht dat je misschien contact met me zou opnemen. Het stond in de LA *Times*.'

Ik schud mijn hoofd. Ongelofelijk. Dit bewijst dat je beter geluk kunt hebben dan slim zijn. Of een goed mens. Of een goede ouder, nu we het daar dan toch over hebben.

'Ik heb het niet gezien,' zeg ik. 'Ik heb de LA *Times* niet.'

Hij lacht. 'Dat dacht ik al. Doe je nog steeds de kruiswoordpuzzel in de *New York Times*?'

'Ja.'

'Krijg je hem opgelost? Die van zondag?'

'Om je de waarheid te zeggen, ja,' Ik kijk naar Parker. 'Maar de laatste tijd niet.' Ik kijk weer naar hem en ik denk dat ik een traan zie in zijn ooghoek.

'Hoe oud is... ze? Hij?'

Ik kijk weer naar haar. Ze lijkt wel een beetje op een jongetje, nietwaar? Wauw. Ik hoop dat dat niet blijvend is. Dat zou balen zijn.

'Zij,' zeg ik. 'Ze is bijna zeven weken.' Dit begint een beetje te persoonlijk te worden en daarom begin ik over iets anders te praten. 'Zo,' zeg ik alsof ik voor de rechtbank een verhoor afneem. 'Vegas. Daar heb je de hele tijd gezeten?'

Hij sluit zijn ogen en zakt terug op de bank. 'Niet de hele tijd. Ik heb een paar jaar in AC gezeten en heb daarna een beetje rondgereisd – Arizona, Nieuw-Mexico, een paar maanden in Guadalajara. Maar, ja, het grootste deel van de tijd was ik in Vegas.'

'En in die tijd kon je met niemand praten omdat...?' Ik doe mijn handpalmen omhoog om aan te geven dat ik het niet meer begrijp en hij zucht.

'Omdat ik gewoon alleen moest zijn. Omdat ik mijn hele leven lang alleen maar voor andere mensen heb gezorgd en dingen voor andere mensen heb gedaan en verantwoordelijk ben geweest voor andere mensen en ik nooit de moeite heb genomen om me af te vragen wat ikzelf van het leven verwachtte.'

Ik duw mijn tong tegen mijn wang. 'Daarom ben je dus verdwenen? Omdat je jezelf moest vinden? Vind je jezelf daar niet een beetje te oud voor, papa?' Ik probeer me uit alle macht te beheersen, maar ik kan er niets aan doen dat mijn stem breekt.

'Het ouderschap is moeilijk, Lara. Dat realiseer je je waarschijnlijk nog niet omdat zij... Hoe heet ze eigenlijk?'

'Parker,' zeg ik ongeduldig.

'Omdat Parker...' Hij houdt zijn hoofd een beetje scheef als het tot hem doordringt. 'Parker?' vraagt hij. Aan mijn blik kan hij zien dat hij mijn keuze van de naam niet hoeft te bekritiseren en hij gaat door.

'Omdat Parker nog niet oud genoeg is, maar je zult het nog ontdekken.'

'Nee,' zeg ik. 'Ze is wel degelijk oud genoeg en ik weet dat het moeilijk is. Maar dit gaat niet over mij. Het gaat over jou. En ik kan me trouwens niet herinneren dat jij zoveel offers voor mij hebt gebracht. Jij hoefde geen tweede baantje te nemen om eten op tafel te krijgen en je hoefde ook het huis niet te verkopen om mijn kleren te betalen.'

'Je hebt er geen idee van hoeveel ik voor je heb gedaan,' bijt hij me toe. 'Je ging naar je zomerkamp en je kreeg dans- en pianolessen en je had je eigen wiskundeleraren, zodat je een goede start in het leven kon maken en je naar de beste universiteit en de beste rechtenfaculteit kon gaan en de beste kansen kreeg. En wie, denk je, heeft dat allemaal betaald? Wie, denk je, heeft daar zestig uur per week voor gewerkt en er zijn eigen behoeften voor opzijgezet?'

Ik staar hem aan en zeg niets en de tranen biggelen over mijn wangen. Hij haalt diep adem, buigt zich naar voren en zet zijn ellebogen op zijn knieën.

'Kijk, ik weet dat het egoïstisch was om weg te lopen en ik weet dat jij dat moeilijk kunt begrijpen. Maar ik had een beetje tijd nodig zonder dat schuldgevoel of ik wel genoeg bij de kinderen was en zonder dat stemmetje in mijn hoofd dat me voortdurend vertelde dat ik iets niet moest doen of iets niet moest kopen omdat dat niet goed genoeg voor jullie was.' Hij lacht naar me – een treurige glimlach. 'Ik was jong toen jij geboren werd, te jong, en ik heb in mijn leven nooit de tijd gehad om te onderzoeken wie ik ben. Dus toen jouw moeder en ik gescheiden waren en jij en je broer allebei op de universiteit zaten en oud genoeg waren om voor jezelf te zorgen, nam ik die tijd voor mezelf. En het spijt me als ik je pijn gedaan heb, maar ik heb er geen spijt van dat ik het gedaan heb. Ik begrijp het leven nu veel beter en ik weet wat belangrijk is en daarom ben ik hier.'

Ik wrijf mijn neus af met de rug van mijn hand. 'En wat is dat precies?'

Hij lacht. 'Om je te zeggen dat ik weer een gezin wil. Jij en je broer–'

Ik val hem in de rede. 'Hij zit in Maleisië,' breng ik hem koel op de hoogte. 'Hij geeft daar een jaar Engelse les.'

Hij slaat zijn ogen ten hemel. 'Waarom ben ik niet verbaasd?' vraagt hij. 'Hij ging altijd weer iets nieuws doen.' Hij denkt even na, haalt zijn schouders op en gaat verder waar hij was gebleven. 'Nou, dan alleen jij en je man–'

Ik val hem weer in de rede. 'Hij heet Andrew,' zeg ik hatelijk, maar deze keer negeert hij me.

'En nu is er je prachtige nieuwe baby...' Hij haalt diep adem voordat hij verder gaat. 'En er is nog iemand anders,' zegt hij.

Ik staar hem aan. 'Wie?' vraag ik en ik bid dat hij me niet gaat vertellen dat ik een halfbroertje of halfzusje van vijf heb dat opgroeit in een nudistengemeenschap in Nieuw Mexico.

'Nou,' antwoordt hij. 'Nadine, mijn verloofde.'

Mijn hart staat stil. Zijn wát? 'Jouw wát?'

'Mijn verloofde.' Hij kijkt me stralend aan. 'Ik ben verloofd.'

Verloofd? denk ik. Welke vrouw wil er nu met mijn vader trouwen? Maar dan denk ik aan die vier miljoen dollar en ik weet precies welk soort vrouw met mijn vader wil trouwen.

'Hoe oud is ze?' vraag ik sarcastisch. 'Tweeëntwintig? Drieëntwintig?

Hij lacht. 'Ze is negenenveertig,' zegt hij. 'Ik heb haar in Vegas ontmoet. We speelden aan dezelfde tafel en het ging fantastisch – de jongen die de dobbelsteen gooide was er voor zijn eenentwintigste verjaardag – ik zoek altijd die kinderen op, die hebben het meeste geluk, vooral de meisjes – en daarna gingen we wat drinken en sindsdien zijn we samen.'

'En zij woont in LA?' vraag ik. 'Daarom ben je hierheen gekomen?'

'Ja,' zegt hij. 'Ze werkte vroeger in Vegas. Ze was, eh, danseres' – tussen twee haakjes, als je niet bekend bent met het jargon van Las Vegas, danseres betekent stripteasedanseres – 'en toen ze daar genoeg van had' – en dat betekent dat ze te oud of te dik of allebei werd – 'verhuisde ze naar LA waar ze, eh, een tijdje een paar andere dingen deed' – *andere dingen* kan in dit geval een aantal verschillende betekenissen hebben. Het kan betekenen dat ze pornofilms deed, dat ze een gezelschapsdame was of misschien zelfs een hoer – 'maar nu is ze gepensioneerd' – en dat betekent natuurlijk dat ze een rijke vent heeft gevonden die haar de stijl van leven kan geven die ze zich heel graag eigen wil maken – 'en nu gaan we trouwen.' En zo zie je maar, kinderen, dat de gokverslaafde/nietsnut/fortuinlijke rijke klootzak en de voormalige striptease danseres/pornoster/hoer nog lang en gelukkig leefden, net als in *Pretty Woman*. Wat een mooi verhaal.

'Wanneer?' vraag ik aan hem.

'In september. Het weekend van de Dag van de Arbeid. En ik wil graag dat je haar ontmoet.' Hij grijnst naar me als een verliefde schooljongen. Ik grijns niet terug.

'Nee,' zeg ik kortaf. 'Absoluut niet.'

Zijn grijns verdwijnt. 'Waarom niet?' vraagt hij.

'Daarom. Jij hebt misschien besloten dat je opeens een grote, prachtige familie wilt, maar die beslissing is niet aan jou.' Ik snik en snot stroomt over mijn gezicht. 'Ik heb nu mijn eigen gezinnetje en jij hoeft hier niet binnen te lopen en dat voor jezelf op te eisen. Ik ga haar niet ontmoeten.' Ik slik een snik in als ik aan het advies van Stacey denk. 'Ik weet zelfs niet of ik jou nog wel wil zien.'

Hij tuit de lippen. 'Oké,' zegt hij en hij steekt zijn handen uit. 'Ik zie dat je overstuur bent.'

Wauw, denk ik. Wat een inzicht.

'Als je haar niet wilt ontmoeten, dan is dat oké. Maar sluit mij niet buiten, schatje. Alsjeblieft. We kunnen het rustig aan doen. Ik weet zeker dat je nog heel veel vragen hebt en ik vertel je alles wat je wilt weten. We moeten aan onze relatie werken. Dat begrijp ik.'

'O, ik ben zo blij dat je het begrijpt. En weet je ook dat jij degene bent die alles kapot heeft gemaakt?'

Hij knikt naar me. 'Ja, dat weet ik. Luister, ik denk dat ik beter weg kan gaan zodat je alles kunt verwerken. Maar ik zou het echt heel fijn vinden als we volgende week samen konden lunchen, alleen wij twee. Op dit telefoonnummer kun je me bereiken.'

Hij pakt een kaartje van het Beverly Hills Hotel en legt het op de salontafel. Ik kan niet geloven dat hij daar logeert. Het Beverly Hills Hotel kost wel vijfhonderd dollar per nacht. Als ik Nadine was zou ik die vier miljoen in een jaar of minder erdoorheen jagen en hem dan verlaten voor de volgende grote prijswinnaar die ze vindt.

Hij staat op en loopt naar de voordeur en ik loop achter hem aan met een slapende Parker op mijn schouder. Hij doet de deur open en draait zich om, kijkt me aan en buigt zich voorover om me een knuffel te geven. Ik doe een stap naar achteren.

'Oké,' zegt hij verdrietig. 'Denk je na over de lunch, alsjeblieft?'

Ik haal mijn schouders op en als hij naar buiten loopt, sla ik de deur met een harde klap achter hem dicht.

Nog geen twintig minuten later komt Andrew thuis. Ik ben in Parkers badkamer en snik mijn laatste tranen terwijl ik haar in bad doe.

'Hoi.' Hij zucht en hij klinkt vermoeid nu hij me weer ziet huilen. 'Wat is er vandaag met je aan de hand?'

O, hij zal zoveel spijt hebben van die opmerking als ik het hem vertel. Ik sluit mijn ogen en adem theatraal in.

'Mijn vader was hier.' Ik kijk hem boos aan.

'Wat? Hij was hier in ons huis?' Ik knik. 'Ik begrijp het niet,' zegt hij. 'Hij kwam hier gewoon opdagen?'

'Hij stond opeens op de stoep,' zeg ik. 'Blijkbaar is hij naar LA verhuisd en wil hij weer familie hebben. O, en hij is verloofd. Met een stripteasedanseres.' Andrew trekt zijn wenkbrauwen op en ik kan zien dat hij zijn opwinding probeert te onderdrukken. Ik weet precies wat hij nu denkt – *een hete stripteasedanseres in de familie!* – en daarom draai ik met mijn ogen. 'Vergeet het maar,' zeg ik. 'Ze is oud.' De wenkbrauwen komen omlaag. Wat een mannetje.

'Nou, wat heeft hij gezegd? Heb je hem gevraagd waarom hij is verdwenen?'

'Ja. Hij zei in feite dat het mijn schuld was, omdat hij offers moest brengen zodat ik een goede start kreeg in het leven.' Ik til Parker uit het babybadje en sla een handdoek om haar heen terwijl ik snotter. 'Kun je dat geloven? Dan ben je toch geen ouder?'

Andrew is stil en ik weet dat hij iets wil zeggen.

'Wat?' vraag ik. 'Waar denk je aan?'

Hij schudt zijn hoofd. 'Niets.'

'Ik weet dat je ergens aan denkt. Zeg het gewoon.'

'Het is niets. Laat maar.'

Maar nu ben ik kwaad. 'Nee. Vertel het me. Ik zie dat je iets wilt zeggen.'

Andrew haalt diep adem. 'Nou, ik denk gewoon dat de pot de ketel verwijt dat hij zwart ziet.' Hij doet zijn mond dicht en trekt een verwonderd gezicht, alsof hij niet kan geloven dat hij dat heeft gezegd.

'Wat bedoel je daarmee?' vraag ik.

Hij lacht naar me, alsof hij op de een of andere manier niet zo gemeen overkomt als hij lacht. 'O, ik weet het niet. Iemand die geen borstvoeding wil geven omdat dat haar leven te veel in de weg staat? Klinkt bekend?'

O, dat zei hij écht niet.

'Dat is de slechtste analogie die ik ooit heb gehoord, Andrew. Ik wil geen borstvoeding geven omdat Parker de hele dag drinkt en ik nooit meer dan twee uur achter elkaar weg kan gaan. Hij verdween acht jaar geleden omdat hij mijn collegegeld niet met zijn speelgeld wilde betalen. Ik denk niet dat ik hier de pot ben.'

Hij haalt zijn schouders op. 'Ik bedoel alleen maar dat alles relatief is.' Hij wacht even. 'En ik heb die uitdrukking toch al nooit begrepen. Wat interesseert het de pot dat de ketel zwart ziet? Waarom is de pot jaloers?'

O, mijn god. Hoe is het mogelijk dat ik met deze man getrouwd ben? Op de universiteit had ik Engels als hoofdvak. Ik schreef een dissertatie over Chaucer, in godsnaam.

'De pot is niet jaloers, Andrew,' snauw ik. 'De pot is ook zwart.'

Hij kijkt scheef alsof hij echt heel hard nadenkt en dan spoelt er een golf van begrip over zijn gezicht.

'Ooooo,' zegt hij. 'Waarom kopen ze dan geen nieuwe?'

Ik kijk naar de hemel en storm de badkamer uit en laat hem in zijn eentje achter de wijsheid van de eigenaars van de pot en de ketel komen. Woedend leg ik Parker op haar aankleedkussen en doe de handdoek af. Meteen begint ze op het kussen te poepen.

Fantastisch. Wat kan er vanavond nog meer fout gaan?

Terwijl ik de troep opruim, herinner ik me hoe Andrew in het ziekenhuis de eerste keer een poepluier verschoonde. De verpleegster vertelde hem dat hij de schaamlippen moest openmaken en met een vochtig doekje schoonmaken, want anders kon Parker een bacteriële infectie krijgen. Andrew werd bleek toen hij het woord schaamlippen hoorde. Het leek alsof het nooit bij hem was opgekomen dat zijn dochter werkelijk een anatomisch correcte vagina heeft en niet zo'n plastic heuveltje als de pop waarop we hadden geoefend in die stomme cursus babyverzorging die we hebben gevolgd.

Maar toch heeft hij gelijk. Nee, niet over de schaamlippen. Over mij. En mijn vader. Weet je, misschien lijk ik wel op hem. Ze zeggen dat kinderen van verslaafde mensen veel eerder zelf ook verslaafd raken. Dat zit in de genen. Maar ik ben geen gokker. Ik haat gokken. Ik vind niets erger dan geld verliezen waar ik een geweldig paar schoenen van had kunnen kopen. Níéts. Maar een zelfzuchtig gen dan? Heb ik dat misschien geërfd?

Mijn gedachten worden verstoord als Parker weer begint te huilen en mijn eerste impuls is om Andrew te roepen zodat hij zich met haar kan bezighouden. Ik loop naar onze slaapkamer om hem te halen maar dan herinner ik me wat Deloris zei over hoe baby's het kunnen voelen als je gestrest bent. Daarom haal ik diep adem.

Probeer kalm en liefdevol te zijn. Probeer kalm en liefdevol te zijn.

'Ssst,' zeg ik tegen haar. 'Wat is er, schatje? Ssst. Niet huilen.'

Maar ze houdt niet op. Op de een of andere manier denk ik dat ze niet gelooft dat ik kalm en liefdevol ben.

Mijn god, waarom kan ik niet kalm en liefdevol zijn? Waarop speel ik altijd toneel? Plotseling hoor ik in mijn hoofd de stem van mijn moeder tegen mijn vader schreeuwen.

Ronny, kom van die bank af en help Lara met haar huiswerk.

Nee, Ronny, je kunt dit weekend niet naar Atlantic City gaan. Je hebt Lara beloofd dat je naar haar softbalwedstrijd gaat kijken.

Ronny, zet die televisie uit en lees Lara een verhaaltje voor.

En dat deed hij. Hij deed het allemaal. God, toen hij voor het eerst ervandoor ging, huilde ik tegen Stacey dat ik het niet kon begrijpen, want hij was helemaal geen slechte vader. Ik herinner me dat ik hem verdedigde en zei dat hij de hele tijd dingen met me deed toen ik klein was.

Hij hielp me met mijn huiswerk, zei ik tegen haar. *Hij moedigde me aan bij mijn softbalwedstrijden.*

Maar nu begrijp ik het. Eindelijk begrijp ik het. Hij deed het niet omdat hij het wilde. Hij deed het omdat hij het moest. Omdat hij het moest van mijn moeder. Of omdat hij, zoals hij zei, zich schuldig voelde als hij het niet gedaan had. Plotseling wordt alles duidelijk. Het weggaan, het verbreken van alle banden. Dat kon hij omdat de tijd die hij met mij doorbracht niet echt was. Hij wilde altijd ergens anders zijn.

O, mijn god.

Mijn gedachten gaan in een flits terug naar de afgelopen dagen sinds Deloris hier is en ik realiseer me dat ik voortdurend van huis weg was. De sportschool, lunch, de boekwinkel, afspraken bij de kapper, bij de manicure, bikinilijn harsen, winkelen. Ik kom alleen naar huis om Parker te voeden of om af te kolven, zodat Deloris haar een flesje kan geven. En ik ga daarna meteen weer weg. En als ik bij haar ben als Deloris naar bed is, dan is dat omdat het moet. Nooit omdat ik het wil. Ik voel de tranen in mijn ogen springen. *Net als bij hem.*

O, god. Ik ben mijn vader.

7

Stacey vond het goed om vanmorgen te gaan wandelen. Ik heb haar gisteren hysterisch gebeld om haar over mijn inzicht te vertellen – dat ik net als mijn vader ben – maar ze moest naar een vergadering en 's middags moest ze met een van haar cliënten op de set zijn en daarom had ze geen tijd om met me te praten. Maar ik denk dat ze voelde dat ik het meende, omdat ze aanbood vandaag vrij te nemen van haar werk – alleen vandaag en alleen omdat het zondag is – om een paar uur met mij door te brengen zodat ik mijn hart kan luchten.

Ik heb haar in geen maanden gezien – ze is nog steeds niet naar de baby komen kijken – en als ze tien minuten te laat arriveert, ziet ze er bleek uit en, als dat al mogelijk is, nog magerder dan vroeger.

'Hoi,' zeg ik en ik geef haar een kus op de wang. 'Je ziet er vreselijk uit.'

'Dank je,' zegt ze en ze bekijkt mijn kwabbige armen. 'Jij ook.'

We lopen naar het wandelpad en ik voel me verplicht om over koetjes en kalfjes te beginnen.

'Hoe gaat het op je werk? Denk je dat je een partner wordt?'

Ze zucht. 'Ik heb geen flauw idee. Ze doen er zo geheimzinnig over. Ze weten allemaal dat ik werk als een paard, maar er is die ene partner, Liz, die het voor me kan opnemen of niet en zij heeft veel macht. Als ze de andere twee partners kan overtuigen om tegen me te stemmen, dan lig ik eruit.'

'Wauw,' zeg ik. 'Heb je er al over nagedacht wat je gaat doen als je het niet wordt?'

Ze kijkt me laatdunkend aan, alsof ze daar zelfs helemaal niet over wil nadenken.

'Sorry,' zeg ik. 'Ik bedoelde alleen maar de kleine kans dat het niet gebeurt. Is er dan iets wat je wílt doen?'

'Zoals mentor worden?' schimpt ze. 'Nee, dank je wel. En nu je al deze negativiteit in het universum hebt gegooid, denk je dat we over iets anders kunnen praten? Over jouw vader, bijvoorbeeld? Want daarvoor zijn we hier, nietwaar?'

Ik zucht. 'Goed. Wat wil je weten?'

Ze kijkt me woedend aan. 'Ik wil weten waarom je me gisteren hysterisch belde. Wat heeft hij gezegd?'

'In feite zei hij niets. Hij moest zichzelf vinden, zei hij, en hij wil aan onze relatie werken en nog meer van dat gelul.'

Stacey wordt ongeduldig. 'Als hij niets zei, waarom was je dan zo van streek?'

Ik bijt op mijn wang. 'Nou, toen hij weg was, herinnerde ik me dingen van toen ik klein was en ik werd me bewust van een aantal dingen over hem. Zoals hoe hij van mijn moeder tijd voor mij moest maken. Toen realiseerde ik me dat hij nooit tijd met mij heeft willen doorbrengen.'

Stacey kijkt me aan alsof ik de stomste persoon op deze planeet ben. 'Dat realiseer je je nu? Die vent is acht jaar lang verdwenen en nu komt het bij je op dat hij nooit tijd met jou heeft willen doorbrengen?'

'Nee,' zeg ik. 'Dat wist ik. Eigenlijk is het dat niet.'

'Wat is er dan, Lara?' Ze is boos. Alsof ik haar tijd heb verspild.

'Kijk, ik verwacht niet van je dat je het begrijpt. Het is gewoon dat ik me realiseerde dat ik meer op hem lijk dan ik dacht en dat maakte me van streek.' Staceys ademhaling wordt zwaar en we hebben nog maar ongeveer een vierde deel van de berg bedwongen. Ik krijg het donkerbruine vermoeden dat ze niet meer buiten is geweest sinds onze laatste wandeling en dat is bijna vier maanden geleden, toen ik acht maanden zwanger was.

'Hoe?' hijgt ze. 'Hoe lijk je op hem?'

Ik denk erover na of ik zal zeggen wat ik wil zeggen, want iedereen weet dat iets waar wordt als je het hardop zegt. Maar ik besluit het te zeggen. Het is immers waar.

'Ik ben een waardeloze ouder,' roep ik. 'Ik vind mijn baby vervelend en ik wil niet bij haar zijn als ik dat niet absoluut moet en mijn vader was ook zo. Zo, ik heb het gezegd.'

Stacey begint te lachen. 'Houd je me voor de gek?' zegt ze. 'Jouw baby ís vervelend. Alle baby's zijn vervelend. Waarom denk je dat ik nog niet naar haar ben komen kijken?' Ze wacht niet tot ik het ga raden. 'Omdat ik dat niet hoef. Omdat ik nu al weet dat ze gewoon blijft liggen en niets anders doet dan mij vervelen en als ik me dan al verveel, dan doe ik dat liever op mijn werk waar ik mijn tijd in elk geval in rekening kan brengen.'

'Dat is aardig,' zeg ik. 'Als je geen partner wordt, moet je een baan bij Hallmark overwegen.'

Stacey grijnst naar me. 'Ja,' zegt ze. 'Ik kan de teksten van de wenskaarten schrijven.' Ik lach. 'Maar goed,' zegt ze, 'mijn punt is dat jij geen vreselijke ouder bent, alleen omdat je baby vervelend is. Alleen leugenaars en mensen die onder de medicijnen zitten raken in de ban van pasgeboren baby's.'

'Ik weet het niet,' zeg ik. 'Julie houdt van baby's. Je had haar met Parker moeten zien. Parker schreeuwde de hele tijd en Julie zei alleen maar hoe lief ze was en hoe ze die fase miste.'

Stacey werpt me een blik toe. 'Net wat ik zei...'

Ik trek een gezicht tegen haar en neem een slok water. 'Weet je, ik hoor wat je zegt, maar jij wilt geen moeder worden. Bij mij is het anders. Ik wil van haar houden, maar ik heb dat gevoel gewoon niet.' Ik schud mijn hoofd. 'Ik verzeker je, het is een gen. Het is een waardeloze-ouder-gen. De enige keer dat ik iets voor haar voelde dat ook maar een beetje op liefde leek, was een paar dagen geleden toen ik dacht dat ze ontvoerd was. Maar zodra ik wist dat het goed met haar ging, wilde ik haar meteen weer aan Deloris geven. Dat is tamelijk lullig.'

Stacey kijkt verbijsterd. 'Oké, ik weet niet wat je met die ontvoering bedoelt, maar nu overdrijf je toch. Probeer eens te denken aan de tijd toen je een echte baan had – ik weet dat het moeilijk is – en kijk of je hersencellen nog logisch kunnen denken.'

'Dat is precies het probleem,' zeg ik. 'Ik kan hier niet logisch over nadenken. Ik weet niet hoe ik het moet aanpakken. Mijn hele leven ben ik altijd goed geweest in alles wat ik deed. Ik was goed op school, ik was een goede jurist, ik ben een geweldige mentor. Alles gaat me gewoonlijk heel gemakkelijk af. Dit zou gemakkelijk moeten zijn, maar dat is het niet. Helemaal niet. Het is net als op de middelbare school toen we bij wiskunde kansberekening kregen. Ik was altijd goed in wiskunde, maar toen kwam de kansberekening en ik had er geen idee van waar ik mee bezig was. Iedereen snapte het behalve ik, en hoe hard ik er ook aan werkte, ik voelde me reddeloos verloren. Verloren en totaal overweldigd.' Ik krijg een brok in mijn keel. 'Begrijp je wat ik bedoel?' vraag ik haar.

'Niet echt,' zegt ze. 'Ik had er een tien voor.'

Ik zucht. 'Nou, geloof me,' zeg ik tegen haar, 'jij krijgt hier geen tien voor.'

Ze knikt. 'Dat weet ik,' zegt ze. 'En dat is precies waarom ik geen kinderen wil.'

Ik ben haar zelfvoldaanheid zat en dat weet ze. Ze blijft stilstaan, neemt een slok water en schroeft de dop weer op de fles. Ze ademt alsof ze elk moment een hartaanval kan krijgen.

'Luister, Lara,' zegt ze en ze probeert tussen de woorden door op adem te komen, 'je bent echt streng voor jezelf. Alleen omdat het niet gemakkelijk is, betekent het niet dat je er niet goed in kunt zijn.' Ze buigt naar voren en legt haar handen op haar knieën, alsof ze de opstijgende lucht probeert te grijpen voordat iemand anders dat kan. 'En zelfs als er zoiets is als een waardeloze-ouder-gen, en ik denk niet dat dat er echt is, overwinnen mensen voortdurend slechte genen.' Ze staat weer recht en haar gezicht is donkerrood. 'Alsjeblieft, de helft van mijn cliënten had beroemde drugsverslaafden als ouders en ik kan er minstens drie bedenken met wie het nu goed gaat.'

Ik staar haar even aan. 'Ik heb nog nooit zo'n mager mens gezien met zo'n slechte conditie,' kondig ik aan.

Ze knikt en wenkt dat ze verder kan lopen.

'Maar wat bedoel je nou?' vraag ik. 'Dat zelfs als het in mijn genen zit dat ik een slechte ouder ben, ik kan leren om het anders te doen?' Ik leg mijn handen op mijn heupen als we een steile helling op lopen en Stacey knikt.

'Ja,' zegt ze. 'Net zoals je de kansberekening waarschijnlijk wel had kunnen leren als je dat echt had geprobeerd in plaats van erover te klagen hoe moeilijk die was.'

Ik glimlach vals en hatelijk tegen haar. 'Oké,' zeg ik, klaar om haar argument te weerleggen. 'Vertel me dan eens: hoe kun je van iemand léren houden?'

Ze schudt haar hoofd naar me alsof ik haar teleurgesteld heb. 'Dat kun je niet,' zegt Stacey alsof ik een idioot ben. 'Je léért het ouderschap. Dus zelfs als je een hekel hebt aan je kind, kun je haar in elk geval wel goed opvoeden.' Ze haalt haar schouders op. 'Maar ik moet je zeggen dat het helemaal niet zo schokkend is dat je nog niet van haar houdt. Ze dóét niets. Waar moet je dan van houden? Mensen voelen liefde als er een relatie is en er is geen relatie met een pasgeboren baby. Iedereen lult gewoon. Ze zeggen dat ze zoveel van hun baby houden omdat ze bang zijn voor wat andere mensen denken als ze de waarheid vertellen.'

Ik moet toegeven, dat slaat wel ergens op. Het is wreed en gemeen, maar toch slaat het ergens op. Ik schud mijn hoofd.

'Dus in feite zeg je dat ik geen waardeloze moeder ben, maar dat ik alleen een waardeloze relatie met mijn dochter heb.' Ik lach om mezelf. 'God, zo moet het zijn als je een tiener hebt. Weet je, ik begrijp al die gekke ouders die ik op Bel Air heb opeens veel beter.'

Stacey lacht. 'Ja, ik wed dat we over vijftien jaar precies hetzelfde gesprek hebben.' Ze doet me na en huilt als ze praat. 'Stace, Parker is zo chagrijnig en ellendig. Ik kan haar niet meer om me heen verdragen. Vind je me een waardeloze moeder?'

Ik zucht. 'Oké,' zeg ik. 'Dus dat is weer een waardeloze relatie die ik op de lijst kan zetten. Ik heb nu officieel een trifectum van waardeloze relaties.'

Stacey kijkt me niet begrijpend aan. 'Parker,' zegt ze en ze steekt haar wijsvinger omhoog. 'Je vader,' zegt ze en ze steekt haar middelvinger omhoog. 'Wie nog meer?'

Ik steek drie vingers van mijn rechterhand in de lucht en trek een gezicht. 'Andrew,' zeg ik. 'We maken alleen nog maar ruzie sinds Parker geboren is.'

Stacey trekt een gezicht alsof ze het plotseling begrijpt en dan lacht ze. 'Die is gemakkelijk,' kondigt ze aan. 'Jullie hebben gewoon wat fantastische, wilde seks nodig, dat is alles.'

Ik knik naar haar. Schat, denk ik, dat zeg je niet aan dovemansoren.

Die avond besluit ik Operatie Fantastische, Wilde Seks in werking te stellen. Andrew zit vandaag de hele dag op kantoor om wat werk in te halen en komt weer laat thuis, maar deze keer vind ik het niet erg. In dit geval helpt het in feite mijn doel, omdat ik wat meer tijd krijg om me voor te bereiden. Het is tien uur en ik heb Parker al naar bed gebracht, een douche genomen en me opgedirkt voor de feestelijkheid. En met opgedirkt bedoel ik dat mijn haar in de war zit, ik wat lipgloss heb opgedaan en me heb uitgedost in een zwart-witte zijden badjas waaronder ik een tweedelig setje van Cosabella draag dat mijn assistente op het werk me heeft gegeven als een fijn-dat-je-niet-meer-zwanger-bent-cadeau. Het is gewoon een topje en een bijpassende string, maar het is verreweg het meest sexy ding dat ik in maanden aan heb gehad. En zelfs al bedekt het topje mijn buik niet helemaal en verbergt daardoor niet het zwembandje dat zich rondom mijn middel heeft gevormd, het is absoluut flatteuzer dan de andere lingerie die ik heb en die ik allemaal heb gekocht toen ik ging trouwen, toen ik superslank was en op mijn laagste gewicht sinds de middelbare school.

Ik zucht. Ik moet al een half uur plassen, maar met mijn geluk komt hij binnenlopen als ik op de wc zit en dan is het verrassings-element weg. Natuurlijk had ik nu al zevenenvijftig keer kunnen plassen, maar dat doet niet ter zake.

Ah. Ik hoorde net de garagedeur opengaan. Perfect.

Ik strijk mijn hand door mijn haar, leun achterover op de kus-sens en neem de klassieke ik-ben-zo-sexy-omdat-ik-een-knie-ge-bogen-heb-houding aan. Ik hoor hem de keuken in lopen om naar de post te kijken. Dan hoor ik voetstappen op de trap en eindelijk doet hij de deur van onze slaapkamer open.

Als hij me ziet, komt er een verbijsterde blik in zijn ogen.

'Hoi,' zeg ik verleidend.

'Hoi,' zegt hij net zo verbijsterd als hij eruitziet. 'Wat is er?'

Bah. Hoe kan hij niet weten wat er is? Als hij anders laat thuis-komt, draag ik een oud T-shirt en een trainingsbroek en heb ik mijn bril op en zalf tegen puistjes op mijn kin. Ik ga rechtop zitten en laat mijn houding varen.

'Niets. Ik heb gewoon op je gewacht.'

'Sorry,' mompelt hij en hij keert zijn rug naar me toe als hij zijn hemd losknoopt. 'Ik heb een achterstand weggewerkt.'

'Het is oké,' zeg ik met mijn liefste stemmetje. 'Ik heb je ge-mist.' Hij kijkt weer naar me alsof hij er absoluut geen idee van heeft wie ik ben en daarom besluit ik wat stoutmoediger te wor-den. Ik sta op, loop naar hem toe en begin zijn schouders te mas-seren. 'Ik dacht alleen, weet je, het is lang geleden dat we echt sa-men waren.'

Nu draait hij zich om en kijkt me aan. 'Dat komt omdat je me haat,' verkondigt hij.

Ik trek een gekwetst gezicht en steek mijn onderlip naar voren. 'Ik haat je niet. Ik was boos op je omdat jij de hele dag weg was en ik thuis moest blijven met de baby. Maar Deloris is er nu, dus daar ben ik overheen.'

'O, ik ben zo gelukkig,' zegt hij. 'Mijn vrouw is niet meer boos op me nu ze niet meer voor ons kind hoeft te zorgen.'

Ik sluit mijn ogen en probeer niet hatelijk te worden. *Wilde seks. Wilde seks.*

Hij trekt zijn onderhemd uit en gooit het door de kamer in de wasmand en ik begin snel over iets anders te praten.

'Je ziet er sexy uit,' zeg ik.

'Ik ben dik,' zegt hij en hij knijpt in het vel bij zijn middel. 'Ik ben zeker anderhalve kilo aangekomen sinds Parker is geboren.' O, hij is zo'n vent, maar soms ook zo'n vrouw.

'Je bent niet dik,' mompel ik. 'Je ziet er geweldig uit.' *En nu we het toch over dik hebben*... Ik sta op en maak mijn badjas los en laat hem naar beneden vallen. 'Kijk hier eens naar,' zeg ik en ik sla mijn ogen neer. 'Wat vind je?'

Hij staart me aan. 'Is dat een strikvraag?' vraagt hij achterdochtig.

'Nee,' zeg ik fronsend. 'Waarom? Zie ik er zo slecht uit?'

'Nee,' zegt hij snel. 'Niet zó slecht.'

Oké. Zo is het genoeg. Ik leg mijn handen op mijn heupen. Mijn dikke heupen. 'Niet zó slecht.'

Hij krimpt ineen. 'Zo bedoelde ik het niet. Ik bedoelde gewoon dat je, weet je, er niet uitziet als Lara.'

Ik kan niet geloven dat hij dat echt zei. Hoe is het mogelijk dat hij zoiets nog zegt nu we al bijna tien jaar samen zijn? Ik ben woedend.

'Ik heb zeven weken geleden een baby gekregen, Andrew,' schreeuw ik. 'Het spijt me dat ik er niet uitzie als mezelf.' Ik maak mijn badjas weer dicht en loop bij hem weg.

'God, ik probeer hier een poging te doen en jij bent zo' – ik zoek naar het woord – 'zo grof.' Zijn ogen gaan wijd open en ik zie dat hij nu pas begrijpt wat er aan de hand is.

'Oooo,' zegt hij en zijn stem wordt teder. 'Het spijt me. Ik wist niet dat dat... Wacht, mogen we al seks hebben?'

Ik zucht diep. 'Ja, dat mogen we. Ik heb je dat vorige week verteld toen ik bij dokter Lowenstein ben geweest. Ik neem weer de pil en alles.' Ik zet een pruillip op en probeer niet te huilen. 'Ik wil gewoon dat wij weer ons zijn. Ik mis ons. Ik heb er een hekel aan dat we de hele tijd ruzie maken.'

Hij loopt naar me toe en legt zijn handen op mijn zwembandje. Een plagerige grijns verschijnt op zijn gezicht.

'Ik ook,' zegt hij. 'En ik ben zo blij dat jij toegeeft dat het allemaal jouw schuld was.'

Ah, daar is de Andrew die ik ken en van wie ik hou. Ik doe alsof ik hem op de schouder sla, maar voordat ik iets terug kan zeggen, geeft hij me al een kus. *Eindelijk.* Ik slaak een zucht van verlichting en leun tegen hem aan.

O, ja. Dat is heerlijk. Ik was vergeten hoe goed hij kan kussen. Hij duwt me op het bed en kust mijn oren en dan mijn hals, maar ik houd hem tegen als hij bij mijn tieten komt.

'Niet doen,' fluister ik. Ik denk aan wat er een paar dagen geleden met Julie in het restaurant is gebeurd. Als mijn tieten dan al niet slim genoeg zijn om een onderscheid te maken tussen Parkers gehuil en het gehuil van de baby van een willekeurige vreemde, dan ga ik ervan uit dat ze zeker geen onderscheid kunnen maken tussen Parkers mond en die van Andrew.

'Waarom niet,' fluistert hij terug.

'Geloof me nu maar,' zeg ik. Andrew lijkt het niet te begrijpen, maar dringt niet verder aan en gaat weer naar mijn hals. Na een paar minuten gaan we aan de slag en ik begin me te herinneren waarom ik de rest van mijn leven bij deze man wilde zijn. O, en ook waarom ik zo blij ben dat ik om een keizersnede heb gevraagd. Voor mij geen uitgerekte vagina of pijn van de inknipping, dank je wel.

God, dit is goed. Dit heb ik echt gemist.

Na een paar minuten is mijn rug krom en bonst mijn hart. Mijn ogen zijn gesloten, ik heb mijn nagels in Andrews schouder gezet en ik concentreer me uit alle macht. Ik begin te kreunen, maar voordat ik zelfs mijn eerste *O, ja* kan stamelen, schreeuwt Andrew al als een meisje.

'Hé... bah... hé,' schreeuwt hij.

Ik doe mijn ogen open en zie het beeld van mijn man, helemaal naakt en boven op me, met zijn handen voor zijn gezicht terwijl de borstvoeding recht omhoog spuit uit mijn tepels. En als ik zeg spúít, dan bedoel ik ook spúít. Als een spuitgat of een geiser. *Hallo, aangenaam, ik ben Lara, maar noem me alsjeblieft Old Faithful. Dat doen al mijn vrienden.*

Ik kan wel door de grond zinken. Zo snel als ik kan ga ik rechtop zitten, bedek mijn tieten met mijn handen en duw Andrew van me af. Ik spring uit bed, ren naar de badkamer en doe de deur op slot. *Ik kan niet geloven dat niemand me heeft verteld dat dit kan gebeuren. Ik ga Julie vermoorden.* Ongeveer een minuut later klopt Andrew op de deur.

'Dolly? Laar? Is alles goed met je?'

'Nee, het is niet goed,' schreeuw ik en ik probeer niet te huilen terwijl ik me met een handdoek droogwrijf. 'Mijn tieten begonnen net te spuiten als een sprinklerinstallatie. Hoe zou jij dat vinden?' Stilte. Dan klopt hij weer.

'Weet je wat, schatje? Ik denk dat je misschien moet stoppen met borstvoeding.'

Ik ben sprakeloos omdat ik hém dit hoor zeggen. Dat is het? Meer was er niet voor nodig? Eén straaltje in zijn ogen en hij verraadt ons kind?

'Maar de baby dan?' vraag ik achter de gesloten deur. 'Ik dacht dat je haar alle voordelen wilde geven.'

Hij wacht even. 'Ja, nou, zij overleeft het wel. Ik leef ook nog.'

Ik maak de deur open. 'Weet je het zeker?' vraag ik. 'Want ik wil geen schuldcomplex van jou als ze over achttien jaar niet op een goede universiteit komt.'

Hij denkt er een minuut over na. 'Zou het je echt gelukkig maken?' vraagt hij. Ik knik naar hem. Heftig. Hij zucht. 'Dan weet ik het zeker. Geen schuldgevoel meer, ik beloof het.'

Ik kijk naar de grond. 'Denk je dat ik hiermee net als mijn vader word?' vraag ik gedwee.

Andrew schudt zijn hoofd. 'Nee. Het spijt me dat ik dat heb gezegd. Het is niet hetzelfde.'

'Echt waar?'

Hij knikt. 'Ik zweer het.'

Ik tuit mijn lippen en doe alsof ik lach. 'Oké dan,' zeg ik. 'Ik stop morgen.' Ik geef hem een stevige knuffel.

Dit is precies wat ik wil, denk ik. Maar waarom ben ik er dan niet blij mee?

De volgende ochtend is Parker om negen uur nog steeds niet wakker. Tegen kwart over acht dacht ik dat ze misschien niet meer ademhaalde of dat ze aan wiegendood was gestorven. Ik staarde meer dan tien minuten lang naar de monitor en raakte steeds meer in paniek totdat ik eindelijk haar linkerhandje zag bewegen. Toen maakte ik me niet meer ongerust en ging ik gewoon verder met me te ergeren.

Ik ergerde me omdat ik al vanaf zes uur met mijn ogen wijd open in bed lig met mijn tieten boordevol melk en ik wacht op het geluid van de jammerende geest. Maar ik weet niet of ik nog veel langer kan wachten. Ik bedoel, om zes uur waren mijn tieten vol, maar oké. Om zeven uur begonnen ze een beetje te kriebelen. Tegen acht uur waren het twee enorme, hete, pijnlijke rotsen geworden en een paar minuten geleden begonnen ze te druppelen als een lekkende kraan.

Shit. Ik wil haar niet wakker maken – zo lang heeft ze nog nooit aan een stuk door geslapen en als dat een gewoonte wordt, dan wil ik haar die absoluut niet afleren – maar ik wil ook niet afkolven. Ik weet dat het moeilijk te geloven is, maar eigenlijk verheugde ik me op onze laatste voeding vanmorgen. De halve nacht heb ik die liggen plannen. Ik zou lief en aardig tegen haar zijn. Ik zou liedjes voor haar zingen en haar knuffelen en alle dingen doen die je volgens de boeken moet doen terwijl je je baby voedt, want als er toevallig later in haar leven de een of andere verdrongen herinnering aan haar eerste jeugd bovenkomt, dan hoop ik dat ze zich dat zou herinneren en niet al die keren dat ik ongeduldig was of haar helemaal uitkleedde om haar wakker te maken als ze tijdens het voeden in slaap viel.

Ik kan ook geen dag langer wachten om te stoppen. Parker werd precies zeven weken geleden geboren en ik ben te analytisch om zeven weken en één dag borstvoeding te geven. Nee, als ik wil stoppen met een rond getal, dan moet ik mijn droom over de laatste borstvoeding laten varen en gewoon gaan afkolven.

O, ook goed.

Ik pak mijn borstpomp, trek mijn sm-pomp-bh aan en als ik op de grond zit te wachten tot de flesjes vol zijn, krijg ik tot mijn verbazing een gevoel vol heimwee. Ik klop een paar keer zachtjes met mijn hand op de pomp.

'We hebben samen een goede tijd gehad, jij en ik,' zeg ik tegen hem en ik voel hoe Luthor tevoorschijn komt in mijn keel. 'Een goede tijd.'

Als de tien minuten voorbij zijn en er twee volle flesjes van 100 ml in de koelkast staan, ga ik naar de badkamer, maak het medicijnkastje open, pak het flesje met mijn melk-opdroog-pillen en probeer niet te letten op de pijn in mijn hart.

Het is goed wat je doet, zeg ik tegen mezelf. Je hoeft je nergens schuldig over te voelen. En hoewel ik er niet van overtuigd ben dat ik dit allemaal geloof, slik ik de pil snel in die het begin is van het einde van mijn borstvoeding.

Oké dan. Tijd voor plan B.

Tegen de tijd dat ik gedoucht en aangekleed ben, is Parker eindelijk wakker geworden. Deloris heeft haar een flesje gegeven, haar kleertjes aangetrokken en speelt nu met haar op de grond van de slaapkamer. Ik sta op de drempel even te kijken en dan schraap ik mijn keel.

'Hoi, Deloris. Ze heeft vanmorgen echt lang geslapen, hè?'

'Ja, dat heeft ze zeker,' zegt Deloris en ze port haar in haar buikje. 'Mijn baby heeft eindelijk wat slaap ingehaald.'

God, wat haat ik dat. Ze noemt haar al de hele week *mijn baby*. Maar alleen bij mij. Ze doet dat nooit als Andrew in de buurt is. Deloris kriebelt Parker onder haar kin en maakt babygeluidjes. 'Ze moet een dezer dagen gaan lachen,' zegt ze tegen me zonder haar ogen van de baby af te houden. 'Een dezer dagen, juffrouw Parker,' zingt ze.

Geweldig, denk ik. Ik kan niet wachten tot ze naar Deloris lacht en niet naar mij. Nog een ding waar ik me over erger.

'Hm, Deloris,' zeg ik, 'ik heb een afspraak met een vriendin in het park en ik neem Parker mee. Ik hoef alleen nog maar de luiertas in te pakken en dan kom ik haar halen.'

'Oké, mevrouw Lara,' zegt ze geschokt omdat ik niet zoals gebruikelijk in mijn eentje wegga. 'Wil je dat ik meega?' vraagt ze.

Nee, ik wíl niet dat je meegaat. God, ik kan me niet voorstellen wat deze vrouw wel van me moet denken. Ik wed dat ze tegen haar voodoovrienden vertelt dat ze bij een ijsklomp werkt. Ik kan horen hoe ze tegen hen op me afgeeft. *Niet één minuut met dat kind. Ik zeg je, ze heeft een steen op de plek van haar hart. Deloris weet dat.*

'Nee, dank je wel,' zeg ik met een brede glimlach. 'Ik red me wel.'

Ik loop naar de keuken waar ik het flesje melk in een koeltas zet en die stop ik in de luiertas zodat Deloris hem niet ziet. Ik zal haar later vertellen dat ik ben gestopt met de borstvoeding. Ze hoeft me nu geen schuldgevoel te geven.

'Oké,' zeg ik en ik loop terug naar de slaapkamer. 'Alles is klaar.' Deloris pakt Parker op van de grond en geeft haar kusjes.

'Dag-dag, mijn baby,' zegt ze en ze zwaait met haar hand op en neer. Dan gaat ze zachtjes praten en fluistert: 'Maak je geen zorgen, juffrouw Parker. Deloris wacht hier tot je terugkomt. Wees maar niet bang.'

Ik kijk haar aan alsof ze geestelijk gestoord is. Denkt ze dat ik dat niet heb gehoord? Hoe onbeleefd is dat wel niet? Bah. Maar goed. Ik heb hier nu geen energie voor.

Ik negeer Deloris, pak Parker uit haar armen en bereid me voor op het geschreeuw dat altijd begint als ik haar van Deloris overneem. Maar verbazingwekkend genoeg schreeuwt ze niet. Hè. Ik vraag me af wat dat betekent. Ik vraag me af of ze langzamerhand gaat begrijpen dat Deloris een beetje geschift is. Nou, ik in elk geval wel.

Ik loop de trap af met Deloris achter me – ze houdt Parkers voetje vast en bet haar eigen ogen met een tissue – en dan bind ik Parker vast in haar autozitje. Na een belachelijk, huilend afscheid krijg ik Deloris eindelijk zover dat ze de deur van de auto dichtslaat en dan vertrekken we met z'n tweeën naar het park.

We moeten eens met elkaar praten, Parker en ik.

Als we in het park aankomen – een stil plekje in Beverly Hills – pak ik haar uit de auto en vind een bank onder een mooie, schaduwrijke boom. Ik pak haar uit het autozitje en ga zitten met haar in mijn armen (tussen twee haakjes, ze huilt nog steeds niet) en na een paar minuten pak ik het flesje en geef haar de allerlaatste 100 ml borstvoeding die het IQ verhoogt, de stofwisseling versnelt, de tandjes rechtzet, allergieën bestrijdt en op alle punten fantastisch is. Luthor is weer tevoorschijn gekomen en ik kijk om me heen of iemand naar me kijkt. Nee. Er is niemand in de buurt.

Oké, denk ik. Ik kan me nu laten gaan. En ik begin zomaar te snikken.

'Het spijt me,' zeg ik tegen Parker door mijn tranen heen. 'Het spijt me dat ik egoïstisch ben' – *snik* – 'en het spijt me dat ik ongeduldig ben.' *Snik, snik, snik.* 'En het spijt me dat ik overdag wegga en niet als een paar handboeien aan jou vast wil zitten.' *Gróte snik.* 'En het spijt me echt heel, heel, heel erg dat ik niet langer wil wachten om weer slank te worden.'

Ze staart me aan, zuigt aan het flesje en kijkt me recht in de ogen.

'Ik heb gewoon geen sterke moederinstincten,' beken ik, 'en ik heb er echt geen idee van hoe ik een goede mammie kan worden.' Ik haal diep adem en probeer mijn huilen onder controle te krijgen. 'Maar dan is er dat ding,' zeg ik tegen haar. 'Mijn vriendin Stacey – je kent haar nog niet, maar je leert haar nog wel kennen. Ze is degene van wie je je eerste sigaret krijgt en die je *sodemieter op* tegen mij leert zeggen als je twee bent – maar goed, ze zei iets dat beslist ergens op sloeg.' Ik probeer met mijn linkerelleboog het flesje in haar mondje te houden zodat ik de tranen uit mijn ogen kan vegen, maar het valt eruit en Parker begint te huilen. 'Sorry,' zeg ik en ik stop het er weer in. 'Maar goed, wat ze zei – nou, niet precies in deze woorden, maar wat ze bedoelde – is dat we een relatie moeten opbouwen en ze heeft gelijk.' Ik snuif.

'Maar dat kan ik niet als ik borstvoeding geef, want dan raak ik gefrustreerd en word ik boos op je.' Ik haal diep adem en wacht even voordat ik de bom gooi. 'En daarom heb ik besloten ermee te stoppen. Want hoewel het er misschien niet op lijkt, is onze relatie belangrijk voor me. Belangrijker dan jouw IQ.' Ik wacht even omdat ik haar niet durf te vertellen dat ik haar leven ga verwoesten. 'En belangrijker dan je gewicht. Maar als het nodig is, dan krijg je een eigen trainer, dat beloof ik. En als je een beugel nodig hebt... een beugel is helemaal niet meer zo erg. Ze maken nu doorzichtige beugels. Je kunt hem amper nog zien zitten. En als je allergisch wordt voor pinda's... nou, sorry dan, oké? Ik geef toe dat dat balen is en dat spijt me dan echt heel erg.' Ik wacht weer even en probeer iets positiefs te bedenken dat ik hierover kan zeggen. O, ik weet het. 'Het goede nieuws is dat je ouders allebei op Penn hebben gezeten, dus zelfs als je niet erg slim bent, heb je toch een redelijk goede kans om toegelaten te worden. Natuurlijk moet je *early decision* aanvragen, maar we kunnen later over de logistiek praten.'

Parker staart me nog steeds aan. Het is alsof ze elk woord dat ik zeg begrijpt. Dan zie ik haar mondhoeken achter de speen van het flesje plotseling omhooggaan. Er moet lucht in zitten. Ik trek het flesje uit haar mondje en probeer de luchtbelletjes eruit te schudden, maar als ik weer naar haar kijk, lacht ze nog steeds. Het is een brede, tandeloze glimlach en het liefste wat ik ooit heb gezien.

O, mijn god, denk ik. Ze lacht naar me. Haar eerste glimlach geeft ze aan mij.

Zonder erbij na te denken lach ik terug en ik voel de tranen weer opkomen. Binnen een paar seconden lopen ze over mijn wangen, maar deze tranen voelen anders dan de tranen die ik heb gehuild sinds ze is geboren.

Dat is het, denk ik. Van nu af aan breng ik zo veel mogelijk tijd met haar door, of ik dat nu leuk vind of niet. Want ik ben niet als mijn vader. Ze verdient beter dan dat. Wij allebei.

Als Parker haar flesje heeft leeggedronken, zitten we daar: ik huil mijn schuldgevoel weg en zij lacht naar me en vergeeft me al mijn fouten. En voor de eerste keer in haar korte leventje word ik overweldigd door liefde voor mijn baby.

8

'Goedemorgen! Welkom bij Mammie-en-ik.'

Een vreselijk blije vrouw van begin vijftig staat bij de deur van een grote, lege kamer in een hoek van het ontmoetingscentrum van Beverly Hills. Ze is ongeveer één meter zestig lang, haar bruine schouderlange haar heeft blonde plukken en ze draagt roze instappers met jeans en een t-shirt met een v-hals. Als ze haar hand uitsteekt om die van mij te schudden, valt me op dat ze een gigantische peervormige verlovingsring draagt en dat ze Ballet Slippers op haar korte, pas gemanicuurde nagels heeft. Dit is dus de beroemde Susan Greenspan. Hm. Dit verwachtte ik helemaal niet. Maar ik verwachtte ook eigenlijk Miss Sally uit *Romper Room*, dus dan is het helemaal niet zo verwonderlijk.

'En wie is dit kleine schatje?' vraagt ze en ze knijpt in Parkers wangetjes die, en daar ben ik van overtuigd, abnormaal knijpbaar zijn geworden sinds ze flesvoeding krijgt. Mijn moeder (die zelfs nog niet naar Parker is komen kijken omdat ze door haar ischias geen vier uur lang in een vliegtuig kan zitten, maar die wonderbaarlijk genoeg wel drieënhalf uur in een stoel bij de kapper zit als ze een coupe soleil laat maken) noemt ze 'poepie wangetjes' en elke keer als ze Parker ziet (via de webcam waarvan ik in een stomme vlaag van optimisme aannam dat die kon worden bekeken door een persoon die e-mail 'het e-mail' noemt zónder dat ik elke keer eerst veertig minuten lang aan het uitleggen ben hoe je op internet komt), zweert ze dat die heel schattig zijn, maar dat vind ik niet. Ik vind dat ze eruitziet als iemand die een bom duiten Mexico in wil smokkelen.

'Dit is Parker,' zeg ik. 'Parker Stone.'

'O, ja,' zegt Susan. 'En dan ben jij' – ze kijkt op een blocnote die op een stoel achter haar ligt – 'Lara!' Ik knik. 'We vinden het fijn dat je er bent, Lara.' Ik kijk om me heen en probeer vast te stellen wie 'we' kunnen zijn, maar er is niemand anders in de kamer. 'Het lijkt erop dat jullie twee de eersten zijn. Laat je kinderwagen buiten staan en ga op de grond zitten. De andere mammies zullen nu ook elk moment komen.'

'Oké,' zeg ik. Ik til Parker uit haar buggy en loop naar de achterkant van de kamer waar ik op z'n indiaans ga zitten. De vloer is van hardhout en ziet eruit alsof hij zojuist is schoongemaakt, maar ik wil Parker niet op een houten vloer leggen en daarom houd ik haar op mijn schoot.

'Je kunt de baby op een dekentje voor je leggen,' roept Susan van haar plek bij de deur. Een déken? Ik haal de nieuwe luiertas overhoop die ik vorige week heb gekocht in de hoop dat ik daar een dekentje in heb gestopt en dat gewoon ben vergeten. Nee, hoor. Geen dekentje.

'Eh, ik heb geen dekentje bij me,' zeg ik.

Susan kijkt me verbaasd aan. 'Je hebt geen dekentje bij je?' snuift ze.

'Nou, nee,' zeg ik. 'Het is zomer.'

Ze tuit haar lippen. 'Baby's kunnen hun lichaamstemperatuur nog niet regelen zoals wij. Je moet altijd een dekentje bij je hebben.'

Beschaamd kijk ik weer in mijn tas. 'Dat zal ik doen,' zeg ik. 'Ik heb een aankleedkussen, is dat goed?'

Ze glimlacht meewarig naar me. 'Het is beter dan een vuile vloer, denk ik.'

Ik laat mijn hoofd hangen en pak het waterdichte nylon aankleedkussen dat bij de tas zat, leg het voor me op de grond en leg Parker erop.

Na een pijnlijke stilte van ongeveer twee minuten beginnen de andere moeders binnen te druppelen en de een na de ander haalt een enorme, prachtige Petunia Pickle Bottom-deken tevoorschijn en legt haar baby er voorzichtig bovenop. Ik zucht. Ik heb er drie thuis die ik nog nooit heb gebruikt. Nou, volgende week, denk ik. Vooropgesteld dat ik besluit om terug te komen.

Als Susan de deur dichtdoet, is er een kring van één meisje met bruine haren en elf valse blondjes en dertien baby's (een arm meisje heeft een twééling, kun je je dat voorstellen) en tot mijn verbazing zien ze er allemaal redelijk normaal uit. Nou, nee, laat me dat opnieuw formuleren. Niet normaal voor de rest van het land, maar normaal voor LA. Ik bedoel, om op een woensdagmorgen om tien uur op een stoffige vloer te zitten en stomme babyliedjes te zingen, hebben ze allemaal een spijkerbroek of een zwarte korte broek aangetrokken, een riem met parels of bergkristallen en een lichte zomerponcho over een topje. Zes van hen hebben een luiertas van Gucci, vier van Prada en een chic meisje heeft een Louis Vuitton.

Ik ben niet in Los Angeles geboren en daarom niet op de hoogte van het *West Side kledingcodehandboek voor alle gebeurtenissen (zelfs de meest onbelangrijke)* en ik ben verschenen in een zwarte fluwelen trainingsbroek, mijn oude, afgedragen zwarte fluwelen topje en een blauw T-shirt van C&C Californië. Ik zucht opnieuw. Ik kan niet geloven dat ik te eenvoudig ben gekleed voor Mammie-en-ik. Ik heb zelfs geen goede luiertas.

Aan de voorkant van de kring zit Susan op een klapstoeltje met een groen linnen kussen en klapt in haar handen om de aandacht te krijgen.

'Dames, welkom bij Mammie-en-ik,' zegt ze met een enorme, veelbetekenende glimlach op haar gezicht. 'Het doel van deze lessen is je te helpen de beste mammie voor je pasgeboren baby te worden en om je informatie te verstrekken en een veilige plek te geven waar je problemen of punten kunt bespreken die je tegenkomt. Alle baby's hier zijn in april geboren. Elke week bespreken we een ander onderwerp dat belangrijk is voor de ontwikkelingsfase van jullie kind. Het laatste kwartier zingen en dansen we – dánsen? – en aan het einde van elke les kunnen jullie een paar minuten vragen stellen.' Ze straalt de glimlach weer.

'Oké. Laten we beginnen met een voorstellingsrondje. Zeg hoe je heet, hoe je baby heet en wanneer je baby is geboren.' Als elke vrouw om de beurt haar naam zegt, doe ik een snelle beoordeling van de andere mammies en vergelijk ik Parker met de andere baby's. O, alsof jij dat niet zou doen.

Hm, kijk ik rond. Zij is al heel mager – ik vind haar niet aardig. Die baby heeft echt grote oren. Mammie naast de deur denkt dat haar poncho haar dikke buik bedekt, maar dat doet die niet. Ho, die baby heeft een grote neus... De vrouw naast me, een klein vals blondje met een poncho van doorschijnende groene stof met lichtroze bloemen, tikt op mijn arm.

'Jouw baby is zo groot,' fluistert ze. 'Hoeveel weegt ze?'

Ik kijk naar Parker en vervolgens weer naar de andere baby's. God, ze is echt groot. Dat is me nog nooit zo opgevallen. Ze ziet eruit alsof ze een paar van deze kindjes kan opeten.

'Eh, bij haar laatste controle woog ze bijna tien pond,' fluister ik terug.

De ogen van de vrouw gaan wijd open. 'Tien pond,' zegt ze. 'Wauw.'

Ik kijk haar aan en weet niet wat ik van dit wauw moet denken. *Is Parker zo dik?* Ik begin in paniek te raken, maar dan begint een baby aan de andere kant van de kamer te huilen. De moeder, een groot, knap vals blondje met een pony, lichtblauwe ogen en vier diamanten ringen aan haar vinger, pakt de baby op, doet haar zwarte gehaakte poncho omhoog en begint hem te voeden waar iedereen bij is. Ik ben geschokt, maar niemand vertrekt ook maar een spier.

Ze geeft borstvoeding, denk ik. Maar ze is zo cool.

Even later begint een andere moeder te voeden en dan nog een en nog een. Ik krijg een wee gevoel dat ik de enige egoïstische, geen borstvoeding gevende moeder in de kamer ben en ik word daar zo onzeker van dat ik zelfs niet in de gaten heb dat ik aan de beurt ben om me voor te stellen. Het *wauw*-meisje stoot me aan.

'O, sorry,' zeg ik. 'Ik ben Lara Stone en dit is mijn dochter Parker. Ze is geboren op 2 april.' De ogen van de moeder met de pony beginnen te schitteren.

'Mijn beste vriendin heeft haar nieuwe baby ook Parker genoemd!' roept ze uit.

De hele magere moeder, ook een vals blondje, knikt instemmend met haar hoofd. 'Mijn schoonzusje noemt haar baby ook Parker,' zegt ze. 'Maar zij krijgt een jongen.'

Ik veins een glimlach en doe alsof ik het prachtig vind dat de naam waarvan ik dacht dat die zo uniek was, in feite de nieuwe Lisa is.

Als de volgende mammie aan de beurt is, zie ik vanuit mijn ooghoek dat Parker begint te bewegen en knorrende geluidjes maakt.

O, nee, denk ik. Alsjeblieft, krijg geen honger. Ik kijk op mijn horloge en zie dat het kwart over tien is. Ze heeft vanmorgen om zeven uur een flesje gekregen en ik hoopte dat ze het zou volhouden tot de les voorbij was om elf uur, maar ik denk dat ik daar niet op hoef te rekenen. *Shit.*

Op dat moment laat Parker geheel onverwacht het geluid van de jammerende geest horen en iedereen draait zich om en kijkt naar mij. Ik grijp meteen mijn luiertas en mijn hart begint te bonzen als ik me realiseer dat Lara met de flessenproductie zo meteen het middelpunt van de kamer wordt. *Geweldig.*

Als in slow motion pak ik een flesje uit mijn luiertas, haal de speen eraf en zet het op de grond. Maar als ik de collectieve zucht hoor die wordt geslaakt bij het zien van deze vertoning van onhygiënisch gedrag, pak ik het flesje snel weer op en balanceer het boven op mijn rechterknie. Vervolgens pak ik een fles water en giet er 100 ml in, terwijl ik overal mors. Parker schreeuwt intussen zo hard dat ze bijna door de geluidsbarrière heen breekt en als ik naar beneden kijk, zie ik hoe ze met haar armpjes en beentjes zwaait alsof ze een beroerte krijgt. Ik doe een bedroevende poging om haar te kalmeren door 'Ssst, sst' te zeggen als ik het deksel van de pot met flesvoeding afhaal die ik heb meegenomen. Ik meet een afgestreken lepel af en doe die in de fles en daarna nog een afgestreken lepel en doe die ook in de fles. Parkers gezichtje is nu paars geworden en ze hoest alsof ze moet overgeven en niemand in de kamer praat meer want ze kunnen elkaar toch niet verstaan boven het geschreeuw van mijn absoluut mishandelde dochter.

'Bijna klaar,' fluister ik tegen haar, 'nog maar twee seconden.'

Als ik de speen weer op het flesje draai en ermee begin te schudden, realiseer ik me dat ik zweet als een otter en als ik opkijk om te zien of iemand het heeft gemerkt, zie ik dat iedereen in de kamer inclusief de baby's vol afgrijzen naar me staart. Hun ogen gaan van mij naar de pot met flesvoeding, naar mijn paarse baby die op een vies aankleedkussen ligt en dan weer naar mij.

Oké, denk ik en ik kijk naar het flesje waar nog steeds klonters in zitten. Klonters of geen klonters, je krijgt het nu meteen.

Ik pak Parker van de grond op en duw het flesje in haar mondje en ze begint krachtig te zuigen alsof ik haar nog nooit iets te eten heb gegeven. O, god. Ik weet niet of ik hier ooit overheen kom. Ik kijk weer omhoog en door de kamer en de ogen van magere mammie puilen uit hun kas. Nee. Ik kom hier absoluut niet meer overheen. Ik moet Julie vragen of zij andere lessen weet waar ik heen kan gaan. Dat wil zeggen, als de kinderbescherming Parker vanmiddag niet bij me weg komt halen.

'Sorry,' zeg ik tegen iedereen. 'Het spijt me vreselijk.'

'Oké,' zegt Susan en ze probeert de situatie elegant weer onder controle te krijgen. 'Waar zijn we gebleven?'

***

Als de les is afgelopen, blijft iedereen hangen om te kijken of ze misschien familie van elkaar zijn – zoals gewoonlijk ken ik niemand omdat ik afkomstig ben van de oostkust – en als Susan ons praktisch de deur uit schopt, schuifelen we allemaal de kamer uit en lopen naar de plek waar onze kinderwagens staan. Als we daar aankomen, kan ik wel door de grond gaan. In een rij langs de zijkant van het gebouw staan elf identieke kinderwagens van Bugaboo Frog van 799 dollar en een eenzame Snap-N-Go van 49,99.

Verdomme, Andrew, denk ik met een zucht. Ik zei tegen hem dat ik een Bugaboo wilde, maar hij werd niet goed bij het idee alleen al.

Achthonderd dollar voor een kinderwagen? schreeuwde hij.

Ik probeerde hem te overtuigen waarom ik er absoluut een nodig had. *Hij rijdt zo soepel,* zei ik. *Je kunt hem met één hand duwen,* legde ik uit. *Madonna heeft er ook een!*

Met Madonna had ik hem bijna zover, maar toen hij de consumentengids met de beste babyproducten in handen kreeg, was zij ook zo'n idioot die 750 dollar meer had uitgegeven dan nodig was.

De Snap-N-Go kreeg vierenhalve ster en die kost maar vijftig dollar! Waarom heb je een kinderwagen van achthonderd dollar nodig als je deze kunt krijgen?

Natuurlijk zal hij nooit begrijpen dat ik precies op momenten als deze – momenten waarop ik het truttige meisje ben in een trainingsbroek die flesvoeding geeft en nog niet eens een fatsoenlijk dekentje heeft om haar baby op te leggen – een kinderwagen van achthonderd dollar nodig heb, maar dat is oké. Parker was de enige baby die lachte tijdens het dansen aan het einde van de les en dat maakt alles weer goed. Susan maakte zelfs een opmerking over hoe schattig ze was.

Als we naar de parkeergarage lopen, stelt het lange meisje met bruine haren voor dat we gaan lunchen in de saladebar verderop in de straat. Ik kijk op mijn horloge. Het is drie minuten over elf. Verbaasd houd ik mijn hoofd schuin.

'Het is pas elf uur,' zeg ik. 'Is dat niet een beetje vroeg voor de lunch?'

Het meisje met de bruine haren houdt haar hoofd ook schuin.

'Nee,' zegt ze. 'Ik lunch altijd om elf uur. Dan heb je geen last van de mensen die werken.'

Ah, denk ik en een golf van begrip spoelt over me heen. *Ik had het kunnen weten*. Niemand van hen werkt. Geen wonder dat Julie zo graag naar deze lessen gaat.

'Ja,' zegt de moeder van de baby met de grote oren. 'En je hoeft nooit te wachten op een tafeltje.'

De andere moeders knikken instemmend, alsof dit het meest fundamentele principe van niet-werkendheid is. Dan duwen ze allemaal tegelijk op hun autosleutel en er volgt een koor van piepjes die allemaal precies hetzelfde klinken. Ik kijk naar de bron van het geluid: Range Rovers. Zeven zwarte en vier zilvergrijze. Vreemd genoeg krijg ik medelijden met de twee meisjes die het oudere model hebben, uit de tijd voordat Range Rover overstapte op de nieuwe carrosserie.

'O, nou, dank je wel,' zeg ik en ik zet Parker in mijn niet-Range Rover, 'ik heb vanmiddag al plannen voor de lunch.'

Ik weet dat je nu denkt dat ik lieg, maar ik lieg niet. Ik heb met mijn vader afgesproken om een uur te lunchen in de Polo Lounge van het Beverly Hills Hotel. Ik moet hem zeggen dat we dat de volgende keer om elf uur moeten doen.

'O, wat jammer,' zegt het meisje met de bruine haren en ze klinkt echt teleurgesteld. 'Maar volgende week gaan we beslist weer. Ik bedoel, wat moeten we anders doen, toch?'

Ik steek mijn armen uit met de handpalmen omhoog.

'Je hebt gelijk!' zeg ik zo opgewekt mogelijk.

Ja, tuurlijk.

9

Ja, dus. Ik heb hem gebeld. Ik heb @#*! gebeld. Na een levendige discussie van een aantal uren met iedereen die ik ken, vond ik dat dat het beste was wat ik kon doen. Natuurlijk had iedereen een andere reden waarom ik hem moest bellen. Hier, kijk maar eens of je de redenen kunt plaatsen bij de mensen die ze gaven (er staat géén oplossing bij, want als je die nu nog niet kunt bedenken dan heb je gewoon niet opgelet):

1. Het is fijn voor Parker als ze haar grootvader kent.	A) Andrew
2. Misschien geeft hij ons wat van zijn vier miljoen.	B) Julie
3. Misschien verdwijnt je obsessie over het feit dat hij opeens op je stoep stond en een relatie met je wilde en misschien kun jij in plaats daarvan echt een relatie met hem krijgen.	C) Stacey

Ik denk dat deze redenen in feite allemaal redelijk zijn, maar eerlijk gezegd, daarom heb ik hem niet gebeld. Nee, ik heb hem gebeld, omdat ik geloof dat hij me iets over het ouderschap kan leren. Hij kan me leren hoe ik het níét moet doen. Want als ik serieus een relatie met mijn dochter wil opbouwen, en dat wil ik, dan denk ik dat ik het best kan leren wat ik niet moet doen. En echt waar, welke bron is beter dan een man die ik @#*! noem?

Toch ben ik een beetje bang om hem te ontmoeten en ik denk dat ik nu wel een opbeurend gesprek kan gebruiken. Ik bel Staceys kantoor met de nieuwe, handsfree telefoon die Andrew in mijn auto heeft geïnstalleerd ('Ik wil niet dat je met onze baby in de auto met één hand rijdt') en na twee keer bellen neemt de secretaresse op.

'Het kantoor van Stacey Horowitz.'

'Hallo, Janine, met Lara.' Sinds mijn vader is komen opdagen, heeft Stacey haar geen-telefoontjes-op-het-werk-regel afgeschaft. Ik denk dat ik in de afgelopen zes weken vaker met haar heb gesproken dan in de afgelopen zes jaar bij elkaar. Maar ik krijg de schuld als ze geen partner wordt. Vanaf dat moment tot in alle eeuwigheid ben ik het kreng dat haar carrière voorgoed heeft geruïneerd.

'Hoi, wat is er?' neemt ze de telefoon op. Ze klinkt afgeleid.

'Sorry,' zeg ik. 'Maar ik zie mijn vader over een uur. Zeg dat het allemaal goed gaat.'

'Het gaat goed,' dreunt ze op. Arme Stacey. Dit is de drieënveertigste keer in drie dagen dat ze me moet vertellen dat het goed gaat. Dat is pas een goede vriendin. 'Hou gewoon vast aan de regels en laat je hoofd niet op hol brengen.'

Voordat ik hem vorige week belde, liet Stacey me zien hoe ik voor mezelf grenzen kon stellen zodat hij me niet kon overhalen iets te doen wat ik niet wil. Ze zei dat haar therapeut haar deze techniek had geleerd. Ze gebruikt die bij haar cliënten als die haar om drie uur 's nachts wakker bellen met een onnozele vraag over het eten omdat hun persoonlijke assistent op vakantie is of de een of andere boodschap voor hen doet en ze dus bedenken dat hun advocaat daarna de meest logische optie is. We bedachten vijf regels:

1. Ik zal zijn verloofde niet ontmoeten.
2. Ik wil niets te maken hebben met zijn bruiloft.
3. Hij zal Andrew niet ontmoeten en ook geen tijd met Parker doorbrengen.
4. Ik zal niet warm en liefdevol tegen hem zijn, nooit.
5. Hoewel dat heel onwaarschijnlijk is, is het mogelijk dat ik hem op een dag vergeef voor wat hij heeft gedaan, maar ik zal het nooit vergeten.

Ik probeer de vlinders in mijn buik te kalmeren. 'Oké,' zeg ik en ik adem uit. 'Ik voel me beter nu, dank je.'

'Graag gedaan,' zegt ze. 'Ben je nu onderweg?'

'Nee, ik ben op weg naar huis. Ik had net mijn eerste Mammie-en-ik-les en ik moet me omkleden en Parker afzetten, voordat ik naar hem toe ga.'

'O,' zegt ze. 'En hoe gíng de poging om een perfecte moeder te worden?'

Ik zucht. 'Het was oké. Ik denk dat ik er goede informatie krijg, maar ik weet niet of ik nieuwe vriendinnen maak. Ik bedoel, ik hoopte dat ik er een moeder zou vinden die zich net zo ellendig en hulpeloos voelt als ik, maar ze waren allemaal supergelukkig en voor het moederschap geboren. Of ze deden tenminste alsof. Maar, goed. Jij zou ze haten. Ze dragen allemaal dezelfde kleren en ze hebben allemaal dezelfde kinderwagen en dezelfde auto en ze praten allemaal over dezelfde dingen. Het is net alsof het communisten zijn of zoiets.'

'Het zijn mammunisten,' verbetert Stacey me.

Ik lach in mezelf. Soms hou ik van Stacey. 'Precies.'

'Nou, wees voorzichtig,' zegt ze. 'Zorg dat ze je niet overhalen tot hun kwade gewoontes.'

'Ja, daar zal ik voor zorgen,' beloof ik haar. 'Ik ben Amerikaan.'

Als ik tien minuten later thuiskom, geef ik Parker aan Deloris en trek me terug in mijn kleedkamer. Ik ben vierenhalve kilo afgevallen sinds de laatste keer dat ik netjes gekleed ergens heen moest en nu pas ik in twee broeken die me allebei echt beginnen te vervelen. Maar ik weiger nieuwe te gaan kopen, want dat zou betekenen dat ik dit lot van vijfenhalve-kilo-zwaarder-dan-normaal heb geaccepteerd en dat heb ik absoluut en volstrekt niet.

Als ik mijn zwarte grote broek weer pak, strijk ik weemoedig met mijn vinger over de tientallen prachtige, geklede kleine broeken van maat 36 die al maanden ongedragen in de kast hangen. Maar als ik bij de zwarte broek van Mexx kom, stop ik.

Ik mis je, denk ik. Ik mis je zo erg.

Ik heb hem gisteren nog gepast, maar hij zat zo strak dat hij op een legging leek, maar toch voel ik een overweldigende behoefte om hem weer te passen.

Alleen voor het geval dat, zeg ik tegen mezelf. Voor het geval dat mijn heupen hebben besloten dat vandaag de dag is waarop ze teruggaan naar waar ze thuishoren, of voor het geval dat ik sinds gistermiddag op wonderbaarlijke wijze vijfenhalve kilo ben afgevallen. Ik pak hem van de kleerhanger af en trek hem aan. Nee. Nog steeds een legging.

Ik doe hem uit en trek de grote broek aan en het olijfgroene topje dat ik elke dag draag omdat het naar de laatste mode tamelijk strak zit, maar toch wijd genoeg is om het vetrolletje te verbergen dat over de broekriem hangt en ik loop naar buiten zonder zelfs in de spiegel te kijken. Ik zucht. Misschien past hij morgen.

***

Als ik in de Polo Lounge kom, stelt de ober me op de hoogte dat mijn vader al is gaan zitten en hij gaat me voor naar ons tafeltje waar mijn vader aan zijn nagels zit te pulken terwijl hij op me wacht. Als hij me door het restaurant ziet lopen, staat hij echter onmiddellijk op.

'Buhbie,' zegt hij en hij spreidt zijn armen voor een omhelzing.

Ik zal niet warm en liefdevol tegen hem zijn, nooit.

Ik doe alsof ik hem ook omhels, maar raak hem amper aan.

'Hoi, pap,' zeg ik. Hij bekijkt me van top tot teen voordat ik kan gaan zitten.

'Je bent afgevallen,' zegt hij. 'Heb je in de kast gezeten?'

Heel even vraag ik me af of hij denkt dat ik een verborgen homoseksueel ben, maar dan begrijp ik het. Mijn vader had altijd een hekel aan dikke kinderen en toen ik opgroeide, zei hij altijd tegen me dat als ik ooit dik zou worden, hij me in de kast zou opsluiten en me alleen brood en water zou geven totdat ik was afgevallen. Ik was dat helemaal vergeten tot nu, maar het verklaart wel waarom ik zo neurotisch ben over mijn gewicht, nietwaar?

Opmerking tegen mezelf: als je thuiskomt, zeg dan tegen Parker dat je van haar houdt, hoeveel ze ook weegt.

Zie je? Ik wist dat dit een goed idee was. Ik ben net tien seconden hier en ik heb al iets ontdekt wat ik niet wil doen.

'Weet je,' zeg ik, 'dat is echt vreselijk om tegen een kind te zeggen.'

Hij haalt zijn schouders op. 'Nou, het werkte, toch?'

Ik vind het heerlijk dat hij het feit dat ik dun ben (was?) toeschrijft aan zijn borderline kindermishandelende opvoedingstechnieken. Ik wil hem vertellen dat het net zo goed een gevolg kan zijn van het feit dat ik borstvoeding heb gekregen.

'Maakt niet uit,' zeg ik. 'Laten we over iets anders praten.'

'Oké. Hoe gaat het met de baby?'

Je zult geen tijd met Parker doorbrengen.

'Goed, denk ik. Ze slaapt beter en huilt niet meer zoveel. En ik ben vanmorgen met haar naar een Mammie-en-ik-les geweest, dat doen we dus samen.'

Hij pauzeert. 'Wacht even,' zegt hij verschrikt. 'Wáár is de baby?'

'O,' zeg ik met een uitgestreken gezicht, 'ik heb haar in de auto gelaten.' Hij spert zijn ogen wijd open en ik vraag me af of hij echt denkt dat ik zo idioot ben. 'Maak je geen zorgen,' zeg ik, 'de ramen zijn dicht. Niemand kan haar ontvoeren.'

Nu realiseert hij zich dat ik een grapje maak en zijn gezicht ontspant zich. 'Heel grappig,' zegt hij. 'Maar waar is ze echt?'

'Ik heb een nanny in dienst genomen. Ze doet aan voodoo en ze eet alleen maar gezonde producten, maar ze zorgt ervoor dat ik normaal blijf.' Ik leg mijn servet op mijn schoot en sla de menukaart open. 'Ik voel de laatste tijd echt een heel nieuwe bewondering voor mam. Ik kan gewoon niet begrijpen dat ze thuis bleef bij mij en Evan toen we klein waren. Hadden jullie geen hulp?'

@#*! lacht en schudt zijn hoofd. En ik schud mijn hoofd naar hem omdat ik het idee van acht volle jaren van niets anders dan het moederschap niet kan begrijpen.

'Ik heb het je verteld,' zegt hij zelfvoldaan. 'Het is moeilijk.'

Houdt hij me voor de gek? Van nu af aan zeg ik niets persoonlijks meer tegen hem. Hij verdraait gewoon alles in zijn voordeel. Het is zo narcistisch.

'Alsjeblieft,' zeg ik nors. 'Denk maar niet dat we het met elkaar eens worden omdat we het ouderschap allebei moeilijk vinden. Dat ik het moeilijk vind, betekent nog niet dat ik jouw kleine verdwijntruc plotseling begrijp. Of dat ik genegenheid voor je voel.'

Hij bijt op zijn onderlip. 'Oké. Waarmee kan ik je duidelijk maken wat er met me aan de hand was?'

Hoewel dat heel onwaarschijnlijk is, is het mogelijk dat ik hem op een dag vergeef voor wat hij heeft gedaan, maar ik zal het nooit vergeten.

'Nergens mee,' antwoord ik. 'Niets wat je zegt, zal me dat ooit duidelijk maken. En het is toch al heel anders. Ik ben gefrustreerd door een baby die nog geen persoonlijkheid heeft. Jij liep weg bij een volwassen, volledig ontwikkelde persoon. Je zou denken dat je misschien niet erg veel van me hield.'

'O, Lara, dat is absurd. Hoe vaak moet ik je nog vertellen dat het niets met jou te maken had. Het was gewoon iets wat ik moest doen om–' Plotseling verstrakt zijn gezicht en begint hij in paniek te raken. 'O, nee,' fluistert hij. 'Dit was niet mijn idee, ik zweer het je. Ik heb haar gezegd dat ze uit de buurt moest blijven.'

Ik kijk waar hij heen staart en zie een lange, magere vrouw met enorme tieten en een nog reusachtiger hoofd met getoupeerde rode haren onze kant op komen. Ze draagt een wit jasje met een rood laag uitgesneden topje eronder en een korte witte kokerrok. Ze wankelt op rode schoenen met hoge hakken. Nadine. Dat moet Nadine zijn. Mijn hart draait zich om in mijn lijf en ik zeg regel één op.

Ik zal zijn verloofde niet ontmoeten. Ik zal zijn verloofde niet ontmoeten. Ik zal zijn verloofde niet ontmoeten.

Ik kan dit niet geloven. Ik maak kennis met zijn verloofde. Als ze bij ons tafeltje komt, steekt ze haar hand uit. Ze heeft lange kunstnagels die zijn gelakt in dezelfde kleur als haar schoenen.

'Hallo,' zegt ze. 'Ik ben Nadine, de verloofde van je vader. Jij moet Lara zijn. Ik heb zoveel over je gehoord, maar je bent nog knapper dan hij heeft gezegd.' Ze heeft een soort zuidelijk accent dat ik niet kan thuisbrengen, maar dan realiseer ik me dat dat net als alle andere dingen bij haar waarschijnlijk niet echt is.

'Het spijt me,' zeg ik tegen haar en ik probeer de situatie onder controle te krijgen, 'maar wij willen samen lunchen. Alleen.'

Ze lacht naar me en trekt zich helemaal niets aan van mijn onbeleefdheid. 'Dat weet ik,' zegt ze. 'En sorry dat ik jullie stoor, maar ik móést gewoon kennis met je maken.'

Ze zwaait haar linkerhand voor haar gezicht en ik word bijna verblind door de schittering van haar diamant. Die moet minstens vijf karaat zijn. Wauw. Ze moest absoluut goed zijn in bed, want mijn vader is berucht om zijn zuinigheid. Hij deed vroeger altijd de boodschappen toen ik klein was en dan kocht hij allemaal dingen die we toch niet aten zoals vier zakken uitgebakken zwoerdjes, gewoon omdat hij dan genoeg zegeltjes had en drie zakken gratis kreeg. O, wacht eens even... natuurlijk is ze goed in bed. Ze is een verdomde stripteasedanseres. Dat is waarschijnlijk het enige waar ze goed in is.

Dan word ik plotseling getroffen door de ernst van de situatie. Mijn vader gaat trouwen met een stripteasedanseres. Ik word de stiefdochter van een stripteasedanseres. Een stripteasedanseres die goedkope rode schoenen met hoge hakken draagt en kunstnagels heeft. Nee, dit mag niet gebeuren. Ik bedoel, ik wil deze vrouw niet op familiefeestjes hebben. Ik kan haar niet in mijn huis hebben met Chanoeka. Of op Parkers eerste verjaardag. O, mijn god, kun je je het gezicht van Julie voorstellen?

Ik moet er gewoon voor zorgen dat ze uit elkaar gaan, dat is alles. Ik moet mijn vader gewoon wat gezond verstand bijbrengen, zodat hij begrijpt dat hij niet met deze vrouw kan trouwen. Niet als hij mij nog wil zien, tenminste.

Alsof ze precies weet wat ik nu denk, legt Nadine haar hand met de ring met de enorme diamant boven op mijn vaders kruis en nog steeds glimlachend kijkt ze me recht in de ogen alsof ze me wil vertellen dat ik moet oppassen, omdat zij degene is die hem bij de ballen heeft.

Nou, dat zullen we nog wel eens zien.

'Zo,' zeg ik hooghartig, 'mijn vader heeft me verteld dat je danseres was.' Maar Nadine lacht alleen maar. Hm. Of ze is keihard of heel stom.

'Ja, nou, dat was heel lang geleden. Ik woon al twaalf jaar in LA en ik heb tot een paar jaar geleden een adviesbureau gehad.'

'O?' zeg ik. 'Wat voor soort advies heb je gegeven? Ik heb een paar vrienden van Penn die bij McKinsey werken. Misschien ken je die?'

Een lachje krult om haar lippen, alsof ik een kind ben dat iets schattigs heeft gezegd. 'O, dat denk ik niet, liverd. Mijn soort advies leer je niet op de universiteit.' Dit overrompelt me. Wat bedoelt ze eigenlijk? Met wie heeft mijn vader zich hier ingelaten? Maar voordat ik dat kan vragen, verandert Nadine van onderwerp. 'Lara, ik weet niet of je vader je iets heeft verteld over onze trouwplannen?' Ze keert zich naar mijn vader. 'Heb je het verteld, Ronny?'

Hij kijkt haar aan. 'Nog niet, baby doll. Waarom vertel jij het haar niet? Jij regelt toch al alles.'

Ik schud mijn hoofd. *Ik wil niets te maken hebben met zijn bruiloft.* Nee. Deze keer baken ik mijn grens af.

'Daar wil ik echt niets over ho—' Maar voordat ik mijn zin kan afmaken, klapt Nadine in haar handen en krijst als een klein meisje.

'Oké. Nou, het wordt enorm. Enorm. Het is hier in het Beverly Hills Hotel en ik heb de cateraar die de bruiloft van Brad en Jen heeft verzorgd en Colin Cowie is mijn ceremoniemeester en dat is zo fantastisch. Heb je hem vorige week bij Oprah gezien? Ik moet nog een jurk uitzoeken, maar ik heb een oogje op die van Vera

Wang – de jurk die die speciale barbiepop aanheeft, die met de zwarte biesjes. Heb je hem gezien?'

Ik kan zelfs geen antwoord geven. Ze is een negenenveertigjarige voormalige stripteasedanseres en ze heeft een gigantische bruiloft in het Beverly Hills Hotel en ze gaat in het wít? Meent ze dat? Ik ben sprakeloos, daarom knik ik alleen maar en werp mijn vader een is-ze-gek?-blik toe.

'Nadine heeft altijd al een grote, traditionele bruiloft gewild,' legt hij uit. 'En daarom heb ik tegen haar gezegd dat ze de grootste, meest traditionele bruiloft moet plannen die ze kan bedenken.' Nadine knikt en pakt zijn arm met beide handen vast.

'Dat klopt. Ik ben zo opgewonden!' Ze lacht niet meer en haar toon wordt opeens ernstig. 'Maar weet je, Lara, een bruiloft is geen bruiloft zonder een bruidsmeisje.' Ze kijkt me aan en wacht op een antwoord en ik weet niet zeker wat ze bedoelt.

'Ja,' zeg ik en ik probeer verveeld te klinken. 'Wie ga je vragen?' Ze lacht. 'Jóú schat. Dit was mijn manier om het je te vragen.'

Ik trek de meest valse glimlach die ik kan opzetten. Nee. Geen sprake van. Nadine is duidelijk niet op de hoogte van regel twee: ik wil niets te maken hebben met zijn bruiloft. Ik begin te protesteren.

'Maar Nadine, je kent me helemaal niet. We hebben elkaar net ontmoet. Ik bedoel, hoe kan ik... Wat zou ik... Ik ken je helemaal niet.'

Ze begint te stotteren en neemt me op de hak. 'Ik-ik-ik. Kom op, Lara. En wat dan nog? Ik heb geen zus en ik heb altijd gewild dat ik een dochter had. We leren elkaar vast wel kennen. Alsjeblieft, lieverd. Wie moet ik anders vragen?'

Geen idee, denk ik. Heb je geen stripvriendinnen van vroeger? Ik kijk naar mijn vader, maar hij haalt zijn schouders op.

'Eh, Nadine, kun je ons even alleen laten?' vraag ik. Ze staat op en trekt haar rok naar beneden.

'Natuurlijk. Bespreken jullie het even. Ik ga mijn neus poederen.'

Mijn neus poederen. Wie zegt dat nu? Mijn vader en ik kijken hoe ze nonchalant wegloopt van ons tafeltje. We denken allebei aan heel iets anders, dat kan ik je verzekeren, en als ze buiten gehoorsafstand is, zeg ik het hem recht in zijn gezicht.

'Je hebt me in een hinderlaag gelokt,' sis ik. 'Ik heb je gezegd dat ik haar niet wil ontmoeten.'

Hij steekt zijn handen op om zich te verdedigen. 'Dat heb ik niet gedaan,' zegt hij. 'Ik heb haar gezegd dat ze niet moet komen. Maar jij begrijpt het niet. Je kunt tegen Nadine geen nee zeggen. Die vrouw doet wat ze wil.'

'Pap, ik zal niet bij jullie bruiloft zijn. Ik wíl zelfs niet op jullie bruiloft komen. Het is absurd.'

O, ik weet precies hoe ik hier een einde aan kan maken. Ik wed dat ik hem zover kan krijgen dat hij het nu meteen afzegt. Nadine is nu misschien een jaar bij hem. Alsjeblieft. Ze is een amateur. Ik heb mijn hele leven lang bij de man gewoond. Ik weet hoe zijn geest werkt. Dure ring of niet, hij is een goedkope rotvent. Toen ik op de middelbare school zat, kreeg ik zeven dollar zakgeld per week. En toen ik tegen hem zei dat ik daarvan zelfs mijn lunch op school niet kon betalen, verhoogde hij het bedrag tot zeven dollar en tien cent. Echt waar. Goede seks gaat bij Ronny Levitt maar zo ver. Ik tuit mijn lippen en geniet van het moment voordat ik mezelf tot winnaar uitroep.

'En tussen twee haakjes,' zeg ik, 'heb je er wel een idee van wat deze bruiloft kost? Colin Cowie en de cateraar van Brad en Jen? Ik weet niet wat zij tegen je zegt, maar dat wordt minstens een miljoen dollar en dat is nog aan de lage kant.' Ik leun achterover, sla mijn armen over elkaar en wacht tot de stoom uit zijn oren komt, maar hij haalt alleen maar zijn schouders op.

'Het is niet mijn geld,' zegt hij. 'Zij betaalt het allemaal. Ik heb tegen haar gezegd dat ik voor de huwelijksreis zou zorgen.'

Wát? Ik verberg mijn verbazing niet.

'Ze heeft eigen geld?' vraag ik.

Hij lacht. 'Dacht je dat ze achter me aan zat om mijn geld? Alsjeblieft. Ik ben peanuts voor een vrouw als Nadine, Laar. Ze is slim. Slimmer dan je denkt.'

Hm. Interessant. Mijn hele beeld van haar is nu helemaal omgekeerd. Als ze haar eigen geld heeft en er zo uitziet, wat doet ze dan met mijn vader? Is het mogelijk dat ze echt van hem houdt?

Ik probeer objectief naar hem te kijken. Hij is bijna kaal, en hij heeft een bruine, steeds dunner wordende lok haren over zijn voorhoofd gekamd die er van zo dichtbij nog erger uitziet dan die van Donald Trump. Hij draagt nog steeds dezelfde kleren die hij tijdens de regering Reagan droeg en hij heeft mannentieten. Nee. Onmogelijk.

'Weet ze wat je hebt gedaan?' vraag ik. 'Hoe je iedereen in de steek hebt gelaten?'

Hij knikt plechtig. 'Ja, dat weet ze. Ze vindt het waardeloos van me en ze heeft me wel duizend keer gezegd dat ze het zo erg vindt voor jou en je broer. In feite was het haar idee dat ik naar je toe ben gekomen.' Hij wacht even en lacht als hij aan haar denkt. 'Zij is het echt, Lara. Geloof me.' Maar voordat ik daar antwoord op kan geven, komt Nadine terug en ze legt haar hand weer boven op mijn vaders penis.

'Nou, is het geregeld? Doe je het?'

Ik schraap mijn keel. 'Nadine, het is heel aardig van je dat je mij erbij wilt hebben, maar mijn vader en ik kunnen het op dit moment niet zo goed met elkaar vinden en daarom vind ik het niet goed om het te doen. Ik weet zeker dat je het begrijpt.'

Nadine gaat rechtovereind zitten en straalt. 'Dat is geweldig! Ik ben zo blij dat je ja zei!' Ze staat op en gooit haar handtasje over haar schouder.

Pardon, denk ik. Heeft iemand gehoord dat ik ja zei? Maar ze praat nog steeds.

'Ik bel je volgende week en dan kunnen we het feest gaan plannen waarop genodigden de cadeaus kunnen afgeven en het vrijgezellenfeest natuurlijk. We moeten iets wilds doen. O!' krijst ze. 'Ik ben zo ontzettend gelukkig hiermee, Lara!' Ze buigt zich voorover en geeft me een knuffel en ik ben zo van mijn stuk gebracht door de truc die ze zojuist met me heeft uitgehaald dat ik haar ook een knuffel geef. En dan is ze verdwenen. Poef.

Ze zijn uit elkaar gegaan. Ik ben bij zijn bruiloft.

Mijn vader lacht als een boer met kiespijn.

'Ik heb het je gezegd,' zegt hij. 'Tegen Nadine kun je geen nee zeggen.'

10

De volgende zaterdagochtend zitten Julie en ik aan mijn eetkamer-tafel en bekijken het aanvraagformulier voor de peuterklas van het Instituut. Ik zweer je, in de vijf jaar waarin ik als mentor de toela-tingen tot de universiteiten heb verzorgd, heb ik nog nooit zo'n in-gewikkeld en uitgebreid aanvraagformulier gezien. Naast de vier essays (*Noem de sterke en zwakke punten van uw kind. Wat kan uw gezin voor onze school betekenen? Waarom wilt u dat uw kind op onze school komt? Welke doelen wilt u dat uw kind tijdens zijn/haar eerste schooljaren bereikt?*) zijn er ook zes bladzijden van wat ze 'persoonlijke informatie en informatie over het gezin' noemen en die bijna net zo grondig zijn als een onderzoek door de FBI van de achtergrond van iemand die het Ministerie van Buitenlandse Za-ken verzoekt om een uiterst geheime verklaring van goed gedrag.

'Oké,' zeg ik tegen Julie als ik het allemaal heb gelezen. 'Ik denk dat we het eerst die essays moeten analyseren en erachter probe-ren te komen wat ze precies verwachten. Ik bedoel, ik weet niet welke sterke en zwakke punten een baby van negen maanden kan hebben, maar met de tweede vraag willen ze vast en zeker weten hoeveel je wilt schenken. De derde vraag is gemakkelijk – univer-siteiten vragen dat altijd – vertel gewoon dat je een afwisselende omgeving zoekt en complimenteer ze met hun betrokkenheid bij diversiteit. De laatste vraag... dat weet ik niet zeker. Mijn intuïtie vertelt me dat ze de psychoten proberen uit te filteren die denken dat hun kind slim genoeg is om met drie jaar *Oorlog en vrede* te le-zen, maar aan de andere kant willen ze misschien weten of je wilt dat je kind uitblinkt. Ik denk dat we voor dat laatste moeten gaan: proberen om midden in de roos te schieten.'

Als ik dit zeg, merk ik dat ik mijn werk heel erg mis. Ik bedoel, ik kan me niet herinneren wanneer ik me voor het laatst zo zelfverze-kerd over iets heb gevoeld. Ik ben het zo gewend dat ik heel erg onzeker ben: ik breng niet genoeg tijd met de baby door, ze krijgt te weinig prikkels, ik laat haar te veel televisie kijken, ik voed haar te vaak, ze slaapt niet genoeg enzovoort, enzovoort, enzovoort... Ik raak uitgeput door er alleen maar aan te denken. Maar dit... aan dit gevoel kan ik weer wennen. Ik haal diep adem. God, dat gevoel van controle is bedwelmend. Ik weet dat ik een paar maanden geleden zeurde en klaagde dat ik genoeg had van mijn werk, maar ik moet je vertellen dat ik popel om weer aan het werk te gaan.

Plotseling worden mijn gedachten wreed verstoord door lachsalvo's uit de studeerkamer.

'Wat is daar aan de hand?' vraagt Julie. Ik draai met mijn ogen.

'O, niets. Andrew en Deloris zijn nu gewoon als twee handen op één buik. Het is vreselijk hoeveel ze van elkaar houden. Ze zitten altijd bij elkaar en lachen en ik heb er geen idee van wat er in 's hemelsnaam zo grappig is. Ik begin me in mijn eigen huis het vijfde wiel aan de wagen te voelen.' Julie kijkt me sceptisch aan.

'Andrew en je nanny zitten altijd bij elkaar? Meen je dat?'

'Ja,' knik ik. 'Echt waar. En je moest eens zien wat hij voor haar slaapkamer heeft gekocht. Ze vroeg of ze een videorecorder op haar kamer mocht zetten zodat ze films kon kijken en Andrew zei dat ze geen videorecorder mocht hebben omdat niemand nog een videorecorder gebruikt. En hij ging voor haar een dvd-speler, een nieuwe televisie met surround sound en een TiVo kopen.'

Julies mond valt open van verbazing. 'Hij heeft een TiVo voor haar gekocht?' vraagt ze.

Ik knik. 'Ja, echt waar. Deloris heeft haar eigen episode van *Cribs* met de opstelling die Andrew voor haar heeft gemaakt.'

'Ik kan gewoon niet geloven dat hij bij haar zit. Dat is zo raar. Heb je er iets over gezegd?'

Ik kijk haar aan alsof ze gek is. 'Wat moet ik zeggen?' vraag ik. 'Moet ik tegen hem zeggen dat hij níét bij haar moet rondhangen? Dan ben ik zo hatelijk. En bovendien weet ze dat ik erachter zit als hij opeens niet meer met haar praat en dat kan ik me niet permitteren.'

'Waarom? Wat bedoel je?'

Ik buig me naar Julie en ga zachter praten. 'Weet je nog dat ik je verteld heb dat ze allemaal voodoospullen op haar kamer heeft?' Julie knikt, haar ogen gaan wijd open en ik buig me een beetje verder voorover.

'Ik denk dat ze me betoverd heeft,' fluister ik.

Julie gaat rechtop zitten en slaat met haar hand op de tafel. 'Lara, dat is belachelijk,' schreeuwt ze. 'Deloris heeft je niet betoverd.'

'Ssst!' zeg ik en ik wijs naar de andere kamer. 'Ik zeg je dat ze dat wel heeft gedaan.' Julie schudt haar hoofd en kijkt me van opzij aan alsof ze niet kan ontdekken of ik het meen of niet. Als ik me realiseer waar ze nu aan denkt, werp ik haar een hou-je-me-voor-de-gek-blik toe.

'Ik denk niet dat het wérkt,' roep ik uit. Julie ademt uit en is opgelucht.

'Oké,' zegt ze. 'Ik wist niet zeker wat je bedoelde. Maar als je denkt dat het niet werkt, wat zou het dan?'

'Ik maak me zorgen. Ik wil niet dat ze door mijn huis rent en bezweringen doet en denkt dat die echt iets uithalen.' Ik houd mijn wijsvinger tegen mijn slaap. 'Dit zijn spelletjes voor de geest en het gaat erom hoe je ze interpreteert.'

'Goed,' zegt ze toegeeflijk. 'Met welk soort bezweringen denk je dat ze jou betovert?'

Ik knik naar haar en trek een ernstig gezicht. 'Nou, sinds ik haar heb verteld dat Parker naar mij heeft gelachen, is ze echt pissig op me en ze gaat me uit de weg als ik thuis ben. En op haar boodschappenlijstje van vorige week stonden al die verse kruiden, zoals salie en wierookhars en duivelsklauw. Daarom ging ik op internet zoeken naar de verschillende soorten voodoobezweringen en er is er een die *Ga weg vrouw* wordt genoemd. Ze gebruiken het als een vrouw zich in iemands relatie wil mengen en ik denk dat ze het gaat gebruiken om tussen Parker en mij te komen.' Julie kijkt verbijsterd.

'Maar jij bent haar moeder,' zegt ze. 'Waarom zou ze tussen jullie willen komen?'

Ik zucht. 'Het is gecompliceerd,' zeg ik en ik probeer te bedenken hoe ik moet uitleggen dat Deloris Parker *mijn baby* noemt en dat ze tot op de dag van mijn inzicht in het park ook heel erg de baby van Deloris wás, omdat ik er gewoon nooit was. 'Laat me alleen maar zeggen dat Deloris eraan gewend is geraakt dat ze Parkers eerste verzorger is en nu ik meer tijd bij haar ben, heeft Deloris er moeite mee om haar rol af te staan.'

'Je bedoelt dat jouw nanny de baby helemaal voor zichzelf wil hebben?'

Ik knik. 'Ja. Dat is precies wat ik bedoel.' Ik ben even stil. 'En ze is ook wraakgierig. Vanmorgen vond ik blauw poeder op mijn weegschaal.'

'Nou en?' vraagt Julie.

'Ik denk dat ze die betoverd heeft en dat ik daarom mijn laatste vijf kilo niet afval.'

Julie lacht. 'Dat meen je niet,' zegt ze.

'O, geloof me, ik ben doodernstig.'

Op dat moment komt Andrew de eetkamer in gelopen en klopt op de muur.

'Hoi, Jul,' zegt hij. 'Sorry dat ik jullie stoor, maar ik wilde even gedag zeggen. Agility begint over twintig minuten.'

'Je gaat nog steeds met Zoey naar die agilitylessen?' vraagt Julie.

'Natuurlijk,' zegt Andrew. 'Ze vindt het heerlijk.'

Ik zucht. 'Wat hij wil zeggen is dat híj het heerlijk vindt,' zeg ik. 'Hij vindt het leuk om over een hindernisparcours te rennen waar de arme hond over stokken moet springen en op een wip op en neer moet sprinten. O, en om rond te hangen met de lesbische vrouwen die een hond hebben in plaats van kinderen.' Andrew steekt zijn middelvinger naar me op en Julie lacht.

'Oké,' stuur ik hem weg. 'Veel plezier.' Hij schreeuwt om Zoey die al bij de voordeur staat te wachten en die al, sinds ze hoorde dat Andrew de la opentrok waar haar draagbare waterkruik ligt, aan het janken is en verdwijnt. Julie kijkt op haar horloge.

'Eigenlijk moet ik ook gaan,' zegt ze. 'John en ik gaan vanmiddag met Lily naar het strand. Ze vindt het heerlijk om in het zand te spelen.'

'Oké. Als jij aan die essays gaat werken,' stel ik voor, 'dan kijken we ze samen na als je ze af hebt.'

'Geweldig,' zegt ze. 'Dank je wel voor je hulp. Jij bent hier zo goed in.' Ik grijns naar haar.

'Ja, dat weet ik.'

Als Julie is vertrokken, loop ik naar de studeerkamer waar Deloris Parker in haar armen houdt en overstelpt met kussen.

'Ben je mijn baby?' vraagt ze aan haar. 'Wie is de baby van Deloris?'

Goed, ik moet hier een einde aan maken.

In een impuls besluit ik met Parker Andrew bij agility te gaan verrassen. Niet omdat ik naar agility wil gaan, nee zeg, maar omdat ik een excuus nodig heb om Parker een tijdje bij Deloris weg te krijgen.

'Hoi, Deloris,' zeg ik. 'Ik ga met Parker naar Andrew en Zoey kijken in het park.'

Deloris kijkt me aan en knijpt haar ogen dicht. 'Maar ik ben net met haar gaan wandelen,' zegt ze nijdig. 'Ze kan beter niet meer in de zon.'

Ik lach tegen haar en probeer mijn geduld niet te verliezen. 'Nou, er zijn genoeg bomen en ik zal ervoor zorgen dat ze in de schaduw blijft.' Ik loop naar hen toe en wacht tot Deloris mij de baby geeft, maar Deloris maakt geen aanstalten. In plaats daarvan begin ze met een babystemmetje tegen Parker te praten.

'Jouw mammie wil je meenemen naar buiten in de hete zon die niet goed voor je is,' zegt ze.

Ik negeer het, steek brutaal mijn handen uit en probeer Parker uit haar armen te pakken, maar Deloris houdt haar stevig vast en even zijn we aan het touwtrekken om mijn baby. Of, zoals Deloris zou zeggen, om háár baby. Geen echte touwtrekwedstrijd, stel je voor – we breken haar niet doormidden of zo – maar het is absoluut een oorlog. Ten slotte kijk ik Deloris gemeen aan en trek net een beetje harder aan Parker en Deloris laat los. Ik doe alsof ik lach, leg Parker op mijn schouder en praat in mijn eigen babystemmetje.

'Oké, schatje, we gaan naar het park. Dat is zo leuk. Mammie en pappie en Zoey. Iedereen is er.' Ik ga weer normaal praten en hoop dat ik mijn bedoeling duidelijk heb gemaakt. 'Dag, Deloris,' zeg ik als ik naar buiten loop.

Als we in het park aankomen, duurt het nog een paar minuten voordat de les begint en daarom leg ik op mijn gemak de luiertas, de koeltas met Parkers flesje, mijn handtasje en een enorme inklapbare stoel op het onderste rek van de Snap-N-Go. Ik zou wel eens willen zien of dat allemaal in een Bugaboo past.

Als ik de kinderwagen over het gras naar de achterkant van het park duw, waar het agilityparcours staat, bescherm ik mijn ogen tegen de zon en zoek Andrew en Zoey langs de rand van het veld.

'Jouw pappie zal zo blij zijn dat we er zijn,' zeg ik tegen Parker.

'Mammie is al heel lang niet meer naar agility geweest.' Ik kijk een paar keer op en neer en eindelijk ontdek ik Zoey die met haar riempje aan de stam van een dunne boom is vastgemaakt.

Waar is Andrew? vraag ik me af. Ik zoek het veld nog eens af en nu zie ik hem. Hij staat met zijn rug naar me toe aan de andere kant van het veld en leunt tegen het schuurtje waarin ze de agilityspullen bewaren. Het lijkt alsof hij met iemand staat te praten, maar ik kan niet zien met wie omdat zijn lichaam mijn uitzicht belemmert. Het zal de trainer wel zijn. Andrew bestookt haar altijd met vragen en bovendien zit er niemand in de klas die een beetje normaal is en met wie je een echt gesprek kunt voeren.

Als ik bij Zoey kom, klap ik mijn stoel uit en pak Parker uit de kinderwagen. Ik dacht dat ze het misschien leuk vindt om naar de honden te kijken, maar die ziet ze helemaal niet. Ze probeert alleen uit alle macht om met haar mondje op de stof van de stoel te sabbelen. Ook goed. Tot zover een gezellig familie-uitje.

De andere honden en hun baasjes verzamelen zich in afwachting van het begin van de les bij onze boom en ik merk op dat iedereen 'hallo' zegt tegen Zoey en haar over haar kopje aait, maar dat niemand ook maar enig commentaar geeft op het feit dat er een gloednieuwe baby op mijn schoot zit. O, behalve die ene vrouw, van top tot teen gekleed in bordercollie-accessoires, die me vertelde dat ik nu meer tijd met Zoey alleen moet nemen, zodat ze niet het gevoel krijgt dat ze is vervangen. Echt waar, dit bewijst mijn theorie dat deze hondenmensen allemaal gestoord zijn.

Als de trainer komt aangelopen en in het midden van het veld gaat staan, draai ik me om en zoek Andrew en ik zie dat hij nog steeds bij het schuurtje staat.

Met wie is hij aan het praten?

Ik ga rechtop staan om het beter te kunnen zien, maar als ik dat doe draait hij zich om en komt naar ons toe gelopen. Naast hem loopt een donkergrijze poedel die wordt voortgetrokken door een lange, dunne, heel knappe, heel bruine vrouw van midden twintig die van nature blond is, wat in Los Angeles praktisch onmogelijk is, ten oosten van Malibu tenminste.

Wie is dat verdomme?

Andrew heeft nooit verteld dat er zo'n aantrekkelijk iemand lid is geworden van de club. Vanuit een diepe, primitieve plek vanbinnen voel ik een drang om mijn territorium af te bakenen. Ik sta op, leg Parker op mijn schouder en loop naar hen toe. Als ik dichterbij kom, zie ik dat het Poedel Meisje niet alleen dun is, maar dat ze ook een ongezond, sterk lichaam heeft en perfecte, parmantige tieten, die helemaal tentoongesteld worden omdat ze alleen maar een korte broek en een laag uitgesneden topje draagt. Ze doet me denken aan iemand die ik ken, maar ik kan haar niet plaatsen. En dan zie ik het. Met uitzondering van het natuurlijke blonde haar herinnert ze me aan mezelf zoals ik er vijf jaar geleden uitzag.

O, mijn god, denk ik en ik trek mijn buik in en steek mijn borst vooruit. Wanneer ben ik van haar mij geworden?

Als Andrew zich eindelijk losrukt van Parmantige Poedel Bitch – hé, die vind ik leuk, PPB, zo noem ik haar voortaan – schrikt hij als hij me voor zich ziet staan.

'Hé,' zegt hij en zijn gezicht loopt rood aan. 'Eh, dit is Courtney.' Hij wijst naar de poedel. 'En dat is Zak. Ze, eh, zitten bij ons in de klas.'

Ik doe alsof ik lach en probeer niet te laten merken hoe sterk bewust ik me ben van elk kraaienpootje in mijn gezicht, om nog maar niet te spreken van de negen extra pondjes die ik met me meedraag en het feit dat mijn tieten twee omlaag hangende, platte pannenkoeken zijn, met dank aan zeven weken borstvoeding geven.

'Hoi,' zeg ik. 'Ik ben Lara, zijn vrouw. En dit is Parker, onze dochter.'

PPB wendt zich tot Andrew en kijkt hem verrast aan. 'Je hebt me nooit verteld dat je een dochter hebt!' roept ze uit. Ik trek mijn wenkbrauwen op terwijl PPB over Parker heen valt. Andrew kijkt me niet aan. 'Ze is zó schattig,' zegt ze.

Als ze over Parkers buikje aait, zie ik haar triceps en ik probeer er niet aan te denken hoe mijn eigen lijkbleke, kwabbige armen eruitzien in mijn olijfgroene topje.

'Eh, ik geloof dat de les begint. We moeten in de rij gaan staan,' zegt Andrew. Hij loopt naar de boom waar hij Zoey heeft vastgebonden.

'Oké,' zegt PPB. Met haar rechterhand slaat ze op haar bruine dij, die niet bibbert of trilt of zelfs een deuk krijgt van de druk en ze roept tegen haar hond: 'Kom op, Zak, we gaan!' Als Zak dit commando hoort, spitst hij de oren en als hij naar het agilityparcours rent, lijkt hij op een sterke hazewindhond met krullen.

Kokend van woede loop ik naar mijn stoel en leg Parker in haar kinderwagen en als ik denk aan de gevolgen van wat ik net heb gezien, word ik misselijk.

Heeft hij een verhouding met haar of is hij alleen maar aan het flirten? En als hij nu alleen maar flirt, wil hij straks wel een verhouding? En al die dagen die hij de afgelopen tijd laat op kantoor is gebleven? Was hij echt aan het werken? Hoe kan hij haar trouwens aardig vinden? Ze heeft maar een gewone poedel, alsjeblieft. Wie heeft er nu een gewone poedel?

Ik weet niet of ik moet blijven om naar die twee te kijken of dat ik gewoon weg moet gaan, zodat Andrew precies weet hoe kwaad ik ben. Ik besluit om te blijven. Als ik wegga, geef ik hen alleen maar een kans om over me te praten. Of erger nog, een nieuwe afspraak te maken. Natuurlijk negeren ze elkaar tijdens de les, maar de spanning is te snijden. Ze zijn betrapt en dat weten ze allebei.

Als de les voorbij is, wacht ik tot PPB in haar auto stapt en wegrijdt en dan ren ik met de kinderwagen zo snel ik kan weg.

'Lara!' schreeuwt Andrew en hij rent achter me aan. 'Lara, wacht!'

Ik negeer hem en blijf duwen, maar ik moet de kinderwagen om de paar seconden in een andere richting duwen, omdat die zich vast rijdt in het gras of tegen een steen botst. *Stuk rotzooi, zo'n Snap-N-Go.* Zie je, daarom heb ik een Bugaboo nodig, zodat ik gemakkelijk weg kan rennen van mijn man, nadat ik heb ontdekt dat hij verkikkerd is op iemand van vijfentwintig. Nou, dat willen ze vast wel vermelden in de Consumentengids.

Andrew is langs me heen gerend, blijft recht voor me stilstaan en verspert mijn weg.

'Lara, kom op. Laten we hierover praten,' zegt hij hijgend en buiten adem.

'Waarover praten, Andrew? Over het feit dat we net een baby hebben en jij al hebt besloten om verder te gaan? Of over het feit dat je haar nooit hebt verteld dat je een baby hebt?'

'Lara, doe niet zo gek. Ik hou van jou en ik weet helemaal niet hoe jij kunt denken dat ik weg wil gaan. Courtney is alleen maar het enige normale mens in de klas en daarom zijn we vrienden geworden. Maar we zijn alleen maar vrienden, dat zweer ik.'

Ik bijt op mijn wang en leg mijn handen op mijn heupen. 'Nou, als jullie alleen maar vrienden zijn, waarom heb je dan nooit iets over haar verteld? En waarom weet ze niet dat je een baby hebt? Dat is heel belangrijk, Andrew. De meeste mensen zeggen dat tegen hun vrienden.'

Andrew tuit zijn lippen en denkt erover na wat hij hierop moet zeggen. 'Kijk,' zegt hij. 'Wat had ik je moeten vertellen? Dat er nu een fantastisch meisje bij agility zit? Jij had net de baby gekregen en je voelde je niet goed en ik wilde haar niet ter sprake brengen.'

O, dat is perfect. Hij heeft me niets over haar verteld, omdat hij niet wilde dat ik me niet goed voelde over het feit dat ik een afschuwelijk beest ben.

'Vind je haar opwindend?' vraag ik hem.

Hij slaakt een diepe zucht. 'Nee. Ik bedoel, ja, ze is knap, maar ik ben niet op die manier in haar geïnteresseerd.'

'Waarom heb je haar dan niet over de baby verteld?'

'Ik weet het niet,' zegt hij. 'Het kwam gewoon niet ter sprake.'

'Het kwam nooit ter sprake, omdat jij niet wilde dat het ter sprake kwam.' Ik wijs naar hem. 'Ik weet wat je aan het doen bent. Je wilt niet dat zij denkt dat je gebonden bent en daarom heb je haar niet over Parker verteld. Zo begint een verhouding, Andrew. Leugentjes, weglatingen hier en daar. Vergeet niet dat ik mijn ex-vriendje bedroog toen ik met jou begon om te gaan. Ik weet hoe dat werkt.'

'Schatje,' zegt hij. 'Ik bedrieg je niet en ben dat ook niet van plan. Maak er alsjeblieft geen punt van.'

'Nou, dat is nu te laat,' zeg ik en ik duw de kinderwagen van hem weg in de richting van mijn auto. 'Jij hebt er helemaal alleen een punt van gemaakt.'

11

Ik sta in de lobby van het Peninsula Hotel, duw de Snap-N-Go heen en weer en hoop dat Parker niet wakker wordt. Mijn vader belde me gisteren en ondanks mijn protesten heeft hij me op de een of andere manier zover gekregen dat ik Nadine ontmoet om de details van haar bruiloft te bespreken. De bruiloft, ter informatie, heeft ze helemaal zelf geregeld en betaalt ze ook helemaal zelf, maar die wordt volgens de uitnodiging die ik een paar dagen geleden heb gekregen aangeboden, *met veel liefs*, door ondergetekende. Ik moest bijna overgeven toen ik het zag.

Uit het niets laat een van de liftboys een koffer vallen die hij voor een gast naar beneden brengt. Het metalen handvat maakt een hard, rinkelend geluid op de marmeren vloer. Ik krimp ineen en houd mijn adem in terwijl ik naar Parker kijk. Haar lichaampje schokt even, ze draait haar hoofdje van links naar rechts en dan is ze weer stil en slaapt verder. Oef. Dat scheelde maar een haartje.

Na ongeveer drie minuten zie ik Nadine door de deur schrijden. Ze draagt een strakke zwarte capribroek, een kort zwart getailleerd jasje en een zijden zwart-met-rood gestippeld topje eronder. Aan haar voeten zitten weer de rode schoenen met de hoge hakken en ik vraag me af of die misschien haar handtekening zijn, zoals sommige vrouwen altijd hetzelfde parfum dragen. O, ik hoop dat ze die straks onder haar bruidsjurk draagt. Dat zou klassiek zijn.

'Hoi, lieverd,' zegt ze op haar lijzige manier van praten die ik niet kan thuisbrengen. Tot mijn grote schrik buigt ze zich naar voren en geeft me een kus op de wang en dan overrompelt ze me opnieuw als ze ook mijn andere wang kust. Alsof ik moet denken dat ze zolang in Europa is geweest dat het gewoon een oude gewoonte is geworden.

'Hallo,' fluister ik met tegenzin en ik wijs naar de kinderwagen.

'O!' roept ze uit, gaat zachter praten en tuurt erin om te kijken. Hierna gaan Parker en ik meteen naar Mammie-en-ik en in een poging om mijn fouten van de vorige keer goed te maken, heb ik Parker haar schattigste outfit aangetrokken – een oranje T-shirtje met kristallen steentjes langs de randjes en een bijpassende broek met geplooide pijpjes – en als klap op de vuurpijl heb ik een oranje satijnen haarklemmetje in haar haren gedaan. Ze ziet er schattig uit, maar dit verandert, zelfs met de outfit, toch niets aan het feit dat ze met haar rolletjes en driedubbele kin heel veel lijkt op het Michelinmannetje. Alsof het Michelinmannetje op hertenjacht ging en naar Slayer luisterde.

'Hoe snoezig,' fluistert Nadine. 'Ze is heel mooi.'

Leugenaar, denk ik.

'Ja, nou, ze is helemaal niet zo snoezig als ze wakker is, geloof me.'

Nadine lacht en op dat moment komt een knappe blonde vrouw in een zwart broekpak lachend aangelopen.

'Nadiiiine,' zegt ze en ze spreidt haar armen.

'Marleeeeey,' zegt Nadine. Ze geven elkaar een kus op beide wangen. Nadine wijst met haar hand in mijn richting en stelt ons aan elkaar voor. 'Lara, dit is Marley. Zij is hier het hoofd van de catering en ze was een van de beste medewerkers van mijn adviesbureau.' Marley lacht en bloost een beetje en Nadine legt haar hand op mijn schouder. 'Marley, dit is mijn dochter Lara.' *Haar dochter?!* Ik snak naar adem en corrigeer haar snel.

'Ik ben niet haar doch–'

Marley valt me in de rede en pakt mijn hand. 'Aangenaam,' zegt ze. 'Je boft zo met Nadine.' Ze glimlacht hartelijk tegen me. 'Er was een tijd dat ik ook het gevoel had dat ze mijn moeder was.'

'Nee,' zeg ik. 'Ik ben niet haar docht–'

'Nou,' zegt Nadine en ze vouwt haar handen ineen. 'Zullen we het menu bespreken?' Marley knikt en voordat ik nog een woord kan zeggen, lopen zij en Nadine al naar de zaal waar het feest gehouden zal worden. Ze praten met elkaar over mensen die ze allebei van vroeger kennen en ik loop achter hen aan, duw de Snap-N-Go vooruit en probeer niet achterop te raken.

Het volgende halfuur discussiëren Marley en Nadine over de voordelen van zalmsalade met sesamzaad tegenover Chinese kipsalade, aardbeien met witte chocolade tegenover gemengde bessen met pure chocolade en bellini's met plakjes verse perzik tegenover mimosa's met mandarijntjes. Ze twijfelen over crèmekleurig linnen en gouden stoelen of ivoorkleurig linnen en witte stoelen en voeren een lange discussie over een groot bloemstuk met Colombiaanse rozen op elke tafel of kleine vaasjes met miniaronskelken bij elk couvert. Ze zijn mij helemaal vergeten en ik zit half naar hen te luisteren en duw intussen de kinderwagen nog steeds heen en weer. Ik vraag me af waarom Marley verdomme haar bruidsmeisje niet kan zijn.

Als ze eindelijk hun beslissingen hebben genomen (zalmsalade, aardbeien, bellini's, crème met goud, mini-aronskelken), loopt Marley met ons naar buiten en omhelst ons allebei ten afscheid. Nadine en ik geven ons parkeerkaartje aan de hotelbediende. Ongelofelijk, maar Parker slaapt nog steeds in haar kinderwagen, maar ik weet gewoon dat ze het op een schreeuwen gaat zetten zodra we in de auto stappen.

'Nou,' zegt Nadine tegen me. 'Dat was leuk. Dank je wel dat je bent gekomen.'

Ik trek mijn wenkbrauwen op en doe geen poging om mijn ergernis te verbergen.

'Ik weet helemaal niet waarom ik hier überhaupt moest zijn,' zeg ik. Ik heb besloten dat ik gewoon stierlijk vervelend tegen haar ga doen in de hoop dat a) ze me uit de bruiloft trapt, b) ze besluit dat ze niet kan trouwen met iemand die zo'n vreselijk mens als dochter heeft of c) allebei.

Nadine doet alsof ze lacht. We kijken allebei recht vooruit en er valt een ongemakkelijke stilte tussen ons. Na een paar seconden schraap ik mijn keel.

'Weet je, Nadine, ik voelde me helemaal niet op mijn gemak toen jij me als jouw dochter voorstelde.'

Nadine pakt een poederdoos en lippenstift uit haar tasje en begint zich opnieuw op te maken terwijl ze me antwoord geeft. 'Ik noem iedereen mijn dochter,' zegt ze nonchalant en ze wrijft haar lippen tegen elkaar. 'En iedereen weet dat ik dat doe.' Ze duwt met haar duim en wijsvinger op de poederdoos en die gaat met een harde klap dicht.

'Nou, ik weet dat niet. Eigenlijk weet ik helemaal niets van jou.'

Nadine tuit haar lippen en ik zie een vleugje ergernis in haar gezicht voordat de valse glimlach er weer is. Alsof ik op de een of andere manier bederf wat voor haar als de bruid een speciale ochtend had moeten zijn. Goed. Het werkt.

'Oké, Lara, wat wil je weten?' vraagt ze op een koele, afstandelijke toon die ik van haar nog niet heb gehoord.

'Goed,' zeg ik, ook op een koele en afstandelijke toon. 'Bijvoorbeeld, wat deed je echt voordat je mijn vader ontmoette? Omdat ik niet geloof dat je een adviesbureau had. Niet met voormalige medewerkers als Marley. Ik bedoel, wat voor een soort adviseur ziet eruit als zij en wordt vervolgens hoofd van de catering in een hotel?' Ik voel me net Velma in een aflevering van *Scooby-Doo*. Het geval van het mysterieuze, aanstaande stiefmonster.

Op dat moment komt de hotelbediende voorrijden met een lange zwarte Mercedes en Nadine doet een stap naar voren.

'Als je het wilt weten, ik had een escortservice,' zegt ze nuchter en ze maakt de deur aan de bestuurderskant open. 'Je kijkt naar de originele Hollywood Madam.' Ze geeft de hotelbediende een briefje van tien dollar en ik staar haar vol ongeloof aan.

'Je bedoelt, zoals Heidi Fleiss?' vraag ik. Nadine stapt in de auto en de hotelbediende doet de deur achter haar dicht. Het raampje is open en ik hoor haar grinniken.

'Schat,' zegt ze op haar lijzige manier, 'ik heb Heidi alles geleerd wat ze weet.' Ze draait de contactsleutel om en zet de auto in de versnelling. 'Nou, behalve dan dat stuk over betrapt worden.' Ze legt haar wijsvinger op haar mond en steekt haar lippen naar voren in een stille *sst*. Vervolgens doet ze het raampje dicht en rijdt weg. Ze laat mij daar staan met één hand op de kinderwagen, mijn mond wijd open van verbazing.

Verdomme. Ik vind haar weerzinwekkend maar ik vind mijn vader nog weerzinwekkender.

Lucy! denk ik. Je zult het een en ander moeten uitleggen.

Als ik in de klas van Susan kom, duizelt het me nog van mijn ontdekking over Nadine (dit is de titel van de film: *Mijn stiefmoeder is een pooier*), maar ik lach en praat met iedereen in een poging mezelf te dwingen om het uit mijn hoofd te zetten.

'Goedemorgen, dames!' schreeuwt Susan boven het geklets uit en precies op het goede moment gaan mijn klasgenoten en ik in een kring op de grond zitten. De mammunisten zijn vandaag weer in vol ornaat – deze keer is het een lange, rechte katoenen rok, sandalen met bergkristallen en een T-shirt – maar omdat ik me al netjes had aangekleed voor mijn bijeenkomst in het Peninsula Hotel van vanmorgen – zwarte broek, sandalen van Dolce & Gabbana en een roze topje van Marc Jacobs – voel ik me helemaal niet zo'n buitenbeentje. En bovendien ligt Parker op een prachtig lila-en-crèmekleurig dekentje van Barefood Dreams en als verschillende mensen zeggen hoe schattig haar outfit is en dat ik bof omdat ze al genoeg haar heeft voor een haarklemmetje, heb ik het gevoel dat mijn hart barst van trots. Trots omdat ik een kind heb voortgebracht bij wie het haar van nature groeit in een stijl die wordt gedragen door hockeyspelers en liefhebbers van vrachtwagenrally's, maar trots ben ik toch.

Susan klapt in haar handen en we worden allemaal stil en kijken naar haar.

'Vanmorgen praten we over seks na de geboorte,' kondigt ze aan. Je hoort overal gegiechel en we zijn net een stelletje jongens uit groep acht waarvan de leraar net met de les over menstruatie is begonnen. Susan knikt naar ons alsof ze dat eerder heeft gezien. 'Oké, stil allemaal. Ik ga eerst een paar vragen stellen. Wie van jullie heeft seks gehad sinds de baby is geboren?' Je hoort mensen naar lucht happen en ik ben ook een beetje van mijn stuk gebracht door deze vraag. Ik bedoel, onze baby's zijn nu drieënhalve maand oud. Hoe kan iemand nu al seks geprobeerd hebben? En als ze dat al hebben gedaan, wie zou dat dan toegeven? Niemand beweegt.

'Kom op,' zegt Susan. 'Wees niet verlegen. Wie seks heeft gehad sinds de baby is geboren, steekt de hand op.' We kijken allemaal naar elkaar en langzaam steekt iedereen de hand op. 'Geweldig!' roept Susan uit. 'Hoe was het?' Meteen kijkt iedereen naar de grond. Nu heb ik echt het gevoel dat ik weer op school zit. Ik ben bang om op te kijken uit angst dat Susan naar me kijkt en ik iets moet zeggen. Eindelijk zegt een moedig vals blondje wat.

'Het deed pijn,' zegt ze. 'Alles deed zeer.'

Susan straalt. Blijkbaar is dit het antwoord waarop ze had gehoopt.

'Dat klopt!' roept ze. 'Seks kan soms heel pijnlijk zijn na de bevalling.'

De grote wijzer van de klok aan de muur springt op kwart over tien en ik begin in gedachten af te tellen. *Tien, negen, acht, zeven, zes, vij–* En daar komt het geluid van de jammerende geest. Precies op tijd. Ik zweer je, dat kind is een machine. Iedereen kijkt naar me en verwacht hetzelfde schouwspel als vorige week, maar ik lach alleen maar en pak mijn luiertas. Zo'n fout maak ik niet nog een keer, geloof me. Ik pak een kleine koeltas met een flesje voeding en in minder dan vijf seconden ligt Parker in mijn armen blij te drinken. Susan lacht dankbaar naar me en gaat verder met de les.

'Zoals ik al zei kan seks tamelijk pijnlijk zijn als je net een baby hebt gekregen, maar je moet weten dat je er zelf iets aan kunt doen om het ongemak te verlichten.' Ze buigt zich voorover alsof ze ons een van de grootste geheimen van het leven gaat toevertrouwen en dan fluistert ze: 'Je kunt een glijmiddel gebruiken.'

Je meent het, denk ik. Is dat het grote geheim? Wie gebruikt er geen glijmiddel? Maar dan steekt een mammie haar vinger op.

'Wat bedoel je?' vraagt ze niet-begrijpend. Susan knikt vriendelijk.

'Als je een baby hebt gekregen, daalt je oestrogeenspiegel en dat veroorzaakt de droge vagina waardoor de gemeenschap pijnlijk is. Sommige mensen gebruiken dus een glijmiddel voordat ze seks hebben om alles daaronder wat vochtiger te maken.'

Verbaasd steekt dezelfde vrouw haar vinger weer op. 'Waar kun je dat spul krijgen?' vraagt ze.

Ik kijk haar vol ongeloof aan. Meent ze dat echt? Is ze nog nooit op de afdeling hygiëne voor de vrouw bij Rite Aid geweest? Maar Susan vertrekt geen spier.

'Bij elke drogisterij,' antwoordt ze terloops alsof deze mate van domheid bij een volwassen vrouw met één kind heel normaal is. Ik kijk de kamer rond om te zien of de anderen dezelfde reactie hebben als ik, maar ze lijken allemaal echt geïnteresseerd. Hm. Ik begin me af te vragen of ik misschien het stoute meisje ben en dat ik het gewoon niet weet. Ik bedoel, ik gebruik K-Y al sinds mijn zestiende. En ik kom net van een vergadering met een voormalige madam! O, als de mammunisten Nadine zouden ontmoeten, dan zouden ze ter plekke dood neervallen.

Op dat moment steekt een andere mammie haar vinger op. Ze is een klein vals blondje met grote, ronde Bambi-ogen en haar haren zijn ongeveer tien centimeter te lang voor haar gezicht.

O, god. Niet zij.

135

Zij is de enige persoon van vorige week die ik helemaal niet kan verdragen. Ze praat zó langzaam en stelt domme vragen. Vorige week vroeg ze bijvoorbeeld aan Susan of zij dacht dat het gevaarlijk was dat haar zoontje midden in de nacht soms zijn dekentje om zijn hals draaide. Ik bedoel, hállo? Zelfs ik weet het antwoord op die vraag.

Susan wijst naar haar en tot mijn verbazing presenteert ze een infomercial voor K-Y gel.

'Ze heeft gelijk, jongens,' zegt ze enthousiast. 'Iedereen vertelde me dat seks pijn zou doen na de bevalling en ik was zó bang om het te proberen, maar toen vertelde mijn vriendin over K-Y en ik geloofde haar niet.' Om de een of andere reden stel ik me voor dat zij en haar vriendin dit gesprek hebben op een pyjamafeestje en dan realiseer ik me dat dat komt omdat ze me doet denken aan Sandy van *Grease*. Ik probeer niet te lachen als ik me voorstel dat alle mammies rondom haar heen samendrommen en spontaan hier midden in de klas 'Tell Me More' beginnen te zingen.

'Maar ik besloot het te proberen en het werkte echt! Seks deed helemaal geen pijn! Nu is het een geheimpje van mij en mijn man – telkens als we seks hebben, zeg ik: "Schat, pak even de K-Y" en dan schieten we allebei in de lach.'

O, stout meisje. Ik wed dat ze de volgende week komt opdagen in zwarte spandex en een permanent.

Oké, denk ik. Ik heb er genoeg van. Met de kleine kans dat de anderen net zo'n problemen hebben met deze discussie als ik, ik wil niet dat ze mij in het verhaal betrekken als ze het later tegen hun vrienden vertellen, die dan ongetwijfeld dubbel liggen van het lachen, steek ik mijn vinger zo hoog mogelijk op en wacht ongeduldig op mijn beurt. Eindelijk knikt Susan naar mij.

'Eigenlijk,' zeg ik, 'geef ik de voorkeur aan Astroglide. Dat is veel zachter dan K-Y.' Uitgaande van de blikken die mijn opmerking oplevert, denk ik dat mijn zorg waarschijnlijk ongegrond was. Maar ik kan het niet nalaten om door te gaan. Aangemoedigd door mijn pas ontdekte status als een seksuele ketter ga ik door. 'Maar natuurlijk, als je het in een zwembad doet of in de douche, dan moet je iets gebruiken op siliconenbasis, zoals Eros Bodyglide. Het spul op waterbasis spoelt er gewoon vanaf.' Iedereen staart me aan alsof ik zojuist een gigantische kunstpenis met spijkers tevoorschijn heb gehaald en wil dat ze die aanraken.

'Dank je wel,' knippert Susan met de ogen. 'Dat laatste wist ik niet. Dat zou ik moeten nakijken.'

Bescheiden knik ik een 'graag gedaan' en dan kijk ik lachend de kamer rond. Alle mammunisten doen alsof ze lachen, maar het is duidelijk dat ze een beetje bang zijn voor mij en voor mijn arsenaal griezelige sekskennis.

O-o, denk ik. Het ziet ernaar uit dat ik zojuist een reputatie heb gevestigd.

Zodra de les voorbij is en ik in mijn auto zit, pak ik mijn mobiele telefoon. Ik moet twee belangrijke telefoontjes plegen en die kunnen niet wachten tot ik thuis ben. Julie neemt bij de eerste toon op.

'Hallo?'

'Vertel me alsjeblieft dat jij weet wat K-Y is,' zeg ik.

'Lara,' zegt ze op een enigszins berispende toon, alsof ik net een vies woord heb gezegd waar kinderen bij zijn, en dan gaat ze zachter praten. 'Natuurlijk weet ik wat K-Y is. Waarom?'

'Omdat ik net uit Susans klas kom en niemand wist wat K-Y was en ik me een slet begon te voelen. Maar als jij weet wat het is, dan ben ik oké. Jij bent mijn barometer voor normaal-zijn.'

'Ben ik dat?' vraagt ze en ze klinkt echt geschokt.

'Jul, ik vind het vervelend om het je te moeten zeggen, maar niemand is normaler dan jij. Ik zak daarentegen steeds verder naar de onderkant van de samenleving en als zodanig moet ik nu ophangen.'

Ja, ik moet mijn vader bellen om hem te vragen waarom hij met een pooier gaat trouwen. 'Hé,' peins ik. 'Weet jij of er een vrouwelijk woord voor pooier is? Pooieres misschien?'

'Wacht,' zegt Julie. 'Waar heb je het over?'

'Niets,' zeg ik. 'Ik zat zomaar wat te denken. Hou van je!'

Ik hang op en dan bel ik het nummer van het Beverly Hills Hotel. Als ik mijn vader aan de telefoon krijg, hoor ik dat hij de hele ochtend naast de telefoon heeft gezeten in de hoop dat ik of Nadine hem zou bellen om te vertellen hoe het was gegaan in het Peninsula. Het blijkt dat ik de eerste ben die zich meldt.

'En hoe ging het?' vraagt hij opgewonden.

'Hoe het ging?' herhaal ik sarcastisch. 'Nou, even kijken. Ik heb een van haar voormalige adviseurs ontmoet, ze noemde mij haar dochter en vervolgens negeerde ze me een halfuur lang. O, ik vergeet het bijna. Toen we weggingen, heeft ze me verteld dat zij de originele Hollywood Madam is.' Mijn stem is heel vrolijk. 'Het was dus geweldig!' Aan de andere kant van de lijn is het even stil.

'Ze heeft je dat verteld?' vraagt hij.

'Hm-hmm. En of ze dat heeft gedaan.' Lange, lange pauze.

'Lara, het is niet belangrijk. Ze heeft de zaak vier jaar geleden gesloten, lang voordat ik haar heb leren kennen. Ze is nu helemaal legitiem.'

'Oké,' zeg ik, 'laten we er op de eerste plaats niet over praten als de "zaak". En op de tweede plaats, wat is legitiem? Het feit dat ze door de stad rent en de miljoenen uitgeeft die ze gedurende de jaren als prostituee illegaal heeft verdiend?'

'Wacht eens even,' zegt hij kwaad. 'Nadine is nóóit prostituee geweest. Zij regelde de reserveringen en ontving de klanten, maar ze was nooit in het veld.'

Ik snuif. 'In het veld? Noemen ze dat zo? Wat is ze eigenlijk? Een agente van de CIA?'

'Ik meen het, Lara,' zegt hij. 'Nadine heeft niets gedaan wat miljoenen andere bedrijven niet elke dag doen. Zij is niet erger dan Enron of Tyco of die andere jongens. Die doen allemaal illegale dingen.'

'Pap,' zeg ik. Zijn argument heeft me van mijn stuk gebracht. 'Alleen omdat andere mensen illegale dingen doen, is het nog niet goed en we hebben het niet over een corrupte directeur van een overigens legaal bedrijf. Haar hele handel was illegaal. Waarom begrijp je dat niet?'

'Ik begrijp het wel, Lara,' zucht hij. 'Maar het interesseert me niet. Kijk, ik heb heel veel van de wereld gezien en geloof me, er zijn heel veel mensen die op een eerlijke manier de kost verdienen maar toch vreselijke mensen zijn. Maar Nadine heeft alleen maar goede eigenschappen. Ze behandelde die meisjes als haar eigen dochters en ze hebben allemaal succesvol en legaal carrière gemaakt. Zoals het meisje dat je vandaag hebt ontmoet. Als Nadine er niet was geweest, danste ze nu nog steeds in de een of andere stripteasetent in de Valley.' Hij gaat zachter praten alsof hij denkt dat iemand hem zou kunnen afluisteren. 'En Nadine heeft heel goede connecties, Laar. Je zult verbaasd zijn over het soort mensen dat ze kent. Ze kan voor zowat alles om een gunst vragen.'

Ik adem hardop uit om er zeker van te zijn dat hij mijn walging voor hem begrijpt. 'De enige gunst die ik nodig heb, is dat ze me met rust laat. Jij kunt dan wel gelukkig zijn in het gezelschap van criminelen, maar Andrew en ik hebben ons de afgelopen tien jaar niet kapot gewerkt om ons kind nu bloot te stellen aan de onderwereld van Los Angeles. Geloof me, daar krijgt ze op de middelbare school nog genoeg kansen voor.'

'Ze gaat Parker nergens aan blootstellen. Ze werkt niet meer. Geef haar toch een kans, Lara. Ze is ongevaarlijk.'

'Nee, ik wil haar geen kans geven. Ik wil helemaal niets met haar te maken hebben. Ik wil haar niet overal tegenkomen. Ik wil niet dat ze steeds opduikt als wij elkaar ontmoeten, niets. Als jij in mijn leven wilt zijn, dan zul je dat zonder haar moeten doen.'

Hij slaakt een lange zucht. 'Oké,' zegt hij. 'Ik doe mijn best.' O, nou, dat is bemoedigend. Zijn best is in het diepe verleden altijd zo grondig geweest. 'Nog één ding, Laar,' zegt hij aarzelend.

'Wat?' vraag ik.

'Zeg het tegen niemand, oké? Het is pas over een paar maanden verjaard en als de regering het te weten komt, kunnen ze haar nog altijd vervolgen.'

Ja, alsof ik gewoon sta te popelen om tegen iedereen te vertellen dat mijn vader verloofd is met een voormalige pooieres. Ik vind dit echt een leuk woord, tussen twee haakjes. Als het geen echt woord is, dan moet het absoluut een echt woord worden.

Ik adem hardop uit.

'Natuurlijk, pap. Ik zal de gerechtigheid graag hinderen voor jou en je liefdevolle verloofde. Maar doe mij ook een plezier: vertel me niets meer, oké? Als jij echt op de vlucht bent of als Nadine iemand heeft vermoord, dan wil ik dat gewoon niet weten.'

'Ik zweer je, Lara, er is niets anders,' zegt hij.

'Geweldig,' zeg ik. 'Blij om dat te horen. Ik moet gaan, pap. Ik heb mijn eigen problemen waar ik me zorgen over moet maken.'

Ik hang op en vraag me af hoe mij dit kon gebeuren. Ik bedoel, ik was een heel gewoon meisje dat in een buitenwijk is opgegroeid. Mijn grootste trauma in het leven was dat ik een kind van werkende ouders was. En nu heb ik een gefrustreerde vader die me gek maakt, staat mijn man op het punt een verhouding met een meisje van vijfentwintig te beginnen en heb ik een baby die ik niet weet op te voeden, een nanny die me met voodoo wil betoveren en word ik binnenkort de stiefdochter van de mentor van Heidi Fleiss.

Mijn god. Ik zak niet af naar de onderkant van de samenleving. Ik ben er vanaf gesprongen.

12

De Wiggles zingen 'Hevenu Shalom Aleichem'. Of zoals de tekst onder aan het beeldscherm zegt 'Havenu Shalom Alachem'. Echt waar, ik verzin dit niet. Elke Wiggle staat op een verhoogd wit podium en op de grond onder hen dansen vijf tieners in Beierse klederdracht in een kring. Ze hebben een stokje in hun hand waar een lint aan hangt. Het is alsof de Wiggles dachten dat het een belangrijke multiculturele les zou zijn om met een paar kinderen gekleed als Duitse boerendochters de Dag van de Arbeid in Israël te vieren.

Ik lach hardop en kijk naar Parker om te zien of zij dit net zo amusant vindt als ik. Maar ze staart gewoon recht voor zich uit, gebiologeerd. Ze ziet er de humor niet van in, denk ik. Nou, diversiteitstraining of niet, vanavond mag ze maar een halfuur kijken. Maar laat me dit anders zeggen. Ik laat mezelf vanavond maar een halfuur een luie, waardeloze moeder zijn, hoewel ik haar het liefst de hele avond voor *The Wiggles* zou zetten, zodat ik rustig mijn ogen dicht kan doen, wat ik vroeger altijd deed als Deloris naar bed was en het me niet interesseerde wat voor een moeder ik zou worden. Ah, de goede oude tijd.

Maar nu het me wel interesseert, zijn de twee uur nadat Deloris naar bed is gegaan heel belangrijk voor mij als ik mijn plek aan de top van de mammie/Deloris/pappie-totempaal wil behouden. Ervan uitgaande dat ik aan de top sta van de mammie/Deloris/pappie-totempaal. De totempaal is nu eenmaal een concept dat aan verandering onderhevig is en het garandeert niet automatisch de bovenste plaats voor de moeder. Die moet worden verdiend in een intensieve tijd – zingen, spelen, bezighouden – en aangezien Deloris liever een Deloris/mammie/pappie-totempaal wil hebben (of, meer waarschijnlijk, een Deloris/pappie/mammie-totempaal) moet ik gretig gebruikmaken van de tijd die ik met dit kind alleen ben.

Andrew, tussen twee haakjes, denkt dat ik waanideeën heb over Deloris. Ik klaag de hele tijd bij hem over haar, maar hij denkt alleen maar dat ik hypergevoelig ben. Natuurlijk is hij overdag niet hier. Hij ziet het voortdurende rondhangen niet, de schaamteloze pogingen om Parker bij me weg te houden en haar hele houding dat zij beter voor Parker kan zorgen dan ik. Ze probeert het ook niet ongemerkt te doen. Als ze weet dat ik om twaalf uur thuis ben, gaat ze om kwart voor twaalf met Parker wandelen. Als ik onverwacht thuiskom, roept ze meteen dat Parker moe is en dat ze haar in haar bedje legt om te slapen. En als ik Parker wil vasthouden of met haar wil spelen, staat ze praktisch boven op me en is helemaal ongeduldig totdat ik Parker aan haar teruggeef. Ik ben ervan overtuigd dat Deloris vindt dat ik geen baby waard ben. Ik ben het niet waard omdat ik met tussenpozen bij Parker ben en omdat ik het geduld niet heb om de hele dag, elke dag, op de grond te zitten juichen als ze zich omrolt. Ik ben het niet waard omdat ik het niet kan verdragen om uren heen en weer te lopen als Parker huilt. O, en ik ben het absoluut niet waard omdat ik geen borstvoeding meer geef. Daar was Deloris helemaal ondersteboven van. Je zou denken dat ik Parker kernafval te eten wilde geven, zo bleef ze erover zeuren. Een hele week lang kreeg ze tranen in haar ogen als ze een blik flesvoeding zag.

Maar goed, omdat ik het niet waard ben, heeft Deloris besloten dat Parker háár baby moet worden en ze doet alles wat ze kan om ervoor te zorgen dat Parker dat weet. Ze rommelt ook niet aan. Deloris is hier om te wínnen. Geloof me, het is geen toeval dat ze de kant van Andrew heeft gekozen. Ze bakt altijd koekjes voor hem, neemt overdag uitzendingen van Animal Planet voor hem op en telkens als hij in de buurt is, is ze helemaal *o, ja, mevrouw Lara, ha, ha, ha*, en doet ze alsof ze heel veel van me houdt, zodat hij haar gelooft wanneer het aankomt op haar woord tegen dat van mij. En dat zou gebeuren als ik niet zo bang zou zijn om haar tegen me in het harnas te jagen.

O, kom op, wat moet ik dan doen? Ik kan Deloris geen standje geven. Ik kan zelfs mijn assistente van zesentwintig op kantoor geen standje geven, laat staan een vrouw die twee keer zo oud is als ik en een halve kop groter. Nee, nee. Ik kan veel beter de hele dag een knoop in mijn maag hebben dan dat zij hoort dat ik haar een manipulerend, arrogant varken vind. Ik vind het moeilijk om ruzie te maken met mensen van wie ik geen familie ben. Het is zó veel gemakkelijker om passief agressief te zijn. Plus, laten we elkaar hier niets wijsmaken: hoe vreselijk ik het ook vind om met Deloris te leven, ik ben toch slim genoeg om in te zien dat een leven zonder haar nog veel erger zou zijn. En ik ga binnenkort weer werken. Ik heb haar nodig. Ik bedoel, ja, ik kan haar ontslaan en iemand anders zoeken, maar je weet wat men altijd zegt: een verandering is niet altijd een verbetering. En ze is goed voor Parker. Ze is fantastisch met Parker. Ze is toevallig alleen hatelijk en afkeurend tegen mij, dat is alles.

Maar goed. Het is een onopgeloste kwestie omdat Deloris nergens heen gaat. Ik moet er gewoon voor zorgen dat ik mijn tijd met Parker gebruik om het idee te versterken dat ík degene ben tegen wie ze mammie moet zeggen.

Als *The Wiggles* afgelopen zijn, zet ik de televisie uit en loop met Parker naar haar kamer, waar ik haar bij de Gymini leg en wat speelgoed voor haar pak om mee te spelen. Maar ze heeft geen belangstelling voor het speelgoed. Ze concentreert zich er uit alle macht op om haar tenen in haar mondje te krijgen en als ze beseft dat dat niet lukt, begint ze te huilen.

'Hier,' zeg ik. 'Probeer dit eens.' Ik geef haar een stoffen hondje dat 'b-i-n-g-o' speelt als je aan zijn staart trekt en ik breng het samen met haar naar haar mondje. Ze kauwt er even op en begint dan weer te huilen. O, god. Ik kom in de verleiding om haar nu meteen weer voor de televisie te zetten. Maar de gedachte dat Parkers eerste woordje *Deloris* zal zijn, is genoeg om door te gaan. Ik sluit mijn ogen, haal een paar keer diep adem en doe mijn ogen weer open. Oké. Laten we iets anders proberen. Ze vindt dat stomme motorbootliedje leuk dat we aan het einde van Susans les zingen. Ik probeer dat. Ik pak haar voetjes en beweeg die op en neer alsof ze aan het fietsen is.

'Motorboot, motorboot, vaart zo langzaam, motorboot, motorboot, vaart zo snel, motorboot, motorboot, geef gas, jippieieieiei!' Ik kietel haar op haar buikje en onder de kin en ze begint nog harder te huilen.

'Goed, goed,' zeg ik moe. 'Ik pak je op. Wacht heel even, ik pak een slabbetje.' Ik sta op en maak de bovenste la van de commode open om een slabbetje te pakken, maar daar liggen er geen. Geweldig. Ik heb mijn favoriete prachtige *Coke Is It* T-shirt aan – vandaag is de eerste dag waarop ik erin pas en er geen vetrolletjes op mijn rug te zien zijn – en ik wil niet dat ze het helemaal vol spuugt, omdat ik bang ben dat het krimpt als ik het was en dat ik het dan niet meer aan kan. Ik kijk of ik in de kamer iets anders vind dat ik kan gebruiken, maar dan schiet me te binnen dat ik toen ik de laatste keer boodschappen heb gedaan een paar extra pakjes slabbetjes, zakdoekjes en luiers boven op haar kast heb gelegd. Ik vraag me af of ze daar nog steeds liggen of dat Deloris ze inmiddels heeft ontdekt.

Nog een paar seconden en Parker schreeuwt keihard en daarom voel ik snel met mijn hand of er iets ligt. *Shit.* Ik kom er niet bij. Ik ga op mijn tenen staan en veeg met mijn hand over de plank en ik voel iets tegen mijn vingertoppen. Parkers geschreeuw begint te escaleren. *Shit.* Oké. Ik moet springen en het naar beneden proberen te gooien. Ik ga door de knieën alsof ik een vrije worp heb, spring zo hoog als ik kan en veeg met de palm van mijn hand over de bovenste plank. Au.

Achter me hoor ik gekraai en ik draai me snel om. Parker huilt niet meer maar lacht naar me.

'Heb jij net gelachen?' vraag ik haar. 'Vond je dit grappig?' Ze steekt haar onderlip naar voren en zet de pruillip op, en dat doet ze altijd voordat ze begint te schreeuwen. 'Nee, nee,' smeek ik, 'niet huilen. Hier, kijk.' Ik spring zo hoog ik kan en ze kraait weer. 'O, mijn god,' zeg ik. 'Je lacht. Ik wist niet dat je kon lachen.'

Ik vraag me af of ze tegen Deloris heeft gelachen en dat Deloris me dat niet heeft verteld, of dat dit een nieuwe ontwikkeling is. Nee, het moet nieuw zijn. Deloris zou het me onder de neus gewreven hebben als Parker tegen haar had gelachen. Net zoals ik het morgenvroeg Deloris onder de neus ga wrijven.

'Je vindt dat leuk, hè? Oké,' zeg ik opgewonden. 'Kijk.' Ik zet mijn benen tegen elkaar en zet mijn handen in de zij. 'Klaar?' zing ik en ik sla tegen mijn rechterdij. 'O-kééé.'

Ik spring in de lucht, spreid mijn benen en klap boven mijn hoofd in mijn handen en dat doe ik nog twee keer.

'V-I-C-T-O-R-I-E!' schreeuw ik bij elke sprong. Bij de IE land ik met één knie gebogen en de andere knie op de grond en mijn armen gespreid in een grote V. Oké, ja, ik was cheerleader op de middelbare school. Aanvoerder, als je het dan echt wilt weten. En ik droeg voor elke wedstrijd mijn haren opzij in een paardenstaart met een lange rode sjaal en ik had een grote pony vol haarlak en soms gebruikte ik zelfs een krultang. Maar mijn team ging nooit naar een cheerleaderkamp en gebruikte ook geen stokjes en deed niets van dat alles. Wij waren de anti-cheerleader cheerleaders: een groepje joodse prinsessen die geen salto's of piramides konden maken omdat we allemaal een zwakke rug en zwakke knieën hadden en die de hele week alle beslissingswedstrijden van basketbal misten omdat we voor een proefwerk moesten leren. Ik heb er altijd een beetje spijt van gehad dat ik heb meegedaan aan zo'n waardeloze, alom bespotte, vrouwvijandige 'sport' – tussen twee haakjes, godzijdank kende ik Stacey nog niet op de middelbare school, want zij zou me geterroriseerd hebben – maar dat was voordat ik wist dat Parker zo zou kraaien. Nu, al was het alleen maar om die reden, ben ik heel blij dat ik op de middelbare school cheerleader ben geweest.

'Oké, oké,' zeg ik tegen haar, 'ik doe het nog eens. Klaar? O-kééé.' Ik spring. 'v-i-c-t-o-r-i-e!'

Ze kraait weer, deze keer harder, en ik begin te lachen omdat zij lacht. Ik doe de victoriesprong steeds weer opnieuw totdat we allebei hysterisch zijn en ik aan het zweten en buiten adem ben.

'v-i-c-t-o-r-i-e!'

'Wat ben je aan het doen?' Vanuit mijn knielende positie op de grond met mijn armen gespreid in een v draai ik mijn hoofd om. Andrew staat in de deuropening en achter hem staat Courtney, de Parmantige Poedel Bitch, mager, bruin en perfect. Snel sta ik op en met mijn hand veeg ik het zweet van mijn voorhoofd.

'Ik juichte voor haar,' zeg ik. 'Ik maakte haar aan het lachen.' Ik kijk naar ppb en vervolgens staar ik naar Andrew. 'Wat ben jíj aan het doen?'

'O,' antwoordt ppb voor hem. 'Gisteren heb ik Zaks halsband op de grond laten liggen bij de spullen van Zoey en Andrew heeft die per ongeluk meegenomen, daarom kom ik even langs om hem op te halen. Ik laat Zak liever niet de hele dag alleen thuis zonder halsband voor het geval dat hij wegloopt.'

'Courtney maakt echt heel veel uren,' merkt Andrew op. 'Ze werkt bij een makelaar in onroerend goed.'

'Dat is tijdelijk,' bloost ze. 'Ik heb de hotelschool gedaan, maar nog niets in die branche gevonden.' Ik bijt op mijn wang en zeg

145

niets en daarmee lijkt Courtney zich niet op haar gemak te voelen. 'Jullie hebben een heel mooi huis,' zegt ze en haar glimlach bevriest op haar lippen.

'Dank je wel,' zeg ik kortaf, maar ik moet er alleen maar aan denken hoe vreselijk mijn achterwerk eruit moet hebben gezien, heen en weer waggelend terwijl ik op en neer aan het springen was in mijn oude cheerleadernummer van de middelbare school. O, god. Hoe zielig ben ik wel niet?

'Nou,' zegt ze en ze laat me de halsband zien. 'Ik ga er weer vandoor. Jullie zijn vast druk met de baby en zo, dus...' Ze laat haar zin wegsterven.

'Oké,' zegt Andrew en hij loopt voor haar uit. 'Ik laat je uit.'

'Nee,' zeg ik en ik pak Parker van de grond en geef haar aan Andrew. 'Dat doe ik.' PPB en Andrew kijken elkaar zenuwachtig aan en PPB loopt achter me aan de trappen af.

'De baby is echt schattig,' zegt ze. 'Jullie zijn het perfecte gezin. Prachtige moeder, prachtig kind, prachtig huis, prachtige hond.' Ik merk op dat ze de prachtige vader vergeet te noemen. Of misschien vindt ze Andrew helemaal niet zo knap. Ik moet niet vergeten dat ik dat tegen hem zeg als we straks ruzie over haar maken.

Het kost me even tijd om te bedenken wat ik nu moet antwoorden. Ik zou zo graag willen dat ik gewoon kon zeggen dat ze verdomd gelijk heeft dat ik een perfect gezinnetje heb en dat zij daar verdomme beter uit de buurt kan blijven, maar zoals ik al heb gezegd, maak ik geen ruzie met mensen van wie ik geen familie ben. Daarom lach ik alleen maar en doe alsof ik het helemaal niet erg vind dat een fantastische blonde vrouw van midden twintig zich met mijn man ophoudt en vervolgens maak ik perfect-aardige-maar-toch-op-de-een-of-andere-manier-gemene-opmerkingen tegen haar in een poging haar te laten zien dat ik het in feite wél erg vind. Ik vind het zelfs heel erg.

'Ja, nou, ik weet zeker dat ze dat ook zeiden over de Manson-familie,' zeg ik. Ik zie hoe ze haar hoofd een heel klein beetje scheef houdt terwijl ze erachter probeert te komen of ik dat bedoel als een bedreiging of niet. Maar voordat ze iets kan zeggen, doe ik de deur van het slot, zwaai hem open en lach stralend naar haar. 'Oké,' zeg ik. 'Dit is het einde.'

Ze lacht terug en loopt langs me heen naar het portiek. 'Goedenavond,' zegt ze. Ze draait zich om en kijkt me aan. 'Leuk om je weer eens te zien.'

'Ja, jij ook,' zeg ik en ik gooi de deur voor haar neus dicht.

Voor het geval Andrew niet zeker weet of ik nu wel of niet woest ben hierover, stamp ik zo hard ik kan de trap op en de gang door naar Parkers kamer. Andrew loopt met haar door de kamer en ze krijst.

'Je bent nog niet met haar badje begonnen?' vraag ik beschuldigend en ik kijk op mijn horloge. 'Het is bijna negen uur.' Ik ruk haar weg. 'Laat het badje vollopen,' commandeer ik.

Met hangend hoofd druipt hij af naar de badkamer en draait de kraan open. Ik kleed Parker uit en leg haar pyjamaatje klaar en dan loop ik met haar naar de badkamer en leg haar voorzichtig in het babybadje dat op de commode staat. Andrew kijkt naar me, maar zegt niets. Lafaard. Als ik de baby niet vasthield, zou ik mijn armen in de lucht gooien en tegen hem schreeuwen. Maar in plaats daarvan denk ik dat ik hem wat langer kwel.

'Oké, Parker,' zeg ik. Ik leg een washandje op haar buik om haar warm te houden en spoel de rest van haar met water af. 'Kijk naar het eendje. Hier is jouw eendje.' Ik knijp in het rubberen eendje dat in het badje zwemt en ze pakt het en stopt het in haar mondje. Andrew staat de hele tijd achter me, schuifelt met zijn voeten heen en weer en wacht tot ik tegen hem ga snauwen en als hij het niet langer kan verdragen dat ik hem negeer, begint hij te praten.

'Wat heb je tegen haar gezegd?' vraagt hij verlegen.

'Niets. Ik heb haar alleen maar uitgelaten.'

Hij kijkt naar me alsof hij dat niet echt gelooft. 'Ben je kwaad?'

Ik draai mijn hoofd om en werp hem een dodelijke blik toe. 'Kwaad?' vraag ik. 'Waarom zou ik kwaad zijn? Alleen maar omdat je haar mee naar huis brengt, terwijl je weet dat ik denk dat er iets is tussen jullie twee? Waarom zou dat me kwaad maken?' Ik doe een beetje shampoo op Parkers hoofd en onze blikken ontmoeten elkaar in de spiegel.

'Lara, ik zweer je, er is niets aan de hand. Waarom zou ik haar hierheen laten komen als ik met haar zou slapen? Denk je dat ik zo stom ben?'

Ik pak vanaf de wc-deksel de roze handdoek met de capuchon met gele bloemblaadjes, leg hem tegen mijn hals en klem een van de bloemblaadjes vast met mijn kin. Dan til ik Parker uit het badje, leg haar hoofdje in de capuchon en sla de handdoek in één snelle beweging om haar heen. Ze lijkt op een foto van Anne Geddes.

'Andrew, denk je dat ik zo dom ben? Ik geloof je als je zegt dat je niet met haar slaapt. Maar of je nu wel of niet met haar slaapt, doet er niet toe. Het punt is dat je je tot haar aangetrokken voelt en dat je met haar wílt slapen, maar omdat je niet volwassen genoeg bent om dat tegenover jezelf toe te geven, blijf je doen alsof ze alleen maar een nieuwe vriendin is, zodat je bij haar kunt zijn en je daarover niet schuldig hoeft te voelen.'

Ik loop de badkamer uit en doe het licht uit terwijl hij nog steeds binnen staat, en hij loopt snel achter me aan naar buiten.

'Dat is niet waar,' houdt hij vol. Ik werp hem een ja-oké-blik toe, leg Parker op de commode en wrijf haar droog met de handdoek. 'Wat moest ik doen?' jammert hij. 'Ze woont hier pas en heeft geen vrienden en daarom bleef ze bij mij, want ik ben de enige andere normale persoon in de klas. Ik kan gewoon niet tegen haar zeggen dat we niet meer kunnen praten. Dat is zo gemeen.'

'O, dus haar gevoelens zijn belangrijker dan die van mij. Dat is geweldig.' Ik smeer een beetje honingzalf op Parkers billetjes en doe haar een luier om en dan stop ik haar in haar roze badstoffen pyjama met voetjes en begin de knoopjes dicht te drukken.

'Nee,' zegt hij. 'Doe niet zo belachelijk.'

Ik houd op met knoopjes sluiten en gooi mijn handen in de lucht. 'God,' zeg ik gefrustreerd als ik zie dat ik een knoopje over heb en niet kan ontdekken waar ik dat moet vastmaken. 'Wie heeft er bedacht om negenduizend knoopjes op deze dingen te zetten?'

Ik begin de pyjama weer na te kijken en houd haar voetjes met een hand omlaag zodat ze er niet mee kan schoppen en eindelijk vind ik de boosdoener. Ik maak de knoopjes langs haar rechterbeentje open en begin opnieuw.

'Luister je wel naar me?' vraagt Andrew.

'Ja, ik luister naar elk woord. Je noemde me zojuist belachelijk omdat ik zei dat je smoorverliefd bent op een geil blondje van vijfentwintig.'

Als ik de knoopjes eindelijk dicht heb, pak ik Parker op en neem het flesje uit de flessenwarmer, zet het op het nachtkastje naast het zweefvliegtuigje, dim het licht en ga zitten om haar te voeden.

'Nee,' zegt Andrew. 'Ik noemde je belachelijk omdat je zei dat haar gevoelens belangrijker zijn dan die van jou.' Parker draait zich om en kijkt naar hem en haar hoofdje kiept van mijn arm af.

'Sst,' fluister ik. 'Je leidt haar af.'

'Goed,' fluistert hij. 'Maar jouw gevoelens zijn belangrijker voor mij. Dat weet je.'

'Oké,' fluister ik terug. 'Praat dan niet meer met haar.'

'Lara, we zitten in dezelfde agilitygroep.'

'Ga dan naar een andere groep,' sis ik.

Hij gooit zijn handen in de lucht. 'Dat gaat niet,' zegt hij. 'Dit is de enige groep op het niveau van Zoey. De andere groepen zijn te gemakkelijk voor haar.'

'Nu is de hond ook al belangrijker dan ik,' snauw ik. 'Weet je wat?' vraag ik. 'Maak dat je hier wegkomt. Jouw dochter moet gaan slapen.' Andrew kijkt naar me alsof hij niet begrijpt wat er zojuist is gebeurd en dan draait hij zich om en schuifelt de kamer uit.

'En dat, Parker,' fluister ik tegen haar, 'wordt "de broek aan hebben" genoemd. Let op en leer ervan, kleine sprinkhaan. Let op en leer ervan.'

De volgende ochtend ben ik uitgeput. Ik heb de hele nacht in gedachten tegen PPB liggen schreeuwen en dacht aan alle hatelijke dingen en ik wilde dat ik niet zo lief was zodat ik die echt tegen haar durfde te zeggen en nu heb ik het gevoel dat ik keelpijn krijg. Ik lig in bed en doe alsof ik slaap, totdat ik hoor dat Andrew Zoey gaat uitlaten. Ik heb gisteravond de hele avond niets tegen hem gezegd en ik heb echt geen zin om vanmorgen tegen hem te praten.

Als hij weg is doe ik mijn ogen open en kijk op de klok: tweeëntwintig minuten over acht. De boksles waar ik elke dag heen ga, begint om negen uur, maar ik kan me gewoon niet voorstellen dat ik me de komende vijftien minuten genoeg kan motiveren om op te staan en erheen te gaan. O, verrek! Ik sla de sportschool gewoon over vandaag. Met die stomme les ben ik toch al geen pondje van die laatste vijf kilo afgevallen. Bovendien geeft dat me de kans om wat tijd met Parker door te brengen. De laatste tijd slaapt ze bijna tien uur aan een stuk door en meestal ben ik dan al weg als ze wakker wordt. Ik kan echt niet geloven dat ik dit zeg, maar ik mis het bijna dat ze 's nachts wakker wordt. Het was goede qualitytime voor ons, zonder Deloris.

Ik staar naar de monitor en zie dat ze zich op de een of andere manier helemaal heeft omgedraaid in haar bedje en haar hoofdje ligt nu naast de lens van de camera die ik heb vastgemaakt in de hoek tussen het hekje en de matras.

Oké, denk ik. Ik ga me aankleden voordat ze wakker wordt.

Ik loop naar de badkamer om te plassen en mijn tanden te poetsen en vervolgens trek ik een trainingsbroek en een t-shirt aan. Tegen de tijd dat ik uit mijn kleedkamer tevoorschijn kom en op de monitor kijk, is ze wakker. Ze wriemelt wat rond en probeert haar teentjes in haar mondje te stoppen, maar ze huilt nog niet en daarom besluit ik een paar minuten naar haar te kijken, gewoon omdat het leuk is om te zien wat ze doet als ze denkt dat niemand kijkt. Na drie mislukte pogingen om op haar buik te rollen geeft ze het op en blijft helemaal stil op haar zij liggen. Haar gezichtje ligt nu precies voor de camera en ze is zo dichtbij dat ik maar ongeveer driekwart van haar hoofdje kan zien. Ze staart recht in de lens en die ziet ze opeens. Ze strekt haar arm uit en begint tegen de camera duwen. Ik hoor haar ademhaling en het geluid van de camera die ze op en neer beweegt en door het geluid en de extreme close-up van haar gezicht heb ik het gevoel dat ik naar *The Blair Witch Project* kijk. Ze trekt de camera naar zich toe totdat ik alleen haar mondje kan zien en dan wordt alles zwart.

O, shit. Ze eet de camera op.

Ik spring op en ren naar haar kamer. Ik raak in paniek als ik me afvraag of ze zich kan elektrocuteren. Binnen een paar seconden sta ik op de drempel van Parkers kamer, maar het lijkt alsof iemand me voor is geweest. Deloris is er al en tilt Parker uit haar bedje.

'Je moet die camera uit het bedje halen,' zegt Deloris zonder me aan te kijken. 'Ze kan het snoer om haar hals krijgen.'

'Ik weet het,' zeg ik. 'Ik zag het op de monitor. Ik wilde haar komen halen.' Deloris draagt Parker naar de commode en kijkt me nog steeds niet aan.

'O,' zegt ze. 'Ik wist niet dat je nog thuis was.' Dat is gelul. Ik ga nooit weg zonder het tegen haar te zeggen.

'Ja, nou, ik blijf thuis vandaag. Ik pak haar nu. Het is oké.'

Deloris kijkt me van opzij aan. 'Nee, nee,' zegt ze. 'Deloris vindt het helemaal niet erg. Doe jij nu maar wat je moet doen.'

'Ik heb niets te doen,' zeg ik. 'Echt, ik pak haar wel.' Ik loop naar de commode en ga bij Parkers hoofdje staan. Ze kijkt naar me en lacht ondersteboven naar me. 'Hoi, schatje,' zeg ik. 'Mammie is er.' Als Deloris klaar is met de schone luier knoopt ze de pyjama weer dicht. En als ze Parker optilt, pak ik haar onder haar armpjes vast. 'Dank je wel,' zeg ik.

Deloris laat haar met tegenzin los en loopt dan achter me aan de slaapkamer uit en de trap af naar de keuken, waar ze een flesje maakt terwijl ik achter haar sta te wachten tot ze klaar is.

'Heb je honger?' vraag ik aan Parker met een stem die zes octaven hoger is dan normaal. 'Je moet uitgehongerd zijn. Je hebt sinds gisteravond niets meer gehad en ik weet zeker dat je heel veel trek hebt gekregen door al dat lachen dat we samen hebben gedaan.' Nu zie ik de wenkbrauwen van Deloris een heel klein beetje omhoog gaan.

Dat klopt, vriendin. Mammie/Deloris/pappie.

Parker grijnst weer naar me.

'Ik weet het,' zeg ik met mijn hoge stem. 'Mammie is zo grappig, hè?'

Deloris is klaar met schudden. 'Oké,' zegt ze. 'Helemaal klaar. Ik neem haar nu.'

'Nee,' zeg ik zo beleefd mogelijk. 'Ik geef haar het flesje.'

Deloris kijkt me aan en geeft me het flesje. 'Goed,' zegt ze kortaf. 'Ik ga de was doen.'

Ik lach tegen mezelf en draag Parker naar de studeerkamer waar ik op de bank ga zitten en de *Today Show* opzet terwijl ik haar het flesje geef.

Nog geen tien minuten later is Deloris terug.

'Helemaal leeg?' vraagt ze en ze strekt haar armen uit om Parker te pakken. Ik pak het lege flesje en geef het aan haar.

'Ja, dank je wel.' Deloris kijkt kwaad, maar ik negeer haar. 'Kom op, Parker, we gaan spelen.'

Ik sta op en loop naar de lege ruimte achter de bank waar Andrew een tijdelijke speelruimte heeft gemaakt. Er ligt een rubber speelmat op de houten vloer met wat speelgoed erop en ernaast staat een fluorescerende groene nylon tunnel. Ik leg Parker voorzichtig op de mat en ga op mijn knieën zitten, maar voordat ik een stuk speelgoed kan pakken is Deloris naast me neergeploft.

O, dat is zo irritant. Ze pakt een rammelaar en begint voor Parkers gezichtje ermee te rammelen. Parker keert haar hoofdje naar het geluid toe.

'Hier, Parker,' zegt ze. 'Kijk eens wat Deloris heeft!'

O. Mijn. God. Ik kan het niet geloven. Ze probeert Parker af te leiden zodat ze niet naar mij kijkt.

Nou, dat kan ik ook. Ik pak een groter stuk speelgoed dat 'Yankee Doodle Dandy' speelt als je aan het handvat draait en ik zwaai ermee naast Parkers oor.

'Par-ker,' zeg ik en ik begin te zingen. Ze draait met haar hoofdje en kijkt naar mij en ik klap in mijn handen op het ritme van de muziek. 'And with the girls be randy!' zing ik. Ik bedenk me dat dit de woorden zijn van de vieze versie van 'Yankee Doodle', die we altijd zongen als we 's nachts in een tent sliepen, maar wat maakt het uit. Ik heb haar aandacht. Ze kijkt naar me en ik lach naar haar en kriebel onder haar kinnetje en ik probeer Deloris te negeren die nog steeds met de rammelaar rammelt en Parkers naam roept. Eindelijk staat Deloris op.

Het wordt onderhand ook tijd, denk ik. Maar dan zie ik vanuit mijn ooghoek dat ze de tunnel op de mat trekt. *Wat is ze in 's hemelsnaam aan het doen?* Ze zet hem zo neer dat het ene uiteinde naast Parkers hoofdje ligt en dan gaat ze voor het andere uiteinde zitten.

'Joehoe, Parker,' roept ze. Nieuwsgierig naar de tunnel draait Parker met haar hoofdje en Deloris steekt snel haar hoofd in de opening. 'Kiekeboe!' schreeuwt ze en dan trekt ze haar hoofd er weer uit. Parker lacht. 'Kiekeboe!' Deze keer kraait Parker en ik moet me beheersen om niet op de rug van Deloris te springen en haar in de houdgreep te nemen. Ik ga kokend van woede op mijn hielen zitten en kijk Deloris boos aan.

Dat was mijn gekraai, kreng.

Op dat moment rent Zoey met modderige pootjes van het wandelen de studeerkamer in. Andrew verschijnt een paar seconden later.

'Hé,' zegt hij aangenaam verrast omdat hij ons met z'n drieën bij elkaar ziet. 'Wat zijn jullie aan het doen?'

Deloris draait zich om en kijkt hem stralend aan. 'O, we zijn aan het spelen, meneer Andrew. Het is heel leuk.'

Andrew lacht naar Deloris en kijkt dan naar mij om mijn stemming ten opzichte van hem te peilen. Ik werp hem een ijzige blik toe en zijn glimlach bevriest op zijn lippen.

'Kan ik je even spreken?' vraag ik aan hem. Zijn gezicht wordt ernstig.

'Natuurlijk.' Ik sta op en loop naar hem toe en dan pak ik zijn arm en trek hem de keuken in. 'Wat is er?' vraagt hij en hij probeert vrolijk te klinken.

'Denk niet dat ik je heb vergeven omdat ik nu tegen je praat,' snauw ik. Hij fronst zijn wenkbrauwen. 'Die vrouw is gek,' fluister ik. '"O, we zijn aan het spelen, meneer Andrew,"' doe ik Deloris na. 'Wíj waren niet aan het spelen. Ík was aan het spelen en zij viel me gewoon lastig.'

Andrew lijkt van zijn stuk gebracht. 'Waar heb je het over?' vraagt hij.

'Andrew, ik zeg het je, ze haat mij! Ze vindt mij een slechte moeder en daarom probeert ze van alles zodat ik maar niet alleen ben met Parker. Ik heb het gevoel dat ik een door de rechtbank benoemde chaperonne heb.'

Hij schudt zijn hoofd. 'Dat is belachelijk.'

'Nee, het is niet belachelijk. Het is waar. Ze strijdt met mij om Parkers liefde. Ze wil dat Parker denkt dat zij haar mammie is!' In mijn ogen komen tranen op.

'Ze is een grote zwarte Jamaicaanse vrouw,' zegt Andrew lachend. 'Tenzij Parker kleurenblind is of heel erg dom denk ik niet dat ze jullie door elkaar haalt.' Ik werp hem een ik-vind-je-helemaal-niet-grappig-blik toe en zijn gezicht wordt ernstig. 'Lara, ze doet alleen maar haar werk.'

'Ja, als het haar werk is om mij te verdringen.'

'Nee,' zegt hij streng. 'Jij projecteert gewoon je type-A, agressieve persoonlijkheid van de oostkust op haar. Zij is niet de strijder hier. Dat ben jij.'

Ik zucht. 'O, bespaar me dat psychologische gelul, Andrew, oké?'

'Hé,' verdedigt hij zich. 'Ik had een tien voor die cursus.' Hij recht zijn rug en wordt een paar trotse centimeters langer. 'De professor stelde voor dat ik eens naar het postdoctorale programma zou kijken.'

Ik klap in mijn handen. 'Applausje voor Andrew,' zeg ik.

Hij negeert me. 'Kijk,' zegt hij. 'Je hebt haar in dienst genomen om voor de baby te zorgen en dat doet ze. Ik weet zeker dat ze zich niet op haar gemak zou voelen als ze in haar kamer zit niets te doen, terwijl jij aan het doen bent wat zij eigenlijk had moeten doen.'

Ik schud mijn hoofd. Zoals gewoonlijk zit hij er helemaal naast. 'Jij kiest dus haar zijde. Dat is geweldig. Eerst Courtney, nu Deloris. Zijn er nog meer vrouwen in je leven die belangrijker zijn dan ik en van wie ik op de hoogte moet zijn?'

Hij sluit zijn ogen. 'Lara,' zegt hij. 'Of je het nu gelooft of niet, jij bent de belangrijkste vrouw in mijn leven. Soms weet ik niet precies waarom, maar je bent het wel. Maar alleen omdat jij het belangrijkste bent, betekent niet dat ik altijd vind dat je gelijk hebt. En in dit geval denk ik niet dat je gelijk hebt. Deloris is een fantastisch mens dat Parker als haar eigen kind behandelt. Ze is betrouwbaar, ze is te vertrouwen en ze doet geen vlieg kwaad.'

Mijn mond valt open. 'Andrew,' schreeuw ik, 'de vrouw heeft voodoopoppen op haar kamer!'

'Die dienen als versiering,' zegt hij. 'Probeer nu eens alles van haar kant te bekijken en houd hiermee op voordat je haar wegjaagt en wij niemand hebben om voor Parker te zorgen. Want ik denk dat je dat ook niet wilt, toch?' Ik pers mijn lippen op elkaar en zeg niets. 'Net wat ik dacht,' zegt hij. Hij kijkt op zijn horloge. 'Ik moet naar kantoor. Kunnen we hier straks verder over praten?'

'Ik weet het niet,' sis ik. 'Ik heb nog niet besloten of ik wel tegen je ga praten of niet.'

'Goed,' zegt hij en hij klinkt alsof hij helemaal genoeg van me heeft. 'Als je een beslissing hebt genomen, laat het me dan weten.' Hij pakt zijn sleutels op het aanrecht, stopt zijn portefeuille in zijn broekzak en loopt weg.

Geweldig. Hij gaat ongetwijfeld Courtney bellen op weg naar zijn werk om haar te vertellen wat voor een kreng zijn vrouw is en hoe hij wilde dat ik meer op haar leek.

Nou, Andrew, denk ik. Ik leek op haar voordat jij me zwanger maakte.

Ik zucht. Hoe is het mogelijk dat hij praktisch een verhouding heeft, maar dat ik de slechterik ben?

13

Later op de middag, als Parker haar middagslaapje doet, ga ik achter mijn computer zitten om mijn mail te checken. Ik heb al bijna een week niet gekeken en ik heb ongeveer veertig berichten. Een derde daarvan zijn advertenties voor porno (*Hot!!!! Teens w/strangers. Sexxxy girl w/dog*), een derde zijn e-mails van zogenaamde hoogwaardigheidsbekleders in landen waar ik nog nooit van heb gehoord en die me een royale beloning in het vooruitzicht stellen als ik mijn status als Amerikaan wil gebruiken om hen te helpen met een banktransactie van meerdere miljoenen dollars, en een derde zijn e-mails van mensen die ik echt ken.

Eens kijken... Twee van leraren op mijn werk die willen weten hoe het met de baby is. Drie van oude leerlingen – o, Marc is net terug van een programma voorafgaande aan het eerste jaar op BU en hij vond het heerlijk. Godzijdank. Ik maakte me zorgen over hem. Er is een mailtje van mijn moeder die vraagt nog wat foto's van Parker te mailen. Maar ze weet niet hoe ze de foto's moet opslaan zonder dat ze te groot worden en niet het hele scherm in beslag wordt genomen door een arm of een oor. Een mailtje is van een e-mailadres dat ik niet ken en een is van Nadine. Ik klik op het mailtje van Nadine.

Hoi Lara,
Het is nog maar zes weken voor de bruiloft... We moeten het vrijgezellenfeest gaan plannen. Zullen we ergens gaan lunchen?
xxx
Nadine

Dat is interessant, denk ik. Dit is de eerste keer dat ik iets hoor van haar of mijn vader sinds ik hem heb verteld dat ik niets met haar te maken wil hebben. Natuurlijk heeft hij dat niet tegen haar gezegd. Of als hij dat wel heeft gedaan, interesseert het haar natuurlijk niet. Mejuffrouw je-kunt-geen-nee-tegen-mij-zeggen. Waar heb ik deze mensen aan verdiend? Alsof ik überhaupt weet waar je een vrijgezellenfeest moet geven. Ik ben niet uit geweest sinds ik zwanger werd en dat is al meer dan een jaar geleden. Ik ken zelfs geen goede club meer.

Ik moet gewoon een manier vinden om hier onderuit te komen. Misschien ben ik van haar af als ik geen antwoord geef. Dat is een goede strategie. Ik sluit Nadines bericht en ga terug naar mijn inbox. De e-mail van het adres dat ik niet ken, heeft *Denk niet dat ik gek ben* als onderwerp.

Nieuwsgierig klik ik erop. O, het is van Melissa, het enige meisje met bruine haren in de klas van Susan. Ik vraag me af wat ze wil.

Lieve medemoeders,

Ik hoop dat jullie het niet erg vinden dat ik jullie een e-mail stuur, maar ik heb nagedacht over de 'discussie' die we vorige week in Susans klas hadden en ik kreeg een idee voor een avondje uit dat echt een amusante ervaring voor ons allemaal kan worden. Een vriendin vertelde me over een feestje waar ze kort geleden was geweest – alleen meiden – waar een 'sexpert' hun liet zien hoe ze hun orale technieken konden verbeteren, als je weet wat ik bedoel. Ze zei dat het dolkomisch was en zo fantastisch dat ik dacht dat wij het misschien ook konden doen als een onofficiële 'excursie'. De komende achttien maanden komen we elke week bij elkaar en daarom kunnen we elkaar ook best beter leren kennen en een beetje plezier maken, nietwaar? Als je geïnteresseerd bent, mail me dan terug en als we met z'n zessen of meer zijn, ben ik bereid mijn man die avond de deur uit te zetten en het bij mij thuis te houden. Ik hoop iets van jullie te horen!

Melissa (Hannahs mammie)

Een pijpfeest? Ze wil een pijpfeest houden voor de maagden van Susans klas? Meent ze dat? Ik lees het mailtje nog eens. Ik kan niet beslissen of ik geschokter ben door de inhoud of door het feit dat ik een bericht krijg van een vrouw die zich identificeert als de moeder van iemand anders.

De telefoon gaat en ik pak hem op voordat hij nog eens over-gaat, omdat ik niet wil dat Parker wakker wordt. Ik zweer je, dat kind slaapt lichter dan de ex-politiemannen die altijd in actiefilms spelen, je weet wel, die de een of andere traumatische ervaring op het werk hebben gehad en die bij het minste of geringste uit hun diepe slaap wakker worden en van onder hun kussen plotseling een revolver tevoorschijn halen.

'Hallo?' fluister ik half.

'Hé, is er iets aan de hand?' Het is Stacey.

'Nee, ik praat alleen zachtjes zodat ik Parker niet wakker maak.'

'Ze wordt wakker als jij praat? Ik dacht dat baby's overal door-heen konden slapen.'

'Niet die van mij,' zeg ik. 'Laat het maar aan mijn kind over om de uitzondering op een eeuwenoude regel te zijn. Ze heeft ook geen gladde billetjes. Die hebben in werkelijkheid overal kleine pukkeltjes omdat ze in de plas ligt en ik denk dat ze een beetje ec-zeem heeft bij haar kontje.'

'Dank je wel voor de beschrijving,' zegt ze.

'Geen dank. Wat is er?'

'Niets,' zegt ze en ze gaat zachter praten. 'Maar ik heb net een gerucht opgevangen dat de stemming voor het partnerschap eind deze week zal plaatsvinden en nu ben ik zo zenuwachtig dat ik me op niets echts kan concentreren en daarom bel ik jou.'

'Oké,' zeg ik en ik schakel over op een ernstige toon. 'Ik zet voor het ogenblik jouw suggestie opzij dat ik niet echt ben, maar ik be-grijp het niet. Het is pas half juli. Ik dacht dat ze pas tegen het ein-de van de zomer een beslissing zouden nemen over nieuwe part-ners.'

'Dat dacht ik ook, maar toen vertelde een heel betrouwbare bron me dat ze deze week bij elkaar komen. Ik weet niet wat er ge-beurd is.'

'O, mijn god. Ga je hysterisch worden? Wanneer zeggen ze het tegen je?'

'Ik weet het niet,' zegt ze en haar stem wordt een klein beetje hoger, wat voor Stacey op de grens van hysterisch is. 'Ik weet niets. Het is hier net een verdomde broederschap. De partners zijn de broeders en de advocaten zijn de nieuwe belofte en alles is ge-heim. Ik mag geen vragen stellen.'

Ik zucht meelevend. 'Nou, kijk, het is snel voorbij. En je wordt het of niet, en als je het niet wordt, dan kun je een paar weken eerder dan je dacht ophouden met zo verdomd hard werken.'

'Ja, dat is waar,' zegt ze. 'Maar ik wil er niet over praten. Vertel me iets over jou. Hoe gaat het met je vader?'

'O, mijn god, wanneer heb ik voor het laatst met je gepraat? Weet je van Nadine?'

De volgende twintig minuten breng ik haar op de hoogte van de bruiloft (*Denk je dat ze een paal op de dansvloer hebben? Misschien kan Colin Cowie die met rozen bedekken*), hoe ik erin geluisd ben om bruidsmeisje te worden (*Wat ben je toch naïef. Wat is er met de regels gebeurd?*) en van het feest in de Peninsula (*Stond er echt 'met veel liefs'? Ik neem het terug. Jij bent niet naïef. Je bent driedubbel naïef*). Ik vertel haar het nieuws over Courtney (*Dus Andrew gaf uiteindelijk toe. Interessant. Hoewel ik er mijn geld om zou verwedden dat jij ervoor zou zorgen dat hij aan de drank zou raken, niet dat hij je zou bedriegen*), over Deloris (*Je bent te gevoelig. Ik schreeuw al tegen mijn secretaresse als ze de verkeerde kant op ademt*) en over de e-mail die ik net heb gekregen van Melissa (Hannahs mammie). (Stilte. Blijkbaar te geschokt om een schampere opmerking hiervoor te bedenken.)

Het enige wat ik haar niet vertel, is waar Nadine zich mee bezighoudt. Ik wil het zo graag en ik weet dat Stacey zich er niets van zou aantrekken, maar ik voel me gewoon te gekwetst om er met iemand over te praten. Ik bedoel, mijn vader heeft me in mijn leven al heel wat keren in verlegenheid gebracht. Alsjeblieft, ik werd op de basisschool uit de carpool getrapt omdat hij 's ochtends altijd naar Howard Stern luisterde en op een dag ging Maggie Feurstein naar huis en vroeg aan haar moeder wat *anaal* was. En toen ik in groep zeven zat, kwam hij naar de bezoekdag van mijn zomerkamp en wilde per se de lippen van mijn vriendje inspecteren om te zien of die gezwollen waren van het zuigen op iets van mij. Maar dit spant de kroon. Trouwen met de Hollywood Madam. Ik weet niet of ik dat hardop kan zeggen. Ik heb het zelfs niet aan Andrew verteld.

'Wauw,' zegt Stacey als ik klaar ben met mijn verslag over de afgelopen drie weken. 'Jouw leven is een echte soap. Ik wist niet dat het leven van een thuiszittende moeder zo gecompliceerd kon worden.'

'Ja, nou. Het is nog maar zes weken tot de bruiloft en daarna ga ik weer werken. Hopelijk is dan alles weer normaal en kan ik weer mijn oude saaie ik worden. Hoewel dat geval met Andrew... ik weet het niet.'

'Luister, Laar. Ik denk echt niet dat Andrew je fysiek zal bedriegen, maar je moet hem een reden geven om te stoppen met die Courtney. Weet je, het is misschien helemaal niet zo'n slecht idee om naar dat pijpfeest te gaan. Het is misschien precies wat je nodig hebt om hem niet meer aan haar, maar weer aan jou te laten denken.'

'Stacey,' protesteer ik. 'Ik pijp niet. Pijpen is voor meisjes die een ring proberen te krijgen, niet voor meisjes die al vijf jaar getrouwd zijn.'

'Ik wed dat Courtney pijpt.'

Ik sluit mijn ogen en zucht. 'Oké,' zeg ik. 'Ik stuur haar meteen een e-mail terug.' Ik klik de e-mail open en klik op beantwoorden en lees het hardop aan Stacey voor terwijl ik tik. 'Beste Melissa,' zeg ik. 'Dit klinkt geweldig. Ik ben van de partij. Dank je wel. Lara.'

'Dat is alles?' vraagt Stacey sarcastisch.

'Oké,' kaats ik terug. 'Lara, haakjes, Parkers mammie.'

Stacey lacht hardop. 'Ik had nooit gedacht dat het zover zou komen,' zegt ze.

'Ja, nou, ik ook niet.'

Parker wordt precies op tijd wakker voor onze afspraak om half vier bij dokter Newman. Ze is bijna zestien weken, wat voor mij vier maanden is, maar we moeten vandaag komen voor het onderzoek bij drie maanden omdat dokter Newman de afgelopen anderhalve week op vakantie was en zijn kantoor zei dat ze pas op 2 augustus vier maanden is en dat is over twee weken. Ik zweer je, dit hele babygedoe is soms zo verwarrend. Ik ontdekte zojuist dat ik haar de hele tijd verkeerd om in haar autozitje heb gezet. Ik probeerde haar beentjes door de riempjes te duwen in plaats van de riempjes gewoon over haar beentjes heen vast te maken en ik brak daarbij het arme kind zowat doormidden. Ik ben zo'n idioot. Ik kon maar niet bedenken waarom de mensen maar bleven zeggen dat dit autozitje zo geweldig was, terwijl ik het een ramp vond om haar elke keer als we ergens heen moesten erin en eruit te krijgen.

Maar goed, Andrew komt rechtstreeks naar de praktijk, maar hij is te laat. Ik heb me al gemeld en zit in de wachtkamer Parker het flesje te geven dat ze eigenlijk om kwart over drie had moeten krijgen, maar waar ik geen tijd meer voor had omdat ik anders niet op tijd hier had kunnen zijn – wat zorgde voor een gezellig ritje, dat kan ik je wel vertellen – toen Andrew naar binnen stormde.

'Hoi,' zegt hij tegen me. 'Sorry. Ik was aan de telefoon.'

'Met Courtney?' snuif ik.

Hij kijkt me afkeurend aan. 'Met mijn accountant.' Hij gaat zachter praten en klinkt geïrriteerd. 'Ik weet niet welke scenario's er in jouw hoofd rondspoken, maar kun je Courtney nu niet gewoon vergeten? We bellen niet met elkaar. Ik praat alleen met haar op agility. Ze is alleen maar een vriendin van agility.'

'Goed,' zeg ik en ik praat er niet meer over. Niet omdat het goed is, natuurlijk, maar omdat de andere moeder in de wachtkamer doet alsof ze niet naar ons luistert, maar ik weet dat ze dat wel doet en ik wil haar geen stof geven om vanavond tijdens het avondeten over te praten.

Nu heeft Parker het flesje leeg en ik zet haar rechtop op mijn schoot om haar een boertje te laten doen. Op dat moment doet de verpleegkundige de deur van de wachtkamer open en roept haar naam.

'Parker Stone,' zegt ze en ze kijkt me aan. 'Jij bent aan de beurt. De gele kamer.' Ik pak Parker op en laat het autostoeltje en de luiertas voor Andrew op de stoel naast me staan. Ik volg de zuster door de gang naar de behandelkamer met de gele vloer. 'Trek alles uit behalve haar luier,' zegt ze. 'Ik kom zo terug om haar te wegen.' Ze loopt naar buiten en doet de deur achter zich dicht en Andrew gaat op de stoel in de hoek van de kamer zitten terwijl ik Parker in stilte begin uit te kleden.

'Hoe gaat het eigenlijk met haar?' vraagt Andrew als ik haar roze met wit gestreepte luierbroekje uittrek dat ze onder haar roze zonnejurkje draagt.

'Het gaat heel goed,' zeg ik. 'Ze lacht al. Wist je dat? En ze probeert zich om te draaien.'

'Ik weet het,' zegt hij. 'Deloris heeft het me verteld.' Hij staat op, loopt naar haar toe en streelt haar hoofdje met zijn hand. 'Hoi,' zegt hij tegen haar. Hij tilt haar op en houdt zijn gezicht voor haar gezichtje. 'Wie is jouw papa?' vraagt hij met een stem die lijkt op die van het Koekiemonster in een pornofilm. 'Wie. Is. Jouw. Papa?'

Parkers lippen beginnen te trillen en ze huilt. Ik steek mijn handen uit en pak haar van hem over. Parker legt haar hoofdje op mijn schouder en jammert.

Hm. Misschien is de totempaal wel korter dan ik dacht. Pappie zit er misschien helemaal niet op.

'Ze heeft er geen idee van wie haar papa is,' zeg ik op een beschuldigende toon. 'Je bent bijna nooit meer thuis.'

Wauw, denk ik. De tijden veranderen echt als ik nu degene ben die hem de les leest omdat hij nooit thuis is. Maar Andrew ziet er terneergeslagen uit.

'Ze haat me,' klaagt hij.

'Ze haat je niet. Ze kent je gewoon niet.' Ik kijk hem aan. 'Nu weet je hoe ik me voel bij Deloris.'

Andrew doet zijn mond open, maar de deur zwaait open voordat hij een woord kan uitbrengen en dat is misschien maar goed ook.

'Oké,' zegt de verpleegkundige. 'Doe de luier af en leg haar op de weegschaal.' Ik doe wat ze zegt en we wachten terwijl de cijfers op de digitale weegschaal zich instellen. Als het zover is, pakt de zuster haar pen en praat hardop terwijl ze het opschrijft.

'Zeventien pond en vierenhalf ons.' Ze kijkt naar me. 'Ze is vier maanden?'

'Drie maanden,' zeg ik. De ogen van de zuster gaan wijd open. 'Maar ze is zestien weken,' voeg ik er snel aan toe. De zuster trekt een ongeïnteresseerd gezicht.

'Groot meisje,' zegt ze op een beschuldigende toon. Ze pakt haar kaart en gaat naar buiten terwijl ze me over haar schouder aankijkt. 'De dokter komt zo meteen.'

Ik doe Parker de luier weer om en probeer niet van streek te raken. 'Ze is D-I-K,' zeg ik tegen Andrew.

'Waarom spel je het?' vraagt hij.

'Omdat,' zeg ik, 'D-I-K geen woord is dat ik haar wil leren.' Ik ga zachter praten en wend mijn hoofd van haar af. 'En *dieet* of *calorie* is dat ook niet,' zeg ik. 'Pas dus op.'

Nou, voor het geval je je afvraagt waarom ik mijn man zo'n waarschuwing moet geven, weet dan alsjeblieft dat ik getrouwd ben met Andrew Stone, Koning van Vreemde Gewoonten en Lachwekkende Buitenissigheden. Andrew, metroseksueel als hij is, is namelijk berucht om het feit dat hij het exacte aantal calorieën van diverse voedingsmiddelen kent. Het is echt angstaanjagend. Het begon allemaal toen hij dertig werd en een crisis doormaakte en hij besloot dat hij eruit wilde zien als in zijn laatste jaar van de middelbare school en ook zoveel wilde wegen. Denk erom, de man is een meter zeventig (een meter vijfenzeventig volgens hem) en zijn middel is net zo dun als mijn middel was *voordat* ik zwanger werd. Maar alleen mager zijn was niet goed genoeg voor hem. Hij wilde per se zijn sixpack en de soepele, onbehaarde, prepuberale verschijning van zijn jeugd terugkrijgen. Daarom schoor hij zijn borst (wat resulteerde in maanden van jeukende stoppels en ingegroeide haren ter grootte van kleine tumoren), deed elke avond voor hij ging slapen driehonderd sit-ups en volgde een streng dieet om drie kilo af te vallen.

Drie maanden lang at hij geobsedeerd niet meer dan vijftien-honderd calorieën per dag en hij leerde *De calorieënteller voor de lijner* praktisch van buiten. Hij was gek. Als we naar de film gingen, stopte hij snacks in plastic zakjes – een kopje lichte popcorn uit de magnetron (vijfentwintig calorieën) en vijf rode paprika's (vijf-endertig calorieën per stuk) – en ik moest die vervolgens in mijn handtasje de bioscoop in smokkelen. Als we bij iemand op bezoek waren en er stond een schaal met M&M's op tafel, probeerde hij te berekenen hoeveel hij er kon eten zonder over zijn limiet van die dag heen te gaan (*tien* M&M's *zijn vierendertig calorieën en dat betekent dat elke* M&M *drie-komma-vier calorieën heeft en dat betekent dat als ik er drieëndertig eet – hé, heeft iemand een rekenmachientje?*). En als we op een feestje waren en er waren koekjes of cake of een andere zoetigheid met een onbekend aantal calorieën, stond hij er alleen maar aan te snuffelen en iedereen vroeg zich af wat er met mij aan de hand was, omdat ik met zo'n vreemd mannetje was getrouwd. En natuurlijk voelde hij zich vervolgens ook verplicht om mij het aantal calorieën te vertellen van alles was ik at.

Schatje, zei hij dan en trok zijn wenkbrauwen op als ik de geraspte Parmezaanse kaas over mijn gestoomde spinazie wilde strooien. *Dat zijn drieëntwintig calorieën extra. Een eetlepel daarvan per dag is een extra pond per jaar.*

Kun je je dat voorstellen? Een van mijn vriendinnen is therapeut en ze nam me eens apart op een verjaardagsfeestje nadat Andrew weer eens had staan snuffelen en gaf me een preek van twintig minuten over het feit dat mannen ook een eetstoornis kunnen hebben. Je moet het me dus niet kwalijk nemen dat ik een beetje bezorgd ben dat Andrew Parker een nog groter eetcomplex zal aanpraten dan ik.

De deur gaat weer open en dokter Newman loopt naar binnen. Hij komt meteen ter zake.

'Hallo,' zegt hij en hij wacht niet tot wij 'hallo' terugzeggen. 'Nou, gefeliciteerd. Jullie hebben de eerste drie maanden over- leefd. Slaapt ze al door?'

Ik knik. 'Elf uur.'

Dokter Newman knikt terug en beduidt mij Parker op de tafel te leggen, wat ik doe. 'Omrollen?' vraagt hij.

Ik schud mijn hoofd. 'Nee, maar ze probeert het wel.'

Hij knikt weer en zet zijn stethoscoop op haar borst en ze grijnst naar hem. Hij lacht terug en pakt een tongspatel en doet die in haar mondje.

'Oké. Ze zal beginnen te kwijlen en proberen alles in haar mondje te stoppen.'

Ja, denk ik. Dank je wel voor de waarschuwing.

'Ze krijgt binnenkort tandjes,' gaat hij verder. 'Tandjes komen ergens tussen vijf maanden en een jaar.' Hij praat heel langzaam en spreekt elk woord heel duidelijk uit, alsof hij denkt dat dit te veel informatie voor me is en dat ik die niet in één keer in me op kan nemen.

Ik knik naar hem om te laten zien dat ik het heb begrepen en dan schraap ik mijn keel. 'Is ze te zwaar?' vraag ik botweg. Hij kijkt op haar kaart en kijkt dan naar haar. Ja, ja, ik weet dat ze nog maar een baby is en dat ik me niet op haar gewicht moet concentreren, maar ik kan er niets aan doen. Het lijkt gewoon niet normaal dat een baby van zestien weken vetrolletjes heeft die dik genoeg zijn om er iets in kwijt te raken. Ik zweer je, soms denk ik dat Jimmy Hoffa zich in haar hals verstopt.

'Gewicht 7865,' peinst dokter Newman en hij beweegt zijn hoofd heen en weer terwijl hij erover nadenkt. 'Ze is aan de grote kant, maar het gaat goed.' Hij kijkt me recht in de ogen met een blik van ik-heb-het-je-gezegd. 'Het komt door de flesvoeding,' zegt hij en hij haalt zijn schouders op. 'Die maakt baby's dik.'

Dank je wel, denk ik en ik verwacht dat hij me gaat vertellen dat ik haar eigenlijk drie maanden lang borstvoeding had moeten ge- ven. Maar dat doet hij niet. In plaats daarvan draait hij zich om en kijkt ons allebei aan.

'Hebben jullie gezien dat de achterkant van haar hoofdje een beetje plat wordt?' vraagt hij en hij klinkt een beetje bezorgd. Ik voel meteen hoe mijn ogen beginnen op te zwellen en ik vraag me af of ze echt uit hun kas kunnen schieten. Andrew laat zijn autosleutels op de grond vallen.

'Wat?' schreeuwen we in koor.

Doktor Newman steekt zijn handen naar voren alsof hij ons wil kalmeren. 'Het komt heel veel voor,' zegt hij. 'De schedel wordt niet meteen hard en door de druk van de matras op het achterhoofd kan hij plat worden.'

Ik ga een beetje achteruit en bekijk haar vanaf de zijkant. Hij heeft gelijk. Ze ziet eruit alsof iemand haar met een braadpan op haar achterhoofdje heeft geslagen.

O, mijn god, ik ben zo vreselijk. Ik maak me zorgen over haar gewicht en heb helemaal niet gezien dat haar hoofdje de vorm van de letter D heeft.

'Wat kunnen we eraan doen?' vraag ik helemaal over mijn toeren. 'Wordt het ooit weer normaal?' Ik ben buiten mezelf. Ik zie het al helemaal voor me dat ze op haar trouwdag door het gangpad loopt en dat het lijkt alsof haar sluier aan een stuk karton is vastgemaakt. Maar dokter Newman lijkt zich geen zorgen te maken.

'Het kan heel goed worden verholpen,' zegt hij. 'Leg haar 's nachts op haar zij, dan ontwikkelt het hoofdje zich normaal.'

Ik adem uit, maar dan herinner ik me dat ik nu een neurotische joodse moeder ben en als zodanig moet ik zo lastig mogelijk zijn. 'Maar wat als dat niet gebeurt?' vraag ik hem in paniek.

Hij werpt een blik op me en pakt Parkers kaart. 'Het gebeurt wel,' antwoordt hij op een toon die me duidelijk maakt dat dit het einde van ons gesprek is. 'Vertrouw me nu maar.'

14

Twee dagen later zit ik op de grond in Susans klas en kijk de kamer rond om te zien of de andere baby's bizarre lichamelijke misvormingen hebben of dat die van mij de enige is. Ik denk dat mijn baby de enige is. Sommige baby's zijn helemaal kaal, maar dat telt niet. Een baby heeft een enorme neus – ik bedoel een sterk gekromde neus – en een arm meisje is gewoon volkomen lelijk, maar ook daar zoek ik niet naar.

Nee, denk ik en ik probeer niet te huilen als ik me realiseer dat alle andere baby's volkomen normaal zijn. Er is niemand anders. Elf volkomen normale, magere kleine bonenstaken met een volkomen normale, ronde bowlingbal als hoofdje en één gigantische ronde bowlingbal met het blad van een tennisracket. God, ik vraag me af of flesvoeding ook het platte-hoofd-syndroom veroorzaakt.

Ik zucht. Sinds de afspraak bij dokter Newman ben ik geobsedeerd door Parkers hoofdje. Ik ging een kussentje kopen met een gat in het midden – het ziet eruit als het deel van een massagetafel waar je je hoofd in stopt, behalve dat het voor haar achterhoofdje is, voor wanneer ze op de grond ligt – en ik heb Deloris opgedragen haar zo veel mogelijk op haar buik te leggen, hoewel ze niet graag op haar buikje ligt en moord en brand schreeuwt als ze van mij 'buikjetijd' krijgt.

Maar met slapen wordt het pas een echt probleem. Ik leg haar op haar zij, zoals dokter Newman heeft gezegd, maar binnen twintig seconden rolt ze op haar rug. De eerste nacht rende ik elke vijf minuten naar haar kamer om haar weer op haar zij te leggen, maar dat is duidelijk geen oplossing voor de lange termijn. Daarom heb ik gisteren dokter Newman gebeld om hem te vertellen dat het niet werkte en hij adviseerde haar met een kussen op haar plaats te houden. Ik ging dus snel twee verschillende kussens kopen, maar die werkten ook niet. Ze glijdt er recht overheen.

Ik zweer je, je hebt er geen idee van hoe stressvol dit is. Ik bedoel, hoe kan ik hem vertrouwen dat haar hoofdje beter wordt als de oplossingen die hij aandraagt niet werken? Hem vertrouwen, mooi niet. Ik vraag me af of Susan een idee heeft. Ik denk dat ik het haar vraag aan het einde van de les, tijdens het vragenrondje.

De les gaat vandaag over taalontwikkeling en Susan heeft ons een lange lijst boeken gegeven die we onze baby op deze leeftijd moeten voorlezen. Ik let niet echt op, omdat ik zo druk bezig ben met het vergelijken van Parkers hoofdje met dat van de andere baby's, maar ik weet bijna zeker dat ik haar zojuist hoorde zeggen dat we een uur per dag moeten voorlezen. Dat is absurd, tussen twee haakjes. Ik bedoel, ik weet niet wanneer ze voor het laatst een baby van drie maanden heeft voorgelezen, maar het is zinloos. Ik heb vorige week nog geprobeerd *Pietepaf, het circushondje* voor te lezen, maar Parker wilde alleen maar op de bladzijden sabbelen. Het was echt afschuwelijk. Ze kwijlde over de hele bladzijde en het hondje werd helemaal nat en slijmerig en toen kreeg Parker stukjes papier in haar keel die haar de hele middag dwarszaten. Echt, het was geen prettige ervaring voor me. Helemaal niet. Maar ik moet iets verkeerd doen, want alle andere mammies knikken naar Susan alsof ze hun baby de hele tijd voorlezen en daar helemaal geen probleem mee hebben. Ik zucht.

Wauw, ik doe dus iets verkeerd. Klinkt me bekend in de oren.

Aan de andere kant van de kamer rolt een baby in een roze trainingspakje zich om op haar buikje en haar moeder klapt verrukt en hapt naar lucht. Ze valt Susan in de rede.

'O, mijn god, je hebt het gedaan!' zegt de mammie. 'Je hebt je omgerold!' Ze buigt zich voorover om haar baby een kusje te geven. De baby heet Ava, denk ik, en iedereen in de kamer verstart als ze naar haar kijken. Uit het niets stijgt een voelbare spanning op.

Ik ken deze spanning, denk ik. Het is dezelfde spanning die altijd ontstaat tijdens het ja-het-maakt-wel-uit-of-je-kind-wel-of-niet-cum-laude-slaagt-gedeelte van de informatieavond voor ouders van kinderen uit de hoogste klas die ik elk jaar organiseer. Het is de spanning van neurotische, zeer prestatiegerichte moeders, die zojuist hebben ontdekt dat het kind van iemand anders verder gevorderd is dan hun eigen kind.

Plotseling wordt er gefluisterd. De valse blonde mammunist naast me buigt zich naar me toe.

'Rolt ze zich al om?' vraagt ze en ze wijst naar Parker. Ik schud mijn hoofd.

'Oké, goed,' zegt de mammunist opgelucht. 'Mijn baby doet het ook nog niet, maar als jouw baby het wel deed, zou ik pas echt ongerust zijn.' Ik kijk haar vragend aan. Wat bedoelt ze daarmee? Is Parker opeens de debiel van de klas geworden? Ze ziet dat ik beledigd ben en buigt zich weer naar me toe om het uit te leggen. 'Alleen maar omdat ze zo groot is,' fluistert ze. 'Ik zou denken dat het moeilijker voor haar zou zijn om zich om te rollen omdat ze zo zwaar is. Dat is alles.'

Oké. Ik realiseerde me net iets. Als ze straks tijdens de lunch over mij praten, word ik niet Parkers mammie genoemd. Ik word de mammie van de dikke baby genoemd. Zo had ik mijn e-mailantwoord aan Melissa moeten ondertekenen: *Dank je wel, Lara (de mammie van de dikke baby).*

Ik leun achterover, kokend van woede, en probeer naar Susan te luisteren, die doet alsof ze het niet merkt dat tien moeders doen alsof ze zich er niets van aantrekken dat de baby van iemand anders zich als eerste heeft omgerold.

'Jij bent verantwoordelijk voor het ontwikkelen van de woordenschat van je kind,' zegt ze, 'en de beste manier om dat te doen is door middel van de herhaling. Ik stel voor dat je elke week een voorwerp kiest – een lamp, bijvoorbeeld – en elke keer als je met je baby langs de lamp loopt, wijs je ernaar en zeg je: "lamp". Als je aan je baby vraagt waar de lamp is, zal ze die uiteindelijk aanwijzen.'

Dat klinkt zinnig, denk ik. Dat ga ik proberen. Maar misschien begin ik met *korset*, want dat wordt vast en zeker een heel belangrijk onderdeel van Parkers repertoire.

Het mammunistisch kreng naast me steekt haar hand omhoog.

'Ja,' knikt Susan naar haar.

'Wat vind je van Baby Einstein-dvd's?' vraagt ze. 'Ik draai die voor Emma en ze lijkt ze echt leuk te vinden.'

Susan fronst afkeurend de wenkbrauwen. 'Absoluut niet,' zegt ze. 'Geen televisie tot ze twee zijn. Alleen maar omdat het woord *Einstein* in de titel staat, betekent nog niet dat ze goed zijn voor jouw baby.'

Niet tevreden met dit antwoord houdt het mammunistische kreng vol. 'Maar ze hebben naamkaartjes. En ze zeggen het woord en schrijven het op als ze een foto van iets laten zien.'

Susan buigt zich naar voren en wijst naar haar. 'Wil je dat je kind een leerstoornis ontwikkelt? Want dat krijg je als je haar met drie maanden televisie laat kijken.'

Het mammunische kreng krimpt ineen en ziet eruit alsof ze elk moment in tranen uitbarst. Als ze me zojuist niet zo had beledigd, zou ik me naar haar toe buigen en haar vertellen dat ze het zich niet moet aantrekken omdat Parker ongetwijfeld al een hersenbeschadiging heeft van al het televisiekijken. Maar ze heeft me beledigd en daarom houd ik mijn lippen stijf op elkaar en werp haar een wauw-wat-erg-dat-je-je-baby-al-voor-het-leven-hebt-verpest, meer-succes-met-de-volgende-blik toe.

'Oké,' zegt Susan. 'Dat was het voor vandaag. Hebben jullie nog vragen?'

Ik heb een vraag. Ik heb echt, echt, echt een vraag, maar die kan ik nu niet stellen. Want als ik die stel, ben ik niet alleen Lara (de mammie van de dikke baby). Ik ben Lara (de mammie van de dikke baby met het platte hoofdje) en die mammie wil ik niet zijn. Ik zucht. Ik denk dat ik gewoon wacht tot iedereen weg is en ik Susan onder vier ogen probeer te spreken als de les is afgelopen.

Als alle vragen beantwoord zijn, zingen we het motorbootliedje, 'Alle eendjes zwemmen in het water' en 'Hop paardje hop'. Daarna gaan we allemaal staan en houden onze baby vast. We vormen een kring en dansen een soort quadrille op de melodie van 'Kookaburra'. Na elke regel roept Susan instructies. Een kookaburra, voor het geval je het niet weet, is in werkelijkheid een Australische vogel die de jongen van andere vogels opeet. Ik kan maar moeilijk beslissen of het liedje heel ongepast of juist heel gepast is voor deze bepaalde Mammie-en-ik-klas.

Kookaburra zit op de oude gomboom – 'Zwaai heen en weer.'

De vrolijke koning van het bos is hij – 'Doe een stap naar rechts.'

Lach, kookaburra, lach – 'Nu naar links.'

Kookaburra, jij moet vrolijk zijn – 'En nu met de rug naar elkaar toe.' (Grapje.)

Als we eindelijk klaar zijn, heb ik pijn in mijn rug omdat ik Varken – ik bedoel Parker – zo lang heb vastgehouden. Ik leg haar weer op de grond en wacht tot de anderen weggaan. Maar als de andere mammies hun spullen in hun luiertas van Prada stoppen, gaat Melissa (Hannahs mammie) midden in de kamer staan om een mededeling te doen.

'Hé, jongens,' schreeuwt ze en ze probeert iedereen rustig te krijgen. Als ze onze aandacht heeft, gaat ze verder. 'Iedereen heeft ja geantwoord op mijn e-mail,' zegt ze en ze kijkt ons allemaal steels aan. 'Ik wil dus een avond afspreken waarop iedereen kan. Ik dacht aan volgende week vrijdag. Is dat goed?' We kijken elkaar aan en niemand zegt iets. 'Geweldig,' zegt ze. 'Ik zorg voor een paar salades en we beginnen om zeven uur. Laat onze mannen voor de verandering de baby maar eens naar bed brengen.' Iedereen lacht en ze neemt afscheid. Ze zegt nog dat ze ons een routebeschrijving naar haar huis zal mailen.

Fantastisch. Het lijkt erop dat het pijpfeest doorgaat.

Een paar minuten lang doe ik alsof ik iets zoek in mijn luiertas en als de laatste mammie is vertrokken, pak ik Parker weer op en loop naar Susan die aan haar lessenaar zit.

'Hm, Susan,' probeer ik haar aandacht te trekken. Susan draait zich om.

'Ja,' zegt ze. 'Wat kan ik voor je doen?'

'Ik heb eigenlijk een vraag, maar ik wilde je die liever onder vier ogen stellen. Ik hoop dat je het niet erg vindt.'

Ze lacht naar me. 'Nee hoor, helemaal niet. Zeg me nog eens jouw naam en de naam van je baby. Ik ben verschrikkelijk slecht in die dingen.' O, natuurlijk, denk ik. Ik ben Lara en dit is mijn dochter, SpongeBob SquarePants.

'Ik ben Lara en dit is Parker.'

'Juist,' zegt ze. 'Oké, Lara, wat wilde je vragen?'

'Nou, de dokter zei vorige week dat ze een plat hoofdje krijgt. Hij zei dat ik haar op haar zij moest leggen, maar ze blijft niet liggen. Heb jij een suggestie? Ik heb kussentjes in haar bedje geprobeerd, maar die werken niet.'

Susan fronst haar voorhoofd. 'Leg haar over je schouder en laat me even kijken,' zegt ze op gebiedende toon. Ik hijs Parker over mijn schouder en als een jurylid bij een hondenshow loopt Susan in een kringetje om ons heen en onderzoekt Parkers hoofdje zorgvuldig. Ze houdt het op zijn kant en cirkelt dan nog drie keer om ons heen. Als ze klaar is, kijkt ze nog steeds bedenkelijk.

'Het is absoluut niet het ergste dat ik ooit heb gezien, maar het is tamelijk erg.' Ik snak naar adem terwijl ze verder praat. 'Ik wil dat je meteen een afspraak maakt bij een specialist. Ze moet misschien een helm krijgen en dat moet je nu regelen voordat het erger wordt. Kinderartsen wachten altijd te lang. Soms duurt het maanden voordat je een afspraak krijgt bij een specialist en dan is het te laat.'

Ik heb het gevoel dat ik haar vertraagd afspeel en ik denk dat ik haar bij de helm ben kwijtgeraakt.

'Wat zeg je?' vraag ik. 'Een helm?'

Susan knikt. 'Ja. Als een baby een plat hoofdje heeft, leggen ze hem soms een halfjaar of zo in een helm. Die neemt de druk weg en het hoofdje springt in de regel weer naar buiten.' Ik geloof dat ik misselijk word. En ik moet er ook uitzien alsof ik misselijk word, want Susan lacht naar me en legt haar hand op mijn arm.

'O, maak je geen zorgen, ze maken tegenwoordig schattige helmpjes.' Ik stel me een helmpje voor dat is versierd met kristal van Swarovski en luipaardvel, zoals een tas van Judith Leiber bijvoorbeeld, maar ik voel me niet beter. Susan pakt een schrijfblok en een pen van haar lessenaar. 'Hier,' zegt ze terwijl ze iets opschrijft. 'Dit is de naam van een heel goede kinderneuroloog. Hij is fantastisch en zijn partner is craniofaciaal plastisch chirurg. Als zij de diagnose heeft gesteld, kun je in de praktijk ook behandeld worden.' Ze geeft me het stuk papier en mijn hand trilt als ik het pak. Neuroloog? Plastisch chirurg? Ik kijk naar Parker. Het hoofdje rust nu op mijn borst en er komen tranen in mijn ogen. Dit kan niet waar zijn. Het kan gewoon niet.

'Oké,' fluister ik bijna. 'Dank je wel.'

Tegen de tijd dat ik buiten kom en Parker in de kinderwagen heb vastgebonden, ben ik helemaal hysterisch en op het randje van een zenuwinzinking. Ik graai mijn mobiele telefoon uit mijn luiertas en bel Andrew op zijn werk.

'Met Andrew Stone,' zegt hij.

Ik kokhals hardop in de telefoon en ik kan niet praten.

'Hallo?' vraagt hij. Ik haal diep adem en begin te praten terwijl ik uitadem.

'Ik kom net van Mammie-en-ik en ik vroeg Susan naar Parkers hoofdje en ze zei dat we meteen een afspraak moeten maken bij een neuroloog en dat onze baby een halfjaar lang een helm moet dragen.' Ik begin te snikken. 'Ik wil niet dat onze baby een helm moet dragen. Dat is het ergste wat ik ooit heb gehoord.'

'Is het zo erg?' vraagt hij. Ik hoor aan zijn toon dat hij geschrokken is.

Ik snuif. 'Susan zei dat het niet het ergste is wat ze ooit heeft gezien, maar dat het wel erg is. Ze zei dat het maanden kan duren voordat je een afspraak krijgt bij een specialist en dat we nu moeten bellen voordat het te laat is. Ik wil aan dokter Newman vertellen wat ze heeft gezegd. Wil jij hem nu bellen?'

'Ik ga hem bellen. Ik bel je terug als ik met hem heb gesproken.'

'Oké.' Ik snuif weer. Ik hou op dit moment zoveel van hem dat ik het bijna niet kan verdragen. Ik bedoel, er is niemand anders op de wereld die begrijpt hoe naar dit is behalve hij. Voor de eerste keer sinds Parker werd geboren, heb ik echt het gevoel dat we partners zijn in het ouderschap. 'Andrew?' zeg ik.

'Ja?'

'Iets anders interesseert me niet. Courtney interesseert me niet, Deloris interesseert me niet, en niets is belangrijk. Ik wil alleen dat het goed komt met haar.' Ik snuif opnieuw. 'Ik wil niet dat ze een helm op moet.'

'Dat wil ik ook niet,' zegt hij. 'Laten we nu maar eerst even kijken wat de dokter zegt.'

Tot overmaat van ramp heb ik met Julie afgesproken om na de les te gaan lunchen, zodat we de essays kunnen nakijken die ze voor het instituut heeft geschreven en dat is zo ongeveer het laatste waar ik nu zin in heb. Nu wil ik alleen maar naar huis gaan en de rest van de dag op internet informatie zoeken over platte hoofdjes en helmen, maar het is nu te laat om het af te zeggen. Ze zit waarschijnlijk al in het restaurant. En tussen twee haakjes, haar essays zijn slecht. Het zijn de meest waardeloze, kontenkruiperige essays die ik ooit heb gelezen en geloof me, ik heb in mijn tijd heel veel waardeloze, kontenkruiperige essayschrijvers gezien.

Bah. Ik word al misselijk bij de gedachte aan Julie. Ik kan echt niemand anders bedenken met wie ik Parkers conditie nog minder wil bespreken. Ik bedoel, ik hou van Julie, maar ik wil niet dat het hoofdje van mijn baby voer wordt voor de geruchtenmolen van de mammies van LA. Ik kan me zo goed voorstellen dat ze mensen opbelt en hen in het oor fluistert hoe vreselijk het is dat Lara's baby een helm moet dragen. Niet dat ik haar dat kwalijk kan nemen, natuurlijk. Ik zou hetzelfde doen als haar baby een helm nodig had, maar toch denk ik dat het verstandig is om dat hele helmgedoe niet te vertellen. Ik doe gewoon alsof er niets aan de hand is en zorg ervoor dat Parker tijdens de lunch naar voren kijkt.

***

Tien minuten later duw ik de Snap-N-Go door het restaurant naar het tafeltje waar Julie en Lily op ons zitten te wachten. Lily zit op een hoge stoel en eet minuscule stukjes kalkoen van een plastic placemat die Julie op de tafel voor haar heeft vastgemaakt. Ik controleer meteen haar hoofdje. Ik moet wel. En natuurlijk is het perfect. Rond als een volle maan. Ik voel hoe Luthor in mijn keel omhoogkomt – zijn laatste bezoek is lang geleden. Ik had hem bijna niet herkend – en voordat ik me kan beheersen begin ik te huilen.

Verdomme. Julie kijkt me geschrokken aan.

'Lara,' zegt ze bezorgd. 'Wat is er? Gaat het wel?'

Ik schud mijn hoofd en ik barst in tranen uit en vertel haar het hele verhaal. Als ik klaar ben, ziet Julie er geschokt uit.

'Mag ik het zien?' vraagt ze en ze weet niet zeker of het wel gepast is om dit te vragen. Maar ik knik en til Parker uit haar kinderwagen en ik hoop dat Julie zal zeggen dat Susan overdrijft. Ik draai haar om met haar achterhoofdje naar Julies gezicht en Julie bijt op haar onderlip.

'Ik bedoel, het is misschien een béétje plat,' zegt ze.

Ik sluit mijn ogen. *Geweldig.*

'Dit is vreselijk,' huil ik. 'Ik kan haar niet een halfjaar lang in een helm leggen. Dat doe ik niet. Wat maakt het nou uit als ze een plat hoofdje heeft? Ze krijgt haren. Niemand zal het zien.'

Julie kijkt bezorgd bij dit idee. 'Susan zei dat de helmen schattig zijn?'

'Ja, ik weet zeker dat ze gewoonweg snoezig zijn.' Ik vertel haar over mijn beeld van Judith Leiber. 'Je kunt zo een winkel beginnen. Designerbabyhelmen. Koop een Bedazzler en je maakt het helemaal.' Ik barst alweer bijna in tranen uit als mijn telefoon gaat. Ik pak op.

'Hallo?' Het is Andrew.

'Ik heb met de dokter gepraat.'

'En wat heeft hij gezegd?' vraag ik ongerust.

'Hij zei dat je een nieuwe Mammie-en-ik-klas moet zoeken.'

Ik adem uit. Julie kijkt me aan en vormt met haar lippen de woorden: *Wat heeft hij gezegd?*

Ik steek een vinger naar haar op dat ze moet wachten tot Andrew klaar is.

'Hij zei dat een helm absoluut een laatste middel is en dat Parkers hoofdje lijkt op een voetbal in vergelijking met de kinderen die wel een helm krijgen. Ze is in orde. Hij zei dat als de kussens niet werken, je dan kunt proberen haar op de andere kant te leggen als ze slaapt en misschien draait ze haar hoofdje dan gewoon naar de andere kant en neemt ze daarmee de druk weg van de platte plek.'

'Maar als ze dat niet doet?' Ik raak weer in paniek.

'Ik wist dat je dat ging vragen,' zegt Andrew. 'Hij zei dat als ze dat niet doet, ze straks als ze zich begint om te rollen, uiteindelijk niet meer zo veel op haar rug zal liggen en dan is het geen probleem meer. Maar hij verzekerde me dat zij absoluut géén kandidaat is voor een helm. Hij zei dat hij elk jaar tientallen kinderen naar specialisten verwijst en dat hij daar helemaal niet aan had gedacht toen hij Parker deze week heeft gezien. Hij zei dat we tegen Susan moeten zeggen dat ze idioot is.'

'Oké,' zeg ik. Ik voel me beter, maar nog steeds niet helemaal gerustgesteld. Ik houd Parker stevig tegen me aan. 'Dank je wel dat je hem hebt gebeld. Ik spreek je straks, oké?'

'Wacht,' zegt hij en hij is dan even stil. 'Meende je echt wat je straks zei?' vraagt hij. 'Dat Courtney je niet interesseert?'

Ik adem lang uit en win een paar seconden om na te denken. 'Ja,' zeg ik ten slotte. 'Dat meende ik.' O, kom op. Andrew bedriegt me niet. En hij wist dat hij de dokter mijn 'Maar als ze dat niet doet?'-vraag moest stellen. Dat soort training is onbetaalbaar bij een echtgenoot. Bovendien werd zojuist tegen me gezegd dat mijn baby naar een neuroloog en een craniofaciaal plastisch chirurg moet. Ik bedoel, op de laten-we-het-in-de-juiste-verhoudingen-zien-schaal is dat bijna een tien.

'Dat is geweldig,' zegt Andrew en hij klinkt gelukkiger dan hij in weken is geweest. 'Ze is alleen maar een vriendin, Laar. Je moet weten dat ik je nooit zou bedriegen, ik hou veel te veel van je.'

'Ik weet het,' zeg ik tegen hem. *Maar heb je echt een vriendin nodig die er zo uitziet?* 'Ik hou ook van jou, liefje,' zeg ik en ik beëindig het gesprek. Julie kijkt me vol verwachting aan.

'En?' vraagt ze.

'Nou, de dokter zei dat het goed is. Hij zei dat Susan een idioot is.'

Julie lijkt helemaal van streek door dit statement. Alsof ik haar zojuist heb verteld dat speelgoed van Lamaze kankerverwekkende stoffen bevat.

'Susan is géén idioot,' snuift ze. 'Susan geeft elke dag waardevol advies aan moeders. Mijn zussen zweerden bij Susan toen hun kinderen baby's waren. Ze zeiden dat ze zonder haar nooit door dat eerste jaar waren gekomen. En ik hou van haar. Vorige week gaf ze een geweldige les over reizen waarvan ik de volgende keer dat we weggaan alles ga gebruiken.' Ze schudt haar hoofd. 'Ik kan het gewoon niet geloven dat Susan zich over zoiets vergist.'

Ik staar Julie aan en weet niet wat ik moet antwoorden. Het is alsof je een kind moet vertellen dat de kerstman eigenlijk niet bestaat. Nou. Het is één voordeel dat ik jood ben, denk ik.

'Jul,' ik probeer niet uit de hoogte te doen. 'Iedereen vergist zich wel eens. Zelfs Susan.'

Ze haalt haar schouders op. 'Weet je, jij kunt naar je dokter luisteren als je dat wilt. Maar ik vertrouw Susan meer dan mijn kinderarts, altijd.'

Ik besluit dat dit geen ruzie waard is. Als Julie gelooft dat Susan een alwetende godin is die ziektes beter kan diagnosticeren dan een geschoolde professional met een medische opleiding, dan laat ik haar maar. Het is niet aan mij om de betovering te verbreken.

'Nou goed,' zeg ik en ik probeer nonchalant te doen over haar griezelige heldenverering van Susan. 'Wil je nog over je essays praten?'

'Ja,' zegt ze en ze lijkt opgelucht dat ik over iets anders begin te praten. Ze vist een rode gelamineerde map met papieren uit haar luiertas. 'Mijn archief,' zegt ze en ze wijst er met haar kin naar. 'Ik heb er een voor elke school waar we Lily inschrijven. Ze hebben een kleurencode.'

Ik weet precies hoe Julie was op de middelbare school. Ik heb tientallen meisjes als zij op Bel Air Prep. Ze zijn niet zo slim en dat proberen ze te compenseren door super-psycho-georganiseerd te zijn. Ik zweer je, als ze wat meer zouden studeren in plaats van ingewikkeld ingedeelde mappen met alfabetische tabbladen te maken en hun aantekeningen in zestien verschillende kleuren te highlighten, dan zouden ze echt een kans maken om toegelaten te worden op een van de universiteiten waarvan ze de informatie met zich meeslepen in ringbanden die zijn ingedeeld in geografische regio's met verwijzingen naar de verhouding student-faculteit.

'Oké,' zeg ik met mijn decaanstem. 'Nou, ik heb je essays gelezen, maar ik weet niet zeker of je wel op het juiste spoor zit.'

Ze trekt een lang gezicht. Ze dacht dat haar essays fantastisch waren, dat weet ik zeker. 'Echt?' vraagt ze. 'Maar ik heb precies gedaan wat je hebt gezegd.'

'Ja,' zeg ik, 'dat heb je gedaan, maar dat is bij de uitwerking min of meer verloren gegaan. Ze geven de indruk dat je in de gunst probeert te komen. En ze zijn niet uniek.'

Julie lijkt beledigd. 'Ik probeer bij niemand in de gunst te komen,' houdt ze vol.

'Ik weet dat dat jouw bedoeling ook niet was, maar zo komen ze wel over. Hier,' zeg ik en ik pak een van de essays uit mijn tas. 'Luister hier eens naar.' Ik houd het stuk omhoog en begin te lezen en ik probeer uit alle macht om geen spottende stem op te zetten.

'"Ik geloof dat het Instituut het best bij mijn gezin past, omdat het Instituut een van de meest respectabele kleuterscholen in het land is. Uw uitmuntende referenties, deskundige leraren en betrokkenheid bij diversiteit zijn precies wat we zoeken voor onze dochter."'

Ik leg het papier neer en kijk haar aan. 'Jul, je klinkt alsof je Miss Amerika bent. Er ontbreekt alleen nog maar een zin dat je vrede op aarde wilt stichten.'

'Je bent niet grappig,' zegt ze.

'Dat probeer ik ook niet te zijn.'

Julie ziet eruit alsof ze gaat huilen. 'Nou, ik weet niet wat ik moet doen. Jij zei dat ik moest vertellen waarom ik daarheen wilde en dat ik het over diversiteit moest hebben en dat heb ik gedaan.'

Ik zucht. God, ik heb echt het gevoel dat er iemand van zeventien tegenover me zit. Ik had er geen idee van dat Julie zo slecht kritiek kon verdragen.

'Je moet een verhaal vertellen,' leg ik uit. 'Je moet je motieven in een verhaal verwerken, zodat ze iets over jou en je gezin te weten komen en het interessant is. Nu heb je alleen maar dingen gezegd over hun school die ze allang weten.'

'Weet je wat, Lara,' hervindt ze haar zelfbeheersing. 'Misschien was dit niet zo'n goed idee. Ik geloof ook niet dat de essays zo belangrijk zijn. Ik bedoel, het is de kleuterschool. Het gaat er alleen maar om wie je kent.' Ze pakt de papieren op en stopt ze terug in de rode map. 'Ik denk dat ik mijn tijd beter kan besteden om connecties te benutten.'

God, denk ik. Over lui gesproken. Dit is een kant van Julie die ik niet ken. Geen wonder dat ze geen baan heeft. Ze wil helemaal niet werken.

'Wat jij wilt,' zeg ik tegen haar. 'Ik probeer je alleen te helpen.'

'Dank je wel,' zegt ze. 'Dat stel ik op prijs, echt waar. Maar misschien kun je eens kijken of iemand op Bel Air Prep iemand van het Instituut kent. Dat zou helpen.'

Ik haal mijn schouders op. 'Ik kijk wat ik kan doen,' zeg ik, maar ik ben helemaal niet van plan om te kijken wat ik kan doen. Ik ga haar helemaal geen kruiwagens bezorgen. Niet met zo'n houding.

Ik zie dat ze weet dat het me mateloos irriteert, maar Julie glimlacht alleen maar.

'Geweldig,' zegt ze en ze slaat haar menukaart open. 'Nou, wat gaan we eten?'

15

Ik blijf die verdomde lamp vergeten. Ik loop er wel honderd keer per dag met Parker in mijn armen langs en elke keer vergeet ik het. Om ernaar te wijzen en te zeggen: 'Lamp', weet je nog? Ja. Ik ook. Natuurlijk denk ik er altijd aan als ik in de auto zit of onder de douche sta of mijn zware tas op de sportschool leeggooi en dan heb ik zoiets van: *Verdomme, ik moet eraan denken om 'lamp' te zeggen als ik er met haar langsloop*, maar als ik er echt langsloop, denk ik aan honderdduizend andere dingen, zoals hoe ik onder de planning van Nadines vrijgezellenfeest uitkom, of wat ik vanavond moet aantrekken naar dat pijpfeest, of waarom Stacey me niet heeft teruggebeld, hoewel ik minstens drieënzeventig berichten heb ingesproken sinds de bewuste stemming voor het partnerschap van vorige week. Ik word er ook hysterisch van dat ik me van alle mammunisten in mijn klas kan voorstellen dat ze de hele dag door hun huis naar lampen lopen te wijzen en ik gewoon weet dat Parker minstens drie leesniveaus achter raakt.

Natuurlijk kan ik ook tegen Deloris zeggen dat ze dat moet doen – ik weet zeker dat zij eraan zou denken – maar dat wil ik niet. Ik heb iets tegen het idee om Deloris verantwoordelijk te maken voor de woordenschat van mijn dochter. Ik bedoel, ja, misschien leert ze wel wat een lamp is, maar god weet wat ze nog meer oppikt. En bovendien houd ik de zorg voor mijn kind stevig vast. Ik moet elke voorsprong die ik op Deloris kan nemen vasthouden, want ze is erger dan ooit tevoren. Luister: gisteren, toen ze met Parker aan het wandelen was, ging ik een paar doosjes tissues op haar kamer zetten en ik vond een voodoopop die verdacht veel op mij leek. Ze had blond haar en droeg een zwart trainingspak, wat ik ook altijd in huis draag. En die pop was er niet toen Deloris bij ons kwam werken. Ze had geen blonde poppen toen ze bij ons begon. Bovendien stond de pop niet zichtbaar in de kast zoals de andere poppen. Ik zag hem toevallig achter wat spullen op een van de planken staan... nou, eigenlijk lag hij in de bovenste la van haar dressoir. Achterin. Onder een paar T-shirts.

Ik weet het, ik weet het. Ik ben een vreselijk mens en ik had niet in haar spulletjes moeten snuffelen, maar ik wéét dat ze bezweringen doet om me te betoveren en dit is het bewijs. Ik begin te denken dat die misschien ook nog werken, want ik ben niet één verdomd pondje afgevallen sinds ik dat blauwe poeder op mijn weegschaal vond en ik ben al wekenlang als een gek aan het lijnen en sporten.

Wacht even. Waar had ik het over?

O, ja. De lamp. De moraal is dat ik steeds vergeet om naar die stomme lamp te wijzen en dat ik zo'n slechte moeder ben dat ik liever heb dat mijn kind drie leesniveaus achter raakt, dan dat ik mijn nanny het genoegen gun om er in mijn plaats naar te wijzen.

Ik zweer je, soms weet ik echt niet wie gekker is: ik of Deloris.

De telefoon gaat.

Misschien is het Stacey. Ik grijp de hoorn en kijk naar de nummermelder. Stacey is het niet. Het is mijn vader. Of moet ik zeggen: het is @#*!. Ik moet tegen mezelf blijven zeggen dat hij dat is – de Klootzak Vroeger Bekend als Mijn Vader. Ik kan het mezelf niet permitteren om anders over hem te denken, want op het moment dat ik dat doe, gaat hij weer weg en dan moet ik al dat verdriet weer opnieuw doormaken. En geloof me, ik wil dat niet nog een keer meemaken.

Nog een keer klinkt het gerinkel door het huis. *Bah.* @#*! belt me de laatste tijd elke dag, soms zelfs twee keer per dag, maar ik bel hem nooit terug. Eerlijk gezegd walg ik van hem. Ik bedoel, het is één ding om te hertrouwen, maar om dan met iemand als Nadine te trouwen... dat kan ik gewoon niet begrijpen. Hoe meer ik erover nadenk, des te kwader ik word, maar ik kan het met geen mogelijkheid uit zijn hoofd praten. En geloof me, ik heb het geprobeerd. Maar het lijkt hem gewoon niet te interesseren dat het onze hele familie treft. Het interesseert hem ook niet dat ik nooit meer mijn gezicht in het openbaar kan laten zien als iemand erachter komt. Of nog erger, als ze gearresteerd wordt. *Bah.* Het is voor mij gewoon een bewijs dat hij helemaal niet veranderd is en dat hij nog steeds niet heeft geleerd dat zijn beslissingen ook voor anderen consequenties hebben.

De telefoon gaat nog steeds en ik werp een blik op de monitor op mijn nachtkastje. Ik moet oppakken. Parker is net in slaap gevallen en als ik de telefoon op het antwoordapparaat laat springen, wordt ze vast en zeker wakker. *Shit.* Ik pak op.

'Hallo, pap,' zeg ik kortaf.

'Hallo, buhbie,' zegt hij opgewekt en zenuwachtig tegelijk. 'Hoe gaat het met mijn meisje?'

O, alsjeblieft. 'Ik ben jouw meisje niet, pap,' zeg ik nijdig.

'Het is gewoon een uitdrukking, Lara. Wees niet zo gevoelig.'

'Nou, verdwijn de volgende keer niet acht jaar lang uit mijn leven. Misschien word ik je meisje dan weer.'

Hij zucht. 'Moet ik dit de rest van mijn leven horen?' vraagt hij vermoeid. Ik zweer je, wat is er aan de hand met mannen? Waarom denken ze dat ze het helemaal kunnen verknallen en daar dan nooit meer aan herinnerd worden?

'Behoudens het verwijderen van mijn strottenhoofd, ja. Ja, dat zul je.'

'Oké, goed. Maar ik bel niet om ruzie met je te zoeken.'

'Waarom bel je dan?' vraag ik.

Hij haalt diep adem en antwoordt langzaam. 'Ik bel – ik heb gebeld – om je te vragen Nadine niet meer uit de weg te gaan. Ze is heel verdrietig dat je niet hebt geantwoord op haar e-mail over het vrijgezellenfeest en ze zei dat ze je drie keer heeft gebeld en dat je niet hebt teruggebeld.'

Ik bijt op mijn lip. *Barst.*

'Kijk, pap,' zeg ik. 'Ik heb het je al gezegd, ik wil haar gewoon niet in mijn leven. Ze overdonderde me om haar bruidsmeisje te zijn en eerlijk gezegd voel ik me helemaal niet zo vereerd. Ik heb het gevoel dat het me werd opgedrongen. Ik heb een nieuwe baby en ik heb het echt druk en ik heb gewoon geen tijd om feestjes te organiseren voor een hoer. Je kunt haar dus zeggen dat ik bedankt heb, nee, dank je.'

'Weet je wat, Lara?' vraagt hij kwaad. 'Jij bent helemaal niet veranderd. Zelfs toen je klein was, had je al een eigen mening en een eigen willetje. Zolang jij je zin kreeg, interesseerde het je niet wie je daarmee pijn deed.'

Een minuut lang zeg ik niets, terwijl ik deze beschuldiging op me laat inwerken. Zei ik net ook niet hetzelfde over hem? Om de een of andere reden herinnert het gesprek me aan iets wat tijdens mijn tweede jaar op de middelbare school is gebeurd.

Het was oktober, denk ik, misschien begin november en mijn lerares Spaans zette me samen met Gretchen Flickert, het sufste kind in mijn klas, op een project dat een maand duurde. Het kind had twee *Het kleine huis op de prairie*-jurken die ze afwisselend om de andere dag droeg en ze praatte alleen maar over dat paard waar ze na school altijd op reed. Ik geloof dat hij Dandelion heette. Maar goed, ik wilde het project doen met mijn vriendin Allison en daarom ging ik naar de señora en zei tegen haar dat ik allergisch was voor paardenhaar en dat ik geen partner van Gretchen kon zijn omdat ze naar paard rook. De señora trapte er niet in, maar de arme Gretchen werd voor de rest van de middelbare school Paardenvijg genoemd. Ik had er vreselijke spijt van. Nog steeds, eigenlijk. Als ik ooit naar een reünie van mijn middelbare school ga, dan ga ik absoluut mijn excuses aanbieden. Ervan uitgaande dat ze komt. Ik bedoel, ik zou waarschijnlijk ook niet gaan als iedereen die er is mij vroeger drie jaar lang Paardenvijg heeft genoemd.

'Nou, pap,' zeg ik bits. 'Ik heb het van de meester geleerd.'

'Misschien,' bijt hij terug. 'Maar ik probeer tenminste te veranderen.' Dan, alsof hij er nu aan denkt dat hij veranderd zou moeten zijn, wordt zijn toon zachter. 'Als ik eerder was gekomen, dan zou je waarschijnlijk niet zo zijn. En als jij niet verandert, leert Parker het van jou.'

Oké. Die doet pijn. Ik realiseerde me niet dat hij weet dat ik heel bang ben om Parker te verpesten. Maar dan denk ik eraan dat hij misschien ook bang is geweest om mij te verpesten. *Hmm.* Even voel ik een vreemde empathie ten opzichte van hem – alsof we niet vader en dochter zijn, maar eerder twee ouders die hun best doen om het voor hun kinderen goed te doen. Mijn stem klinkt niet meer zo scherp.

'Ik zal erover nadenken, oké?'

'Oké,' zegt hij. 'Maar in elk geval moet je snel beslissen. De bruiloft is over vijf weken.'

'Ik weet het, ik weet het,' zeg ik. Ik sluit mijn ogen en zucht. 'Ik heb een afspraak vanavond waar ik me voor moet klaarmaken, maar ik bel haar morgenvroeg.'

'Dat is geweldig,' zegt hij opgelucht. 'Ik zeg het tegen haar. Ze zal ontzettend blij zijn.'

'Goed,' zeg ik, helemaal niet blij. 'Ik moet ophangen.'
'Dag. Ik spreek je later. En Lara?'
'Ja?'
'Dank je wel, lieverd.' Bedank me niet, denk ik. Ik doe dit voor Parker. Niet voor jou.
'Ja,' zeg ik. 'Dag.'

Ik heb tegen Andrew gezegd dat hij vanavond op tijd thuis moet zijn en deze keer is hij ook echt op tijd. Hij heeft er tussen twee haakjes geen idee van waar ik heen ga. Hij denkt dat ik vanavond een speciale Susanles heb. Ik wilde hem niet vertellen dat het in werkelijkheid een pijpfeest is, want a) ik wil niet dat hij verwachtingen koestert voor het geval ik me bedenk en b) als ik niet van gedachten verander, wil ik dat het een verrassing is. Hij zal het veel geiler vinden als hij gelooft dat ik spontaan werd gestimuleerd om hem onverwachts te pijpen. Hij hoeft niet te weten dat ik dat met een groep meisjes eerst heb geoefend.

Maar om eerlijk te zijn, het interesseert Andrew niet echt waar ik heen ga. Hij is gewoon blij dat hij een avond alleen is met Parker. Omdat hij zo lang werkt, denk ik dat hij zich de tijd alleen met Parker veel te romantisch voorstelt. Ik bedoel, ik weet hoe Andrews geest werkt. Zijn ideeën over alles komen van de televisie, daarom weet ik zeker dat hij het als één grote montage van flauwe commercials beschouwt. Je weet wel: lange middagslaapjes samen op de bank. Haar een boek voorlezen terwijl ze rustig op zijn schoot zit. Haar in zijn armen wiegen terwijl ze met bewondering naar hem kijkt. Ik geef toe dat er grappige momenten zijn, maar die momenten komen maar zelden voor. De rest van de tijd is ze gewoon een kronkelend, schreeuwend roofdier. Alsjeblieft, een lang middagslaapje op de bank met dit kind bestaat helemaal niet. Elke dutje dat ze doet wordt voorafgegaan door twintig minuten krijsen in haar bedje. En ik heb je al verteld over het lezen. O, ik heb het opnieuw geprobeerd, meerdere keren, en nu zijn haar boeken allemaal aan flarden gescheurd of er ontbreken hele stukken waar ze op het karton heeft gesabbeld. En haar wiegen doe ik nooit meer. Ze slingert zich praktisch uit mijn armen als ik ga zitten en als ze al naar me kijkt, is dat niet met bewondering. Het is met de bedoeling om in mijn neus te bijten of mijn ogen uit te krabben.

Maar hij zal het merken. Drie uur is genoeg tijd om zijn kleine illusie stuk te slaan. Eigenlijk verheug ik me erop. Misschien begrijpt hij eindelijk waar ik al drieënhalve maand over klaag.

'Schat!' Ik ben in Parkers kamer en doe haar een schone luier om voordat ik ga en Andrew schreeuwt naar me van beneden. Ik kijk op mijn horloge. Het is bijna kwart voor zeven. Ik had vijf minuten geleden moeten vertrekken. Natuurlijk, als ik Deloris echt nodig heb, is ze nergens te vinden.

'Wat?' schreeuw ik terug.

'Heb jij een cd met "Just the Two of Us" erop?'

O, mijn god. Ik wist het. Totale fantasie.

'Bill Withers,' schreeuw ik terug. Ik kijk naar Parker. 'Jouw pappie is ge-e-ek,' fluister ik tegen haar. Tien seconden later dreunt het geluid van een saxofoon op volle sterkte door het huis. Ik pak Parker op en loop naar beneden terwijl ik haar oren probeer te bedekken. Ik vind Andrew in de studeerkamer. Hij schikt Parkers speelgoed op de alfabetmat en neuriet het liedje mee.

'Ze is klein,' schreeuw ik, 'niet doof.'

Hij lacht, beweegt zijn hoofd heen en weer op de maat van de muziek en negeert mij volkomen.

'Alsjeblieft,' zeg ik en ik geef haar aan hem. 'Ze is helemaal van jou.'

Andrew pakt haar van me over en Bill Withers begint het refrein te zingen.

Just the two of us. We can make it if we try-y, just the two of us...

'You and I,' zingt Andrew tegen haar. Hij legt haar tegen zijn borst en begint in het rond te dansen, en zij trekt aan de haren op zijn arm. 'Auw!' schreeuwt hij. Hij duwt haar weg en probeert haar vingertjes open te wrikken. Hij kijkt naar mij. 'Dat deed pijn.'

Ah. De eerste barst. Ik glimlach naar hem en probeer niet hardop te lachen, en ik pak mijn handtasje van de keukentafel.

'Veel plezier!' zeg ik.

Ik loop naar de garage en zoek de volgende vijf minuten in mijn handtasje naar de sleutels. Dan stap ik eindelijk in mijn auto en rijd de straat uit en dan realiseer ik me dat ik de fles wijn ben vergeten die ik mee wilde nemen. *Verdomme.* Ik denk er nog over om met lege handen te gaan, maar dan denk ik eraan dat het allemaal mammunisten zijn en over zo'n blunder zouden ze maanden, zo niet jarenlang roddelen. Ik keer de auto en rijd terug naar mijn huis, waar ik de sleutel in het contact laat zitten en naar binnen ren om de wijn te pakken die ik volgens mij op het salontafeltje in de studeerkamer heb gezet.

O, man, ik ben zo laat.

Het eerste wat ik opmerk als ik naar binnen loop, is dat de muziek niet meer aanstaat. Aha, denk ik. *Just the Two of Them* was toch niet zo geweldig. Ik trek mijn schoenen uit in de hal omdat ik zonder hoge hakken sneller door het huis kan rennen en ik loop meteen naar de studeerkamer. Als ik naar binnen loop, zie ik dat Parker op haar rug op de alfabetmat ligt en Andrew staat voor haar met zijn rug naar mij toe. Nou, niet echt staan. Hij schopt met zijn voeten en zwaait wild met zijn handen in de lucht

'Wees agressief. w-e-e-s agressief. w-e-e-s a-g-r-e-s-s-i-e-f. Agressief. w-e-e-s agressief. Hoooo!' Parker staart naar hem en er kan zelfs geen glimlachje vanaf. Ik moet wel lachen. Hysterisch.

Andrew draait zich om.

'Wat kom jij doen?' vraagt hij.

'Ik ben dit vergeten,' zeg ik en ik pak de fles van het salontafeltje. 'Wat ben jij aan het doen?'

Hij doet alsof hij zich niet schaamt. 'Ik probeer haar aan het lachen te maken,' zegt hij nuchter. 'Zoals jij dat deed.'

Ik schud mijn hoofd alsof ik wil zeggen dat hij het helemaal verkeerd doet. 'Probeer v-i-c-t-o-r-i-e,' zeg ik. 'Dat vindt ze leuk.' Ik loop weer naar buiten. 'En springen,' roep ik over mijn schouder. 'Ze vindt springen leuk.'

Ik lach tegen mezelf als ik naar mijn auto ren. Ik vind het niet meer erg dat ik te laat ben. Dit te zien was de moeite dubbel en dwars waard.

Om zestien minuten over zeven sta ik op de stoep van een huis in Beverly Hills met een fles wijn in de hand. Ik bel aan en een paar seconden later zwaait de deur open en word ik begroet door Melissa (Hannahs mammie).

'Het is Lara!' kondigt ze luidkeels aan. Haar wangen zijn rood en haar ogen glazig en ik krijg het gevoel dat Melissa allang is begonnen.

Ik stap naar binnen en loop naar de studeerkamer waar alle mammunisten zich hebben verzameld rondom een kaasplateau en een kom groenten met dipsaus. Natuurlijk dragen ze allemaal vrijwel hetzelfde: True Religion/Rock & Republic/Blue Cult-jeans, zilveren of gouden sandalen en een topje. Zelfs de accessoires zijn hetzelfde: twee of drie kettingen van verschillende lengte, grote diamanten knopen, heel veel ringen aan de vingers, een elegant tasje. Het is als *The Stepford Wives* die het Beverly Centrum ontmoeten.

Melissa geeft me een glas wijn dat ik in ongeveer vijf seconden achteroversla en dan vult ze mijn glas opnieuw en schenkt ook een glas voor zichzelf in. Over haar schouder zie ik dat er een systeemkaart op de lampenkap in de hoek van de kamer is geplakt. In een groot, kleuterschoolachtig handschrift staat er het woord *lamp* op.

'Wat is dat?' vraag ik aan haar en ik knik met mijn kin in de richting van de lamp. Ze draait zich om om te zien wat ik bedoel en haar gezicht wordt ernstig.

'O, ik ben daar net mee begonnen. Weet je nog dat Susan vertelde dat we naar de lamp moesten wijzen om hun woordenschat op te bouwen?' Ik knik. 'Nou, ik gebruik ook indexkaarten. Het helpt bij vroege woordherkenning.'

Oké. Dat zijn vijf leesniveaus achter.

'Zo,' zegt ze. 'Wie is er vanavond bij Parker?'

'Mijn man is bij haar,' zeg ik. 'En de nanny, technisch gezien, maar zij is klaar om zeven uur. Hij is dus een tijdje alleen.'

'Jouw man brengt haar naar bed?' vraagt ze ongelovig. Ik knik en nip aan mijn glas. 'Wauw,' zegt ze. 'Ik maakte een grapje toen ik dat in de les zei. Ik kan mijn man er niet toe bewegen om voor de baby te zorgen. Hij zou niet weten hoe. Ik heb Hannah naar mijn moeder gebracht en Scott is gaan pokeren. Hij popelde om weg te komen.' Interessant, denk ik.

'Ja, nou, Andrew heeft de laatste tijd heel veel gewerkt en daarom heeft hij niet veel tijd met haar kunnen doorbrengen. Het was echt schattig. Hij was zo opgewonden om bij haar te kunnen zijn.'

Lisa (Carters mammie) loopt rakelings langs ons heen, maar voordat ze weg kan lopen, pakt Melissa haar arm vast en trekt haar naar ons toe zodat ze mijn verbazingwekkende verhaal kan horen.

'Luister hier eens naar,' zegt Melissa. 'Lara's man zorgt vanavond voor de baby, helemaal alléén. Hij wílde dat zelf. Hij brengt haar naar bed en alles.'

Lisa's mond valt open. 'Doet hij haar ook in bad?' vraagt ze.

Ik knik en Lisa schudt verbaasd met haar hoofd. 'Wauw,' zegt ze. 'Kan hij niet eens met mijn man praten?'

Ze lachen en plotseling erger ik me erover dat Andrew al die complimenten krijgt omdat hij zo'n geweldige vader is. Ik bedoel, het is één verdomde avond in drieënhalve maand. Hun mannen zijn echt goed waardeloos als ze dat niet beter doen. Natuurlijk ben ik ook al een beetje aangeschoten en dat verklaart wat ik nu zeg. Min of meer.

'Alsjeblieft,' zeg ik. 'Hij is helemaal niet zo geweldig. Hij heeft zo goed als een affaire met een geile meid van vijfentwintig. Daarom ben ik vanavond hier. Om hem terug te lokken.'

Terwijl ik dit zeg, weet ik dat ik het niet had moeten zeggen. Ik kan niet geloven dat ik het heb gezegd. Maar het is te laat. Ik heb het gezegd. Hun gezichten verstarren als ze iets geschikts proberen te bedenken dat ze kunnen zeggen.

O, mijn god, denk ik. Wat heb ik gedaan? Ik moet ze afleiden. Ik moet hun aandacht afleiden, zodat ze vergeten wat ik zojuist heb gezegd.

'En Parker heeft ook een plat hoofdje,' flap ik eruit.

O, ik ben zo vreselijk. Ik heb mijn kind opgeofferd om mezelf te redden. Ik ben een nog slechtere moeder dan ik dacht. Maar het lijkt erop dat het werkt. Hun ogen worden groot en ze kwijlen gewoon om meer.

'Echt waar?' vraagt Lisa.

Ik trek een gezicht en knik. 'Susan zei dat ze een helm nodig had, maar mijn kinderarts zei dat het niet zo erg is.'

Melissa legt haar hand voor haar mond. 'O, mijn god, ik ken iemand van wie de baby een helm nodig had. Het was afschuwelijk. Weet je zeker dat ze geen helm nodig heeft?'

'Niet volgens mijn dokter,' zeg ik.

Melissa en Lisa kijken teleurgesteld als ze dit horen, maar voordat een van beiden mij kan adviseren om een second opinion te vragen, gaat de bel weer. Melissa kijkt op haar horloge en kijkt ons dan opgewonden aan.

'Dit moet haar zijn! Hé, jongens, ik denk dat onze sexpert er is!'

Er wordt nerveus gelachen en dan wordt het stil in de kamer als Melissa naar de voordeur loopt. Dertig seconden later komt Melissa terug, gevolgd door de sexpert. Ik sta achter in de kamer en kan haar gezicht niet goed zien, maar dat geeft niet. Zodra ik de rode schoenen met hoge hakken zie, hoef ik verder niets meer te zien.

Ik leg mijn hand op mijn mond alsof ik zo kan verhinderen dat ik niet ga overgeven en schuifel langzaam zo ver mogelijk naar achteren in de hoop dat ze me niet ziet.

Dit kan niet waar zijn.

Vreemd genoeg moet ik plotseling denken aan die *Worst-Case Scenario*-boeken. *Het Worst-Case Scenario Handboek: mijn stiefmoeder is de pijplerares.* O, god, ik doe mijn ogen dicht.

Ademhalen, Lara. Gewoon ademhalen.

Mijn woede ten opzichte van mijn vader is nu bijna ondraaglijk. Zie je, dit is precies waarom hij niet bij haar zou moeten zijn. Nu kan ik niet meer naar Susans lessen gaan en moet ik ervoor zorgen dat Parker niet naar dezelfde peuterklas gaat als de andere kinderen, want als dit eenmaal uitlekt, dan kunnen we het allebei wel vergeten. LA is een kleine stad – iedereen kent iedereen. Waar we ook zijn, Parker zal altijd het meisje zijn wier grootmoeder een sexpert is en het maakt niet uit dat ze niet haar echte grootmoeder is. Geloof me, ze zal hevig terugverlangen naar de tijd waarin ze gewoon de dikke baby met het platte hoofdje was. En ik kan ze allemaal al over mij horen praten. *Het is logisch*, zeggen ze. *Weet je nog hoeveel ze wist over glijmiddelen?* O, man, ik kan dit niet geloven. We zullen moeten verhuizen naar die verdomde Death Valley.

Ik loop tegen de tafel op waar de wijn op staat, godzijdank, en ik draai me langzaam om en schenk mijn glas tot de rand toe vol. Als ik de fles terugzet, zie ik een foto van Melissa op haar trouwdag met een oudere man in smoking die haar vader moet zijn want ze hebben allebei precies dezelfde neus. Ik voel een steek in mijn hart als ik naar de foto staar – ik zou zeggen dat het verdriet is, maar dat klinkt een beetje melodramatisch, daarom zeg ik maar dat het een gewone, niet specifieke steek van somberheid is. Haar vader ziet er zo normaal uit. Zo eerlijk en verantwoordelijk. Ik wed dat hij nooit een gokprobleem heeft gehad. En ik wed dat hij ook nooit een date met een stripper heeft gehad. Ik wed dat hij Melissa niet één keer in haar leven heeft teleurgesteld.

Ik zucht en dan sla ik mijn wijn achterover, schenk nog een glas in en draai me weer om. Ik probeer me nog steeds te verstoppen. Ik vraag me af of iemand het zou merken als ik achter de bank wegduik. Ja. Dat zullen ze vast wel merken. Ik zorg er gewoon voor dat mijn gezicht achter dat van iemand anders is en hoop dat ze me niet ziet.

'Hallo, dames!' schreeuwt Nadine. 'Welkom op wat de meest verhelderende avond van jullie leven gaat worden.' De mammunisten giechelen en Nadine gaat verder. 'Ik ben Anna' – *Anna?* – 'en als jullie allemaal gaan zitten dan kunnen we beginnen.'

Tot mijn grote schrik gaan de mensen voor me zitten en binnen een paar seconden sta ik als enige nog rechtop. *O, god.*

In een wanhopige poging me te verbergen til ik mijn wijnglas op en probeer mijn hele gezicht erin te steken, maar het is te laat. Nadine heeft me al gezien. We kijken elkaar recht in de ogen en mijn hart begint te bonzen. Ik houd mijn adem in terwijl ik wacht tot ze lacht of zwaait of naar me toe komt rennen en me omhelst en aan iedereen vertelt dat ik haar dochter ben. Maar ze slaat haar blik snel neer en haar gezicht vertoont geen spoortje van herkenning.

Nou, denk ik en ik ben tegelijkertijd verbaasd en opgelucht en verward. Dat was cool van haar. Ik neem nog een paar slokjes wijn en begin weer te ademen en dan loop ik naar de hoek van de kamer en ga zitten op het onopvallendste plekje dat ik kan vinden. Ik vind het niet nodig om haar eraan te herinneren dat ik hier ben, gewoon voor het geval ze van gedachten verandert.

Nadine/Anna is gekleed als een lerares die recht uit de natte droom van een jongen van vijftien gestapt kan zijn – strakke zwarte kokerrok, witte bloes zover dichtgeknoopt dat je haar kanten, rode push-upbeha kunt zien, een bril met een zwart montuur en een verward knotje waar een potlood uitsteekt. Terwijl ze tegen ons praat, maakt ze haar tas open en begin twaalf middelgrote plastic penissen op Melissa's heel dure salontafel van donker hout te leggen. Ik vermoed dat het de eerste penis is die die salontafel ooit heeft gezien.

'Nou, dames,' zegt ze en ze kijkt ons een voor een aan. 'Als je je maar één ding herinnert van deze bijeenkomst van vanavond, dan wil ik dat je je herinnert dat pijpen nóóit een inspanning is. Want het is géén inspanning. Als je het goed doet, kan het ontspannend, leuk en erotisch zijn voor jou en je partner. Dus.' Ze klapt in de handen. 'We zullen het vanavond een *orale vakantie* noemen.' Iedereen lacht hierom en Nadine/Anne glimlacht naar ons.

'Oké,' zegt ze. 'Laten we beginnen.' Ze wacht even en daagt ons uit met haar ogen. 'Nu, wees eerlijk. Wie van jullie is het afgelopen jaar op een orale vakantie geweest?' We kijken elkaar allemaal aan en niemand steekt de hand omhoog. Oké. Ik ben tenminste niet de enige. Nadine knikt alsof ze dit heeft verwacht.

'De afgelopen twee jaar?' vraagt ze. Nog steeds geen handen. 'Oké. Ik wil een andere vraag stellen. Wie van jullie is op een orale vakantie geweest sinds jullie getrouwd zijn?' We grijnzen allemaal naar elkaar en nog steeds geen handen. 'Precies wat ik dacht,' zegt ze. 'En voordat jullie getrouwd zijn? Wie van jullie is op een orale vakantie geweest toen jullie nog niet getrouwd waren?' Elke hand in de kamer schiet omhoog en we worden allemaal hysterisch.

'Ah, de situatie van de getrouwde man,' jammert Nadine en ze schudt haar hoofd. Ze pakt een plastic zakje met condooms uit haar tas en geeft het aan Melissa. 'Pak er een uit en geef het door,' zegt ze.

Als we allemaal ons condoom hebben, begint ze de penissen uit te delen en zegt dat we ons condoom eroverheen moeten trekken, wat we allemaal gehoorzaam doen. Dan steekt Nadine die van haar zomaar in haar mond en begint zich op het ding uit te leven. Ze kreunt en doet haar ogen dicht en beweegt haar hoofd overdreven op en neer en ik stel me voor dat ze dit bij mijn vader doet, wat misschien wel het onsmakelijkste beeld is dat ik me ooit voor de geest heb gehaald. Het lost echter absoluut elk overgebleven mysterie op over waarom hij met haar wil trouwen.

Na ongeveer tien pijnlijke minuten likt Nadine langzaam over haar lippen, trekt het condoom van de plastic penis en legt ze allebei op de tafel. Ze kijkt naar ons en een donderend applaus klinkt op in de kamer. Nadine buigt.

'Nou dat, dames, noem ik vakantie,' zegt ze.

Iedereen schiet in de lach en een aantal dronken mammunisten begint zelfs te schreeuwen. Ik moet toegeven dat ze er heel sportief mee omgaan. Ik had verwacht dat ze veel zenuwachtiger zouden zijn en meer zouden giechelen. Natuurlijk helpt het dat Nadine gevoel voor humor heeft en dat ze het niet al te serieus neemt. Weet je, als ik haar inmiddels niet al haatte, zou ik haar vast en zeker heel cool vinden.

Maar goed. Na een korte les over waar de gevoeligste plekken op de penis liggen, een toelichting over wat de tong allemaal kan doen en een demonstratie door de hele groep van alles wat we hebben geleerd (twaalf dronken vrouwen met blonde plukken die een totale waarde van ongeveer vijfduizend dollar vertegenwoordigen, en die allemaal proberen niet te kokhalzen op een penis met een condoom), pakt Nadine haar spullen bij elkaar. Een paar mammies gaan naar haar toe om haar te bedanken en haar visitekaartje te vragen en dan is ze eindelijk weg.

O, godzijdank. Ik ben zo dronken dat ik amper rechtop kan blijven staan, maar ik moet maken dat ik hier wegkom. Ik wil het lot niet tarten door hier te blijven waardoor ik een kans krijg om iets stoms te zeggen en mijn geheim prijs te geven. Ik loop naar Melissa toe.

'Ik denk dat ik ga,' zeg ik. 'Maar dank je wel. Dit was zo leuk.'

Melissa doet alsof ze het erg vindt en legt haar arm om me heen. 'Je gaat al?' vraagt ze. 'Maar de salades zijn net pas gearriveerd. En ik wilde dat we allemaal nog wat bleven napraten.'

Ik glimlach treurig en doe alsof ik het jammer vind dat ik niet kan blijven. 'Ik weet het,' zeg ik. 'Maar ik maak me een beetje zorgen over de baby. Mijn man is nog nooit met haar alleen geweest en ik wil voor alle zekerheid even kijken of ze slaapt.' Dit is een leugen, maar het is het perfecte mammunistische excuus. Wie kan nou moederlijke bezorgdheid tegenspreken?

'Oké,' klinkt Melissa teleurgesteld. Dan buigt ze zich naar me toe en gaat zachter praten. 'Maar ik geloof je niet.' Mijn hart begin te bonzen. Heeft Nadine iets tegen haar gezegd toen ze haar uitliet?

'Je gelooft me niet?' vraag ik nerveus.

Melissa schudt haar hoofd en trekt een plagend gezicht. 'Je wilt gewoon naar huis om onze nieuwe techniek uit te proberen. Je moet je man teruglokken, weet je nog?'

O, man. Ik kan niet geloven dat ze dat nog weet met al die alcohol. Maar ik doe alsof ik het met haar eens ben in de veronderstelling dat het mijn vertrek zal bespoedigen.

'Ja,' zeg ik alsof ik betrapt ben. 'Dat klopt.'

Melissa krijst. 'Ik ga het vanavond ook doen,' zegt ze. 'Ik kan niet wachten tot Scott thuiskomt.' Ze likt met haar tong over haar tanden zoals Nadine dat deed. 'Die Anna heeft me echt opgewonden.' Oké, dit is zo walgelijk. tvi, schatje. Teveel Informatie.

Ik doe alsof ik lach en trek mijn wenkbrauwen op.

'Ga ervoor, meid,' zeg ik en ik geef haar de vijf als zusterlijke steun. Ze omhelst me, maar plotseling realiseert ze zich dat ze niet meer weet waar ze haar glas heeft gezet en ze kijkt de kamer rond om het te zoeken.

Oké, denk ik. Maak dat je wegkomt zolang ze afgeleid is. Stilletjes sluip ik weg en loop onopgemerkt door de voordeur die ik snel achter me dichttrek.

16

In door de neus, uit door de mond. In door de neus, uit door de mond.
Ik kan nog helemaal niet gaan rijden en daarom haal ik diep adem terwijl ik op de trap van Melissa's voorportaal zit en probeer te verwerken wat er zojuist allemaal is gebeurd. Wat ís er eigenlijk allemaal gebeurd? Ik bedoel, ik weet wat er is gebeurd: een groepje dronken, verveelde MBZW (Met Baby Zonder Werk) meiden (niet te verwarren met thuisblijvende moeders, die ook een baby hebben en niet werken, maar die dat doen in kleine letters, omdat ze echt voor hun baby zorgen zonder de hulp van huishoudelijk personeel en die ook koken en poetsen en wassen en met de hand carnavalspakjes naaien) heeft zojuist van de verloofde van mijn eigen vader geleerd hoe ze hun man oraal kunnen bevredigen en nu heb ik zin om te gaan huilen.

Maar waarom ben ik zo overstuur?
Dat kan ik niet bedenken. Nadine heeft me niet verraden. Niemand is erachter gekomen dat ze praktisch mijn stiefmoeder is.

Eigenlijk denk ik niet dat het door Nadine komt dat ik overstuur ben.
Wat dan? Waarom zit Luthor wéér in mijn keel?
Ik sla mijn armen over mijn schouders en wrijf erover om warm te blijven. Ik heb een hekel aan de koude nachten in LA, zelfs in de zomer. Dat is één ding dat ik mis met betrekking tot de zomers aan de oostkust – die warme, vochtige nachten. Dat en de regen. Hier regent het nooit in de zomer. De eerste zomer dat ik hier was, nadat ik was afgestudeerd, werkte ik als decaan op een kinderkamp en niet een keer in de hele voorlichtingsweek zeiden ze wat ze met de kinderen deden als het regende. Aan het einde van die week stak ik mijn hand omhoog en vroeg het, en ze keken me alleen maar vreemd aan.

Het regent niet in LA in de zomer, zeiden ze.

Nooit? vroeg ik.

Nooit, verzekerden ze me.

En het regende nooit. Niet één keer in de hele zomer. Ik kon het niet geloven. Ik kan het nog steeds niet geloven en ik woon hier al bijna tien jaar. Maar ik mis het. Een regenachtige zaterdag in de zomer heeft gewoon iets. Het is net een excuus om de hele dag in bed te blijven en televisie te kijken, zonder je schuldig te voelen omdat je niet naar buiten gaat. Het moet een soort zonneschuld van de oostkust of zoiets zijn. Weet je, als het zonnig en warm is, dan moet je naar buiten omdat je nooit weet wanneer het weer zonnig en warm zal zijn. Ik heb een keer geprobeerd om dit aan Andrew uit te leggen, maar hij begreep het niet. Hij zei dat het niet erg is als ik een hele zonnige dag lang in bed bleef liggen, omdat het de volgende dag weer zonnig zal zijn. Maar het is niet hetzelfde. Ik vind dat je moet profiteren van een zonnige dag, om het even hoeveel zonnige dagen er zijn. Gewoon het hele idee maakt me ongerust.

Oké. Ik denk dat ik nu op kan staan.

Ik hijs me omhoog op de trap, houd mijn armen naar de zijkant en probeer in een rechte lijn te lopen. Nou, ik denk dat het recht genoeg is. Ik woon maar een dikke kilometer ver weg. Ik loop de oprit af naar de stoep en loop naar de plek waar ik mijn auto heb geparkeerd. Ik ben ongeveer halverwege als ik in het donker een stem hoor. Ik probeer te ontdekken waar die vandaan komt, maar mijn ogen zijn nog niet aan het donker gewend.

'Ik denk dat je niet in staat bent om te rijden, schat.' Het is Nadine. Ik draai me om om te zien of er nog iemand van het feestje naar buiten is gekomen, maar de straat is leeg en daarom loop ik naar haar toe.

'Je hebt vast wel gelijk,' brabbel ik. Als ik dichterbij kom, verlies ik mijn evenwicht en ik verlies mijn rechterschoen. Nadine pakt mijn arm. 'Ik ben nu moeder,' zeg ik. 'Ik moet verantwoordelijk zijn.'

'Ga met mij mee,' stelt ze voor. 'Ik ken een plek hier dichtbij waar je nuchter kunt worden. Ik zorg voor koffie.'

'Ik drink geen koffie,' zeg ik. 'Daar krijg ik maagpijn van.'

'Dan krijg je water. Kom mee. Stap in de auto.'

Ze doet het portier voor me open. Ik schuif naar binnen en zak op het zwarte leer van de stoel in elkaar. Ze loopt om de auto heen naar de bestuurdersplaats, stapt in en start de auto. Een paar minuten lang zeggen we allebei niets, maar dan heb ik eindelijk al mijn moed bijeengeraapt en verbreek de stilte.

'Waarom heb je niks gezegd?' vraag ik.

Een spottend lachje verschijnt op Nadines gezicht. 'Schatje, waar ik werk, geldt de hoofdregel dat je nooit hallo tegen iemand zegt, tenzij je wordt verwacht.'

Ik knik begrijpend. Wijze regel.

'Nou, dank je wel,' zeg ik en ik haal een schouder op. 'Het zou gewoon moeilijk uit te leggen zijn.'

Ze kijkt recht voor zich uit, haar ogen op de weg. 'Dat is het altijd.'

Een paar minuten later stopt ze langs het trottoir en als ik uit het raampje kijk, zie ik een portier naar mijn deur komen rennen en een rij van vijf of zes oude mannen bij de voordeur.

Wacht even, denk ik en ik herinner me plotseling het 'Anna'-kostuum dat ze op het feestje droeg. *Ik kan niet uitstappen zolang Nadine eruitziet als een lerares.* Ik kijk weer naar haar, klaar om te protesteren, maar nu ziet ze er normaal uit. Haar bloes is dichtgeknoopt, haar haren zijn weer los en ze heeft de bril afgezet. Als ze die rode schoenen niet aanhad, zou je denken dat ze gewoon een borrel ging pakken na een lange dag op kantoor. *Oké. Goed.*

Ik stap uit de auto en zoek een bord boven de deur van de bar, maar er hangt geen bord. O, hoe trendy. Ik vraag me af of je een geheim wachtwoord moet hebben om binnen te komen.

'Wat is dit?' vraag ik haar.

'This Place,' zegt ze.

Ik houd mijn hoofd opzij. 'Ja, maar hoe heet het?' Ik voel me Abbot. Of Costello. Wie van de twee er in de war is.

'Het heet This Place,' legt ze uit als we naar het begin van de rij lopen. 'Het is er altijd al geweest. Ik kwam hier al toen ik op de middelbare school zat. Jimmy, de eigenaar, moet wel tweehonderd jaar oud zijn en hij staat nog elke avond achter de bar.' Ze werpt me een blik van verstandhouding toe. 'Jimmy zal voor ons zorgen. Hij is een oude vriend van mij.' Ze gebaart aanhalingstekens rondom de woorden *oude vriend*. Ik besluit dat dit de code is voor *voormalige cliënt* en ik ontdek dat ik me afvraag of dit een algemene term is in haar branche of dat ze die zelf heeft verzonnen.

Nadine loopt naar een jongen met een oortelefoon en fluistert hem iets toe, en hij maakt de deur meteen voor ons open. We gaan naar binnen. Het is een verrassend grote ruimte en schaars verlicht, en een man speelt Frank Sinatra-achtige liedjes op een zwarte piano in de hoek. De ruimte is al tamelijk vol, maar zoals de rij die buiten staat al voorspelt, is het een ouder publiek. Een groot aantal mannen van in de vijftig in sportief pak en met een ongezonde kleur kijken stuk voor stuk naar Nadine. Ze kijken helemaal niet naar mij. Zelfs geen vluchtige blik wordt op mij geworpen.

Maar goed, denk ik en ik probeer me er niets van aan te trekken dat ik ben gedegradeerd tot de rol van alledaags maatje van een vrouw die bijna twee keer zo oud is als ik. *Ik zal hier in elk geval niemand tegenkomen die ik ken.*

De jongen met de oortelefoon gaat ons voor naar een nis helemaal bekleed met rood vinyl en even later komt een serveerster. Nadine bestelt een wodka met gin en citroen en ik vraag een glas water en als we wachten tot ze terugkomt, leun ik met mijn hoofd tegen het vinyl en sluit mijn ogen. Maar mijn hoofd begint te tollen als ik dit doe en daarom doe ik mijn ogen weer open. Misschien moet ik maar gewoon wat praten, zodat ik er niet aan hoef te denken hoe belabberd ik me voel. Ik staar even naar Nadine en kijk hoe ze de nis in zich opneemt.

'Waarom doe je dit?' vraag ik.

Nadine richt haar aandacht weer op mij en tikt met haar lange rode nagels op de tafel. 'Wat?'

'Die feestjes. Ik dacht dat je gepensioneerd was.'

'Ik ben gepensioneerd, schatje,' zegt ze lachend. 'Maar dat is saai. Ik moest iets vinden om bezig te blijven.'

Ik stribbel tegen. 'Heb je nog nooit van golfen gehoord?' vraag ik.

Nu brult ze van het lachen. 'O, die is goed. Die moet ik tegen je vader vertellen. Hij zei dat je grappig was. Ik geloofde hem niet, maar hij heeft het gezegd.'

'Echt waar?'

De serveerster brengt onze drankjes en Nadine vraagt haar om ze op te schrijven. Als de serveerster is vertrokken, roert Nadine in haar drankje, perst er een beetje citroensap in en neemt een klein slokje. Ze knikt naar me.

'Ja, echt waar.' Ze ziet mijn verbazing en gaat door. 'Hij is heel trots op je. Zegt van alles over je. Jij was de beste van de klas, je was cheerleader, je ging naar een Ivy League-universiteit. Hij schept op over jou tegen iedereen die wil luisteren.'

'Doet hij dat?'

Nadine knikt weer.

'Hij is jouw vader, schatje. Hij houdt van jou. Hij is stom geweest, natuurlijk, maar dat verandert niets aan zijn gevoelens.'

'Ik weet het niet,' zeg ik en ik schud mijn hoofd. 'De laatste tijd begrijp ik de liefde niet meer. Ik ben er niet meer zeker van of ik nog wel weet wat het is.'

'O, kom op,' gispt Nadine. 'Genegenheid en liefde zijn net als kunst en porno. Soms is het moeilijk om het verschil te beschrijven, maar je weet het als je het ziet.'

'Ik heb dat eerder gehoord,' zeg ik en ik probeer me te concentreren. 'Wacht even, dat is een oude zaak van het hooggerechtshof, die ik op de universiteit heb gelezen. Waarom citeer je zaken van het hooggerechtshof?' Ik sluit mijn ogen, omdat mijn hersenen moe zijn van de inspanning om zich dat oude feit te herinneren, maar ik doe ze meteen weer open. Ronddraaiend rood vinyl is absoluut niet goed.

Nadine lacht. 'Laten we zeggen dat ik de pornografiewetten goed ken,' snuift ze. 'Maar dat doet nu niet ter zake. Wat bedoel je, dat je niet weet wat liefde is?'

Ik zucht. In mijn achterhoofd hoor ik hoe mijn nuchtere ik probeert te verhinderen dat mijn dronken ik alles aan Nadine vertelt, maar mijn dronken ik is gewoon te dronken om zich daar iets van aan te trekken.

'Ik... oké. Andrew, mijn man, gaat met de hond naar die agility-lessen – heb je wel eens agility gezien op Animal Planet?' Nadine schudt haar hoofd. 'O. Je moet eens kijken. Het is schattig. Maar goed, er is een nieuw meisje in de klas en zij is vijfentwintig en ze is mager en van nature blond en Andrew flirt met haar en hij heeft haar niet verteld dat hij een baby heeft en hij heeft mij niet verteld dat ze in de klas zit en ik voel me gewoon zo'n oude taart bij haar vergeleken, weet je. Ze is single, ze heeft geen kinderen, ze is niet gebonden en ik denk dat Andrew daardoor wordt aangetrokken.'

Nadine luistert en knikt naar me. 'Denk je dat hij een verhouding met haar heeft?'

Ik trek een gezicht. 'Misschien ben ik gewoon naïef, maar nee, ik denk van niet.' Ik zucht. 'Ik bedoel, kijk, ik weet dat hij van mij houdt en hij heeft mijn spot en hatelijkheden vroeger altijd geslikt, maar ik heb gewoon het gevoel dat ik sinds de baby is geboren zo'n grote last ben geworden. Ik ben altijd moe, ik voel me altijd dik, ik ben gestrest over van alles. Ik zou hem geen ongelijk geven als hij een verhouding had. Ik zou niet bij mij willen zijn als ik hem was. En we hebben bijna geen seks meer. Ik bedoel, dat hebben we wel gehad sinds de baby en het werd allemaal beter, maar sinds ik het heb ontdekt over Poedel Bitch... ik weet het niet. Ik zie misschien wel spoken, maar ik voel me gewoon heel onzeker. Daarom ging ik naar dat gedoe vanavond in de hoop inspiratie te krijgen – je was heel goed, tussen twee haakjes – maar ik voelde het gewoon niet. Ik heb het gevoel dat ik mezelf niet meer ben. Ik denk dat ik niet meer zo sexy kan zijn. Ik voel me nu gewoon een moeder. Een te zware, oververmoeide, overbelaste, doodgewone moeder.'

Nadine knikt weer. 'En dat is het? Daarom maak je je zorgen over de liefde?'

Ik schud mijn hoofd en drink mijn glas water leeg. 'Nee,' zeg ik. 'Dat is het niet. Ik maak me ook zorgen over Parker. Die meisjes van vanavond zijn allemaal van mijn Mammie-en-ik-klas en ze zijn heel graag bij hun baby. Ze zijn er helemaal bezeten van. Het is alsof alleen hun baby belangrijk is. En ik weet dat ik van haar hou, maar zo voel ik het gewoon niet. Ik wil dit ook voelen – ik wóú dat ik het zo voelde – maar dat doe ik niet. Ik heb nog steeds soms genoeg van haar en raak gefrustreerd door haar en ik wil niet de hele tijd bij haar zijn. En weet je wat zo treurig is? Ik kan niet wachten om weer aan het werk te gaan. En dat is niet omdat ik zoveel van mijn werk hou. Ik bedoel, ik hou echt van mijn werk, maar dat is niet de enige reden. Het komt omdat mijn werk het perfecte excuus is om Parker alleen te laten zonder me schuldig te hoeven voelen.' Een lamp gaat aan in mijn hoofd en ik lach opgewonden. 'Eigenlijk,' ik steek mijn rechterwijsvinger omhoog, 'is werk net als regen. Regen in de zomer.' Ik knik tegen mezelf en ben heel tevreden met deze analogie.

'Ik ben je kwijt,' zegt Nadine.

'Dat is niet erg,' zeg ik. 'Ik was gewoon hardop aan het denken. Maar soms denk ik dat ik niet echt van haar hou. Of dat ik wel van haar hou, maar niet genoeg, of niet op de juiste manier.'

Uit het niets spoelt een golf van dronken begrip over me heen en plotseling weet ik precies waarom ik zojuist zo van streek was. Plotseling wordt het me allemaal volkomen duidelijk.

'Weet je wat?' zeg ik opgewonden omdat ik mezelf nu begrijp. 'Ik denk dat ik jaloers ben op die mammunisten. Die MBZW-meiden. Hun leven is zo eenvoudig, weet je. Zij verwachten niets van hun man en daarom zijn ze nooit teleurgesteld. Zij hebben geen baan en daarom hoeven ze geen moeite te doen om een evenwicht te zoeken. Zij kunnen de hele tijd met hun baby praten, met de baby naar cursussen gaan, dingen voor de baby kopen en systeemkaartjes op de lampenkappen plakken, en omdat ze niets anders te doen hebben, is het oké als ze hun kind elke dag een paar uur bij de nanny laten. Maar zo ben ik niet. Ik wil dat Andrew meewerkt, omdat Andrew en ik altijd alles samen doen en ik zie niet in waarom dat nu anders zou moeten zijn. Daarom ben ik kwaad als hij doet alsof ik alles alleen zou moeten doen. En weet je wat er nog meer is?'

Nadine schudt haar hoofd. 'Nee,' zegt ze. 'Wat is er nog?'

Ik steek mijn wijsvinger weer omhoog en begin ermee naar mezelf te wijzen. 'Ik weet dat ik over een paar weken weer ga werken en daarom heb ik het gevoel dat ik nú gebruik moet maken van al die kwaliteitstijd met haar, voordat mijn zwangerschapsverlof voorbij is. Ik heb het gevoel dat ik alleen maar deze vijf maanden heb om indruk op haar te maken en om ervoor te zorgen dat ze het meeste van mij houdt, want als ik weer ga werken, heb ik daar geen tijd meer voor. En dáárom voel ik me altijd zo schuldig als ik haar alleen laat en dáárom ben ik altijd zo gestrest over mijn plaats op de totempaal en dáárom word ik gek van het berekenen van het aantal uren dat Parker bij mij is en het aantal uren dat Parker bij Deloris is. Dát is mijn probleem.' Ik schud mijn hoofd, verbaasd over deze onthulling.

'Schatje,' zegt Nadine. 'Ik moet je vertellen dat ik er niet goed wijs uit word.'

'Sorry,' zeg ik. 'Maar ik begrijp het wel.'

Nadine knikt. 'Het is me duidelijk,' zegt ze. 'Het lijkt alsof je je zelfvertrouwen moet terugkrijgen. Je voelt je niet sexy en je denkt dat je geen goede moeder bent. Dat is de kern, nietwaar?'

'Mmm-hmmm.' Ik drink mijn glas water leeg en begin op een ijsblokje te kauwen. Waar is die serveerster?

'Kijk,' zegt ze. 'Op de eerste plaats zou je man gek zijn als hij je bedriegt. Het is heel lang geleden dat ik zo'n knap meisje heb gezien. Tien jaar geleden had ik je gevraagd om voor me te komen werken. En geloof me, mijn klanten wilden alleen maar het mooiste.'

Ik snuif. 'Ja, nou, als ik zo knap ben, waarom kijkt elke man hier dan naar jou?'

Nadine lacht. 'Nou, dat is nu juist het geheim. Je hoeft helemaal niet zo aantrekkelijk te zijn om een man te krijgen, schat. Je moet alleen zelfverzekerd zijn en je moet dat zelfvertrouwen uitstralen.' Ze duwt haar handen weg van haar borsten als ze het woord *uitstralen* zegt. 'Je moet het voelen, dat is alles. Kom op, Lara. Dat meisje waar je man mee flirt? Ze is vijfentwintig. Een kind. Denk eens hoe bang zij voor jou moet zijn. Jij bent een vrouw. Een echtgenote. Een moeder. En wat maakt het uit dat ze mager is? Jij bent ervaren. Jij bent van de wereld.' Een boosaardig glimlachje verschijnt op haar gezicht. 'En nu weet je hoe je moet pijpen.'

'Eigenlijk heet het een orale vakantie,' corrigeer ik haar.

'Dat klopt,' zegt ze en ze klopt op mijn hand. 'Ik wilde alleen even zien of je wel hebt opgelet.' Ze neemt nog een slokje uit haar glas en schudt haar hoofd. 'En je baby? Lara, de juiste manier om moeder te zijn bestaat niet. Je denkt er veel te veel over na. Je houdt van haar ook al weet je niet hoe en zij vereert je gewoon omdat je het probeert.'

Ik zucht. 'Maar die andere mammies... Met hen kan ik niet concurreren.'

'Het is geen wedstrijd.'

'Zo voelt het wel.'

Deze keer is het Nadine die zucht. 'Ik heb geen kinderen,' zegt ze. 'En misschien ben ik niet de juiste persoon om je advies te geven. Maar volgens mij doe je het heel goed en het feit dat je zo je best doet, moet meetellen.'

Ik haal mijn schouders op, niet overtuigd, en Nadine buigt zich naar me toe. 'Luister, lieverd, al die krachten werken nu tegen je en je hoeft alleen maar een manier te vinden om ze vóór je te laten werken. En als je kunt bedenken hoe je dat moet doen, dan ben je niet meer te stoppen. Geloof me, ik heb het zelf ook gedaan. Zo begint elk succesverhaal. Stuk voor stuk.'

Ik weet niet waar ze het over heeft – krachten die tegen me werken? Wie ben ik, Luke Skywalker? Nou, ik denk dat ik daarom gevraagd heb als ik advies over het huwelijk en het ouderschap vraag aan een ongetrouwde, kinderloze, gepensioneerde madam die in haar vrije tijd mensen leert pijpen en die met mijn vader is verloofd, en niets minder. Ik bedoel, haar smaak met betrekking tot mannen maakt haar niet bepaald geloofwaardig in mijn ogen. Alhoewel, ik denk dat ik haar eigenlijk best aardig vind. Misschien is het gewoon de alcohol, maar ik begin van haar te houden.

'Nadine, mag ik je iets vragen?'

'Natuurlijk, lieverd.'

'Wat zie je in mijn vader?'

Nadine lacht weemoedig en denkt even na voordat ze antwoord geeft. 'Ik zie mezelf,' zegt ze ten slotte. 'Iemand met een goed hart en goede bedoelingen, maar die niet altijd de juiste keuzes heeft gemaakt in het leven. Weet je, schatje, je vader heeft alleen maar iemand nodig die voor hem zorgt en die hem verzorgt.' Ze gniffelt tegen zichzelf. 'En die hem leert wat hij moet doen in een relatie. Daar is hij niet zo goed in, maar we werken eraan.'

'Het lijkt alsof je over een kind praat.'

'Alle mannen zijn kinderen, Lara. Pas als je dat weet, kun je ze begrijpen.'

'Dan denk ik dat ik hem nooit zal begrijpen, want kinderen zijn niet bepaald mijn sterke kant.'

Nadine is met stomheid geslagen. Ze kijkt me hartelijk aan, maar geeft geen antwoord, en dat is maar goed ook, want ik begin nuchter te worden en heb er genoeg van om naar mezelf te luisteren.

'Ik wil een cola,' zeg ik en ik sta op. 'Wil jij nog iets te drinken?'

'Nee, dank je,' zegt ze. 'Maar ik ga met je mee. Ik wil toch nog hallo zeggen tegen Jimmy. Ik heb hem in geen maanden gezien.'

We glippen samen de nis uit en lopen naar de bar waar we een paar minuten staan te wachten tot Jimmy tijd voor ons heeft. Ik kijk om me heen en neem de omgeving in me op, en dan zie ik vanuit mijn ooghoek een vrouw die een paar stoelen verderop aan de bar zit. Ze komt me wel heel erg bekend voor.

Nee. Dat kan niet. Dat kan zij niet zijn.

Ik staar naar haar en probeer een glimp van haar hele gezicht op te vangen, maar ik zie haar alleen maar van de zijkant. Ik moet het zien en daarom loop ik naar haar toe, ga op de kruk naast haar zitten en buig me van de zijkant naar haar toe. Ze ís het. Ik tik op haar schouder en ze draait zich om.

'Stacey,' zeg ik. 'Wat doe jij hier? Waarom heb je me niet teruggebeld?'

Ze is absoluut geschokt om mij hier te zien. 'Wat doe jíj hier?' vraagt ze verdedigend.

Ik leg mijn handen op mijn heupen en kijk naar haar. 'Jij eerst,' commandeer ik. Ze slaat haar ogen ten hemel en zucht.

'Goed. Ik heb het niet gehaald, oké? Ik kwam twee stemmen tekort. Ze boden me een andere baan aan en ik heb gezegd dat ze konden opsodemieteren. Nu ben ik dus werkloos en ik zit de hele dag in dit café te drinken en probeer te bedenken hoe ik de stukken van mijn kapotte leven weer aan elkaar kan lijmen. Tevreden?'

Ik schud mijn hoofd. 'O, mijn god, ik vind het zo erg. Ik kan het niet geloven.' Stacey knikt en ik zie dat ze dikke ogen heeft. 'Ze zijn gek,' zeg ik. 'Ze vinden nooit meer iemand die zo goed is als jij.'

'Maar goed,' zegt ze, 'bespaar me je peptalk. Ik ben eroverheen. Ik wilde je dit weekend bellen om het te vertellen. Ik kon er gewoon nog niet over praten.'

'Dat geeft niet. Weet je al wat je gaat doen?'

Ze haalt haar schouders op. 'Ik heb een paar ideeën die ik onderzoek. Maar wat doe jij hier eigenlijk? Ik dacht dat ik de enige persoon onder de vijftig was die deze plek kende.'

'Dat was je. Ik ben hier met Nadine.'

Stacey staart me verbijsterd aan. 'Wacht even,' zegt ze. 'Je bent met Nadine? Ik dacht dat je een hekel aan haar had.'

Ik knik en ben zelf ook een beetje verbaasd. 'Dat heb ik ook,' zeg ik. 'Ik bedoel, dat had ik. Ik weet het niet.' Ik bloos als ik bedenk hoe ik dit moet uitleggen. 'Zij bleek vanavond de lerares op het pijpfeest te zijn en ik werd een beetje dronken en daarom heeft ze me hierheen gebracht om nuchter te worden.'

Stacey's ogen gaan wijd open. 'Zij was de lerares op het pijpfeest? Heb je het bestorven?'

Ik schud mijn hoofd. 'Nee. Dat is het net. Ik bedoel, wel toen ze binnenkwam, geloof me. Maar ze deed gewoon alsof ze me niet kende. Ze was heel cool.'

Stacey trekt een gezicht alsof ze onder de indruk is. 'Wauw. Dat moet je respecteren.'

'Dat weet ik. Vooral omdat ik zo'n kreng ben geweest. Maar goed, de afgelopen drie kwartier heb ik mijn hart bij haar uitgestort. Ze staat daarachter.' Ik wijs naar haar en Stacey kijkt zoekend rond.

'Die rooie? Dat is Nadine?' Ik knik. 'Ik heb me haar kitscheriger voorgesteld.'

'Ze knapt zich goed op,' zeg ik. 'Behalve de schoenen.'

Stacey strekt haar hals uit om te zien wat ik bedoel. 'Ooooo,' huivert ze. 'Jammer.'

Ik knik weer. 'We zitten aan dat tafeltje daarachter,' wijs ik. 'Waarom kom je niet bij ons zitten?' Stacey aarzelt even. 'Kom óp. Je hoeft niet altijd ongezellig te doen.'

'Oké,' zegt ze. 'Maar ik wil niet over de firma praten.'

Ik houd twee vingers in de lucht en zweer: 'Dat beloof ik. Bovendien ben ik vanavond te veel door mezelf in beslag genomen om over jou te praten.'

Stacey lacht. 'Perfect.'

Ik bestel mijn Cola Light en Stacey en ik lopen met onze drankjes naar het tafeltje en gaan zitten. Even later komt Nadine terug en kijkt verontrust.

'Nadine,' zeg ik en ik wijs naar Stacey. 'Dit is mijn vriendin Stacey. Ik liep haar toevallig tegen het lijf aan de bar.' Stacey en Nadine geven elkaar de hand en Nadine gaat zitten. Ze lijkt bleek. 'Is alles oké?' vraag ik. Ze schudt haar hoofd.

'Ik heb net met Jimmy gepraat.' Ze kijkt naar Stacey. 'Hij is de eigenaar,' legt ze uit. 'Hij heeft kanker. Zijn dokter heeft een onderzoek voor een experimentele behandeling voor hem afgesproken, maar dat is in New York en het begint volgende week en daarom moet hij de bar sluiten. Hij heeft geen tijd meer om hem te verkopen en niemand anders om hem te runnen. Hij heeft geen familie of zo.' Nadine heeft tranen in haar ogen. 'Arme kerel. Alles wat hij heeft zit in deze bar.' We zijn allemaal even stil en dan kijkt Stacey van Nadine naar mij en weer naar Nadine.

'Ik koop hem,' kondigt ze aan. Nadine en ik staren haar aan.

'Wat?' zeggen we in koor.

'Ik koop hem.'

'Stacey,' zeg ik, 'weet je dat zeker? Dat is een te grote beslissing om zomaar in een opwelling te nemen.'

'Het is geen opwelling. Ik heb erover gedacht dat ik een restaurant of een bar zou willen openen en ik heb niets anders te doen.' Ze kijkt naar Nadine en geeft een korte verklaring. 'Ik ben advocaat en ik heb zojuist gehoord dat ik geen partner word van mijn kantoor en daarom heb ik hier de hele week zitten bedenken wat ik nu ga doen.' Ze kijkt weer naar mij. 'Weet je, ik hou van deze plek. Ik kom hier al jaren. Ik kreeg hier mijn eerste legitieme drankje van mijn moeder toen ik achttien werd. Het is perfect. En het is niet zo dat ik geen geld heb. Ik heb een fortuin verdiend en dat zit gewoon in aandelen omdat ik geen tijd heb gehad om het uit te geven.' Ze begint om zich heen te kijken en plannen te maken. 'Ik kan het een beetje opknappen, een paar opwindende barkeepers en serveersters in dienst nemen, moderne muziek draaien, een jonger publiek proberen te trekken... Ik denk dat het cool kan zijn. Het is een verbazingwekkende locatie.' Ze knikt enthousiast. 'Ik wil het doen.'

Nadine kijkt me opgewonden aan. 'We kunnen hier mijn vrijgezellenfeest houden! Dat zou jouw grote opening kunnen zijn.'

Stacey fronst de wenkbrauwen. 'Nou, ik weet niet of het allemaal zo snel kan. Ik bedoel, ik heb een drankvergunning nodig, ik moet een aannemer zoeken en vergunningen bij de gemeente aanvragen en ik moet medewerkers zoeken. Dat duurt vast een paar maanden.'

Nadine wuift met haar hand en knipoogt naar mij. 'Lieverd, ik kan ervoor zorgen dat je over twee weken kunt openen. De directeur van de instantie die de drankvergunningen regelt is een oude vriend van mij en het hoofd van bouw- en woningtoezicht ook. En vertrouw me, ik kan zorgen voor opwindende vrouwen.'

'Echt waar?' vraagt Stacey. 'Hoe kun je dit soort gunsten krijgen?'

Nadine lacht, maar voordat ze iets kan zeggen, val ik haar in de rede. Ik weet niet wat ze had geantwoord, maar ik geef deze informatie liever zelf.

'Dat kan ze gewoon,' zeg ik. 'Ze kent heel veel mensen.' Nadine knikt en Stacey haalt haar schouders op en lacht en denkt er verder niet over na.

'Dat is dan afgesproken,' zegt ze.

Nadine steekt haar hand uit en ik kijk toe hoe mijn beste vriendin, de voormalige advocaat, en mijn toekomstige stiefmoeder, de voormalige Hollywood Madam, elkaar over de tafel heen de hand schudden.

17

Als ik eindelijk thuiskom, zitten Andrew en Deloris op de bank naar *Almost Famous* te kijken en ze eten samen uit een kom popcorn.

'Hoi,' zeg ik en ik probeer niet te laten zien dat ik me erger als ik die twee zo samen zie zitten.

'O, hoi,' lacht Andrew. Deloris kijkt me al kauwend aan.

'Hoi, mevrouw Lara,' zegt ze. Dan draait ze zich om en slaat Andrew op zijn knie. 'Deze popcorn is zó lekker,' roept ze uit.

Andrew kijkt haar stralend aan. 'Deloris heeft nog nooit popcorn gegeten,' zegt hij. 'Kun je dat geloven?'

Ik trek mijn wenkbrauwen op. 'Belachelijk,' zeg ik. Dit is zo ongelofelijk. Deloris blijft nooit laat op als ik er ben. Ik wed dat ze hem zelfs heeft geholpen met Parker in bed te stoppen en zo. Nadat ik ben weggegaan en iedereen heb verteld hoe schattig hij was, omdat hij tijd met de baby alleen wilde doorbrengen.

O, god, krimp ik ineen als ik eraan denk wat ik hun allemaal nog meer heb verteld. Ik moet volgende week in de klas een ernstige poging doen om de schade binnen de perken te houden. Ik trek mijn schoenen uit. Dan loop ik de studeerkamer uit en laat die twee daar zitten.

'Welterusten,' roep ik over mijn schouder. 'Ik ga naar bed.'

Een paar minuten later komt Andrew de slaapkamer in gelopen.

'Waarom ben je weggelopen?' vraagt hij aan me.

'Omdat,' zeg ik, 'ik je niet wilde storen bij je date.'

Andrew lacht. 'Nu denk je dus dat ik ook met Deloris omga?'

Ik sta op het punt er een hatelijk, sarcastisch antwoord uit te gooien als ik zie dat zijn lippen knalrood zijn. 'Andrew, heb je alweer lippenzalf met aardbeiensmaak op?' vraag ik hem op een beschuldigende toon.

Hij steekt zijn tong uit en likt zijn lippen en smakt er een paar keer mee, alsof hij juist iets heerlijks heeft geproefd. 'Mmm-hmmm,' zegt hij enthousiast.

'Je moet daarmee ophouden. Dat heb ik je al honderd keer gezegd. Je ziet eruit alsof je lippen helemaal zijn gesprongen. Alsjeblieft, gebruik toch gewoon de doorzichtige zalf.'

Hij kijkt me bedroefd aan. 'Maar ik vind aardbeien lekker,' zegt hij. 'Het smaakt goed.'

Weet je wat? Nadine had gelijk. Hij is een kind. Ik sla mijn ogen ten hemel en loop naar de badkamer.

'Hoe was jouw avond?' vraagt hij.

'Goed,' lieg ik. 'Hoe was die van jou? Hoe ging het met Parker?' Ik spat een beetje water in mijn gezicht en pak mijn gezichtsreiniger.

'Ze is zo schattig,' antwoordt hij. 'Ik zou willen dat ik wat meer tijd met haar kan doorbrengen.'

Ik wil hem vertellen dat hij dat kan als hij ophoudt met agility, maar dan herinner ik me dat Courtney me niet meer interesseert. Tenminste, niet hardop.

'Je moet gewoon tijd máken,' zeg ik en ik begin te schrobben. 'Maar als je je daardoor beter voelt, de andere mannen brengen ook geen tijd met hun baby door. Dat willen ze zelfs helemaal niet.'

Ik spoel mijn gezicht af en bet het droog, en Andrew zucht.

'Maar goed,' zegt hij. 'Ik kan gewoon niet geloven hoeveel ik van haar hou.'

'Dat komt omdat je niet elke dag bij haar bent,' zeg ik terwijl ik een beetje Crest Vivid White Night-tandpasta op mijn tandenborstel doe.

Hij schudt zijn hoofd naar me. 'Nee, dat is niet waar. Ik zweer je, ik kon elke seconde bij haar zijn. Als ik nu kon stoppen met werken en altijd bij haar kon zijn, dan zou ik dat doen.'

Ik staar hem even aan. 'Andrew,' zeg ik. 'Ben je vanavond wel met haar alleen geweest? Want alleen is niet hetzelfde als wanneer Deloris er is om je te helpen.'

Hij is diep beledigd door deze suggestie. 'Ik heb álles zelf gedaan,' verklaart hij. 'Deloris zat alleen maar bij me omdat ik op haar deur heb geklopt nadat ik Parker naar bed heb gebracht en ik haar heb gevraagd of ze een film wilde kijken.'

'Dan begrijp ik het niet,' zeg ik. 'Heb je er geen hekel aan als ze huilt? En vind je het niet vervelend om de hele avond bij haar te zitten? Ze dóét niks.'

Hij schudt zijn hoofd.

'Nee. Huilen vind ik niet erg. En ik begrijp niet wat jij vervelend aan haar vindt. Ze neemt de hele wereld in zich op. Elke keer als je haar iets anders laat zien, is het de eerste keer dat ze dat ziet. Het is alsof je haar letterlijk leert hoe de wereld in elkaar zit. Dat is toch cool?'

Ik voel dat ik weer wil huilen. Het is al erg genoeg dat de mammunisten me het gevoel geven dat ik niet geschikt ben. En nu is Andrew ook nog beter dan ik. Ik had hém naar het pijpfeest moeten sturen en ik had moeten gaan pokeren met de vaders. Dat zou veel toepasselijker zijn geweest.

Andrew is even stil en krijgt een bezorgde blik op zijn gezicht.

'Maar heb jij ook gezien dat ze zo raar doet met haar linkerarmpje?'

'Wat?' vraag ik sceptisch. Ik heb er geen idee van wat hij bedoelt.

'Ze tilt het omhoog en laat het dan weer zakken en dat doet ze voortdurend.' Zijn wenkbrauwen zijn gefronst en hij kijkt ongerust. 'Denk je dat ze misschien traag is?'

O, hier gaan we weer. Ik wist dat dit nog eens zou gebeuren. Het was alleen maar een kwestie van tijd voordat Andrew weer met dat trage gedoe zou beginnen. En met 'weer' bedoel ik dat hij het al eens heeft gedaan. Met de hond.

Toen Zoey een puppy was, probeerde Andrew clickertraining bij haar – een clicker is een plastic hulsje waarin een reepje metaal zit. Je geeft een commando en als de hond doet wat hij moet doen, duw je met je duim op het metalen reepje en dan klinkt er een click en geef je de hond een beloning. Zoey deed het goed zolang we alleen maar 'zit' deden, maar toen kreeg Andrew de smaak te pakken en probeerde 'ga liggen', 'praat' en 'high-five' en arme Zoey raakte helemaal in de war. Elke keer als ze de clicker zag, tilde ze haar voorpoot omhoog, blafte en viel op de grond en dat allemaal op hetzelfde moment, voordat Andrew zelfs maar de kans kreeg om haar te vertellen wat hij wilde dat ze deed. Natuurlijk was hij er toen van overtuigd dat ze traag was. Elke avond brak hij zich een halfuur lang het hoofd over de moeilijkheden die een geestelijk gehandicapte wheaten terriër in deze wrede wereld onder ogen moet zien en het werd zo'n grote obsessie voor hem dat hij een afspraak maakte bij een hondenpsycholoog om haar te laten testen. Op dat moment ging ik me ermee bemoeien en maakte er een einde aan, omdat ik niet van plan was tweehonderdvijftig dollar uit te geven aan een Weschler-test voor een puppy van drie maanden.

'Ze is niet traag, Andrew,' zeg ik door het schuim van mijn tandpasta heen. Ik spuw in de wasbak. 'Maar ze is misschien een klein beetje achter.'

'Wat?' Andrews hoofd draait zich zo snel rond dat ik bang ben dat het te ver draait en afbreekt. Ik zie het al over de grond rollen terwijl het naar me schreeuwt omdat ik geen borstvoeding meer geef. 'Waar heb je het over?'

'Ik weet het niet,' zeg ik. 'Ik vraag me alleen maar af of we haar wel goed opvoeden. Ik was vanavond bij een van de andere mammies en ze had systeemkaartjes op de meubels geplakt om vroege woordherkenning te bevorderen.'

Andrew ziet eruit alsof hij stuipen krijgt.

'Nou, dan moeten wij dat ook doen. We kunnen Parker niet achter laten raken. Dat is onaanvaardbaar.'

Shit. Dat had ik nooit moeten zeggen. Hij wordt Rick Moranis in *Parenthood*, de vader die zijn kindje van drie voortdurend in vier verschillende talen ondervraagt en stapels systeemkaarten in zijn zakken heeft. Ik loop de badkamer uit en kruip in bed.

'Eigenlijk denk ik dat systeemkaartjes op deze leeftijd overdreven zijn. Maar ik vraag me wel af of Deloris haar voldoende stimuleert als ik er niet ben.' Ja. Geef Deloris de schuld. Hij hoeft niet te weten dat ik haar met opzet niet heb verteld dat ze naar de lamp moet wijzen.

Maar dat pikt hij niet. 'Deloris stimuleert haar genoeg,' zegt hij en hij loopt achter me aan naar de slaapkamer. 'Maar jij bent haar moeder. Het is jóúw verantwoordelijkheid om haar dingen te leren.'

Bah. Ik heb zo genoeg van dit jij-bent-haar-moeder-gelul. Wanneer zijn moeders degenen geworden die alles moeten doen?

'Waarom is het míjn verantwoordelijkheid?' vraag ik. 'Waarom kan het niet jóúw verantwoordelijkheid zijn?'

'Oké,' zegt hij. 'Van nu af aan is pappie verantwoordelijk voor Parkers ontwikkeling.' Hij draait zich plotseling om en loopt de kamer uit.

'Waar ga je heen?' roep ik hem achterna.

'Onderzoek doen,' zegt hij. 'Ze is al achter. We mogen geen tijd verspillen.' O, god. Hij blijft de hele nacht op, ik weet het. Ik weet zeker dat er morgenvroeg diverse spreadsheets op me liggen te wachten. Hij heeft zich bedacht, komt weer naar binnen en geeft me een kus op het voorhoofd.

'Welterusten,' zegt hij en dan loopt hij naar buiten en doet de deur van de slaapkamer achter zich dicht. Ik draai me om en druk mijn kussen tegen me aan, en ik sluit mijn ogen.

Ach. Ik had toch al niet echt veel zin om hem te pijpen.

***

Als ik 's morgens wakker word, heb ik het gevoel dat mijn hoofd uit elkaar springt en dat ik de hele nacht op katoen heb liggen kauwen. God, ik kan me niet herinneren wanneer ik voor het laatst een kater heb gehad. En trouwens, het is waardeloos. Ik draai me om en kijk op de wekker: twee minuten over tien. Opeens begint mijn hart te bonzen. Twee minuten over tien? Ik heb tot tien uur geslapen? Ik kijk op de monitor, maar die is uitgeschakeld. Wat is er gebeurd? Waar is Andrew? Wie heeft Parker? Ik spring het bed uit en gooi mijn badjas om.

'Andrew,' schreeuw ik door het huis. 'Andrew!'

'Wat?' schreeuwt hij terug.

Ik ren naar beneden in de richting van het geluid van zijn stem, die uit de studeerkamer lijkt te komen. Als ik naar binnen loop, zit hij op een paar vierkantjes van de alfabetmat en de rest is helemaal uit elkaar gehaald en ligt nu verspreid op de grond. Parker zit op zijn schoot.

'Goedemorgen,' zegt hij lachend.

'Wat is er gebeurd?' vraag ik en ik druk een hand tegen mijn slaap zodat mijn hoofd niet spontaan ontploft.

'Je werd niet wakker,' zegt hij. 'Parker begon te huilen en jij verroerde je niet en daarom heb ik de monitor uitgezet. Ik dacht dat je de slaap wel kon gebruiken.'

'Dank je wel,' zeg ik. 'Dat was lief van je. Waar is Deloris?'

'Ik weet het niet,' zegt hij. 'Ik denk dat ze Parkers kamertje aan het poetsen is.' Ik schud mijn hoofd. Ongelofelijk. Waarom gaat ze nooit poetsen als *ík* met Parker wil spelen?

'Wat ben je aan het doen?' vraag ik argwanend als ik naar de rommel kijk die vroeger de alfabetmat was.

'O,' zegt hij opgewonden. 'Ik heb besloten dat ik Parker het alfabet ga leren.'

'Pardon. Jij gaat wat?'

'Ik leer haar het alfabet. Ik heb gisteravond fascinerende dingen gelezen over de ontwikkeling van baby's. Eén artikel was geweldig. Daar stond in dat baby's op deze leeftijd al kunnen leren verschillende dieren en verschillende voorwerpen in huis te herkennen en daarom heb ik bedacht dat er geen reden is waarom ze geen letters kunnen leren. Denk eens na. Als ik haar elke week één letter leer, kent ze over vijf maanden het hele alfabet.'

'Dat is het stomste wat ik ooit heb gehoord,' zeg ik. 'Baby's leren dieren en voorwerpen in huis omdat dieren leuk zijn en omdat ze elke dag dingen in huis gebruiken. Maar letters zijn alleen maar een aantal lijnen op een stuk papier. Ze kan daar met amper vier maanden nog geen onderscheid tussen maken.'

'Je onderschat haar,' zegt hij. 'De hersenen van een baby kunnen veel meer dan wij weten.'

Ik zweer je, er is niets erger dan een Andrew die een klein beetje informatie heeft. Hij wordt er helemaal door geobsedeerd. Toen we ons huis aan het verbouwen waren, moest hij alles weten over elke soort graniet en kalksteen die er bestond, en steeds als we in een huis waren met graniet of kalksteen, bestudeerde hij dat alsof hij een soort aanrechtarcheoloog was. *Is dit een Jeruzalem Gold of een Madoera Gold? Mmm. De s-vormige ronde bovenkant is heel aardig.*

'Hier, moet je kijken,' zegt hij. Hij pakt een rubber vierkantje met de letter A en houdt het voor Parkers gezichtje. Hij begint te praten met een diepe, monotone stem, net als de verteller van die natuurfilms waar we op de middelbare school naar moesten kijken.

'Parker, dit is jouw vader. Wat ik hier vasthoud, is de letter A,' dreunt hij en hij wijst ernaar. 'Aaaaa. A is een klinker. *Appel* is bijvoorbeeld een woord dat met een A begint.'

'Houd je me voor de gek?' vraag ik.

Hij kijkt me aan. 'Wat?' vraagt hij met oprechte verbazing in zijn stem. 'In het artikel stond dat je tegen haar moet praten alsof ze volwassen is en dat je haar al heel vroeg moet blootstellen aan een groot aantal verschillende woorden.' Hij wijst naar me. 'Ze citeerden een onderzoek dat het verband aantoonde tussen SAT-cijfers en het aantal woorden dat een kind als baby heeft gehoord.' Parker grijpt naar de letter, maar Andrew houdt die net buiten haar bereik en ze begint te huilen.

'Maar je praat niet tegen haar alsof ze volwassen is. Jij praat tegen haar alsof ze een robot is.'

'Nou, dat is beter dan babypraat,' zegt hij.

'Niet echt,' zeg ik. Maar ik heb te veel hoofdpijn om ruzie met hem te maken. Ik loop de kamer uit.

'Waar ga ja heen?' vraagt hij.

'Me aankleden. Ik moet naar de drogist. We hebben niet genoeg luiers voor vandaag en ik wil een flesje Aleve kopen voor die hoofdpijn.' Parker gilt nu. 'Andrew, geef haar de letter. Ze wil erop bijten.' Hij geeft hem aan haar en ze stopt meteen met huilen en begint op de A te knabbelen. Ik werp hem een blik toe. 'Ik hoop dat je weet dat je absurd bent,' zeg ik tegen hem.

Hij kijkt naar Parker en zet weer die stem op. 'Parker, mammie zegt dat ik absurd bent en dat begint ook met de letter A. *Absurd* betekent gek. Maar dat geloof ik niet. Ik probeer jou alleen maar intelligent te maken. In-tel-li-gent. Dat betekent slim.' Het heeft geen zin om met hem van gedachten te wisselen. Als hij denkt dat hij een baby van vier maanden het alfabet kan leren, laat het hem dan maar proberen.

'Oké, tot straks,' zeg ik.

'Wacht,' zegt hij, 'ga nog niet weg.'

'Waarom niet?'

Hij zet een pruillip op en antwoordt met smekende stem. 'Ik heb agility over een uur. Blijf bij ons en ga weg als ik wegga. We zijn nooit bij elkaar als een gezinnetje.'

Ik bijt op mijn wang. Ik ga het niet zeggen. Het zou helemaal niet productief zijn als ik zou zeggen dat we heel veel tijd samen kunnen zijn als hij niet de halve zaterdag besteedt aan de hond en een andere vrouw. Ik zucht.

'Oké,' zeg ik. 'Maar alleen als je belooft dat je niet meer op die manier tegen haar praat.' Andrew trekt een pruilend gezicht. 'Beloof het,' spoor ik hem aan.

'Goed,' geeft hij toe. 'Ik praat tegen haar als een baby en belemmer haar geestelijke ontwikkeling, als je dat gelukkig maakt.'

'Ja,' zeg ik en ik ga op de grond zitten. 'Dat maakt me heel gelukkig.'

Hij tilt Parker van zijn schoot en legt haar op de mat en nu zie ik pas wat hij aanheeft. Hij draagt een wit onderhemd en een lichtblauwe jeans die op de knie gescheurd is.

'Wat heb jij aan?' vraag ik en ik staar naar het gat in zijn broek.

'Wat?' zegt hij. 'Ik dacht dat gescheurde jeans weer in zijn.'

'*Distressed jeans* zijn in,' zeg ik tegen hem. 'Je ziet eruit als Bruce Springsteen op de cover van *Born to Run*. Je hoeft alleen nog maar een rode zakdoek.'

Andrew kijkt beduusd. 'Maar jij vindt Bruce Springsteen goed,' zegt hij.

'Ja, en Snoop Dogg ook, maar daarom loop ik nog niet rond met grote gouden kettingen en met mijn broek op mijn middel.'

Hij kijkt me aan. 'Oké, oké,' geeft hij toe. 'Ik ga me omkleden.'

'Goed,' zeg ik. 'Laat me nu maar eens zien wat je met haar doet dat je zo leuk vindt.'

Andrews gezicht klaart op. 'Oké,' zegt hij. 'Wist je dat ze "Old MacDonald" leuk vindt?' vraagt hij.

'Ja,' antwoord ik. 'Dat weet ik.'

Hij knikt. 'Ze valt om van het lachen als ik het doe. Kijk.' Hij legt haar op de rug, zet zijn handen op haar enkels en beweegt haar beentjes op en neer terwijl hij zingt. 'Old MacDonald had a farm, ee-ah-ee-ah-oh.'

Ik val hem in de rede. 'Wat is "ee-ah"?' vraag ik. 'Het is "E-I". "E-I-E-I-O". Ee-ah. Je klinkt als een geestelijk gehandicapte.'

Hij kijkt me gemeen aan en gaat verder. 'And on that farm he had a duck, ee-eye-ee-eye-oh.'

'Veel beter,' knik ik.

'With a quack here, a quack there, a quack everywh–'

Ongelofelijk.

'Andrew, hoe komt het dat je de woorden van "Old MacDonald" niet kent?' vraag ik. 'Ben je niet naar de kleuterschool geweest? Er zijn twee quacks. "A quack-quack here, a quack-quack there."'

Hij kijkt me weer gemeen aan en lacht dan naar Parker, die het uitgiert van de pret.

'A quack-quack everywhere,' zingt hij.

Ik staar hem aan. 'Het is niet zo moeilijk, Andrew. De quacks zijn here, there en everywhere. "Here a quack, there a quack, everywhere a quack-quack."'

Andrew legt Parkers beentjes neer en kijkt me aan.

'Jij ziet ook nergens de lol van in,' zegt hij. Zijn stem trilt en hij klinkt alsof hij elk moment gaat huilen. 'Wil je de echte reden weten waarom ik zo graag met Parker speel?' vraagt hij. Ik vermoed dat dit een retorische vraag is en daarom staar ik hem aan en zeg niets. 'Dat komt omdat het haar niet interesseert als ik de woorden door elkaar haal. Het interesseert haar niet dat ik niet kan spellen, het interesseert haar niet dat ik een gescheurde jeans draag of lippenzalf met aardbeiensmaak opdoe en het interesseert haar niet dat ik vriendschap heb gesloten met de nanny. Ze houdt van me om wie ik ben. En dat kan ik van jou niet zeggen.'

Hij staat op en stormt de kamer uit en laat mij op de grond zitten. Ik hoor zijn voetstappen op de trap en een paar seconden later hoor ik hoe de deur van onze slaapkamer dichtslaat. Ik kijk naar Parker, die nu jammert.

'Hé, schatje,' zeg ik en ik pak haar op. Mijn hart bonst. Andrew heeft nog nooit een woedeaanval gehad. Ik houd haar tegen mijn borst en schommel heen en weer en ze grijpt een handjevol haren en stopt die in haar mondje. 'Het is oké,' fluister ik en ik probeer eerder mezelf dan haar te overtuigen. 'Het is oké.'

Maar het is niet oké. Tranen springen in mijn ogen. Ik heb altijd geweten dat deze dag zou komen. De dag waarop Andrew zich eindelijk realiseert dat hij is getrouwd met een compleet en totaal kreng en dat hij dat geen minuut langer pikt.

Ik geef Parker een kus op haar hoofdje, sluit mijn ogen en begraaf mijn neus in haar korte haartjes.

Nou. Het ziet eruit alsof mijn vader niet de enige is die niet zo goed is in relaties.

18

Het lijkt erop dat ik vrijdagavond in mijn dronken toestand Nadine en mijn vader heb uitgenodigd om vanavond bij ons te komen eten. Ik herinner me vaag dat dat gebeurde toen we terugreden naar mijn auto – Nadine zei zoiets als: *Lieverd, ik zou Andrew heel graag eens ontmoeten*, en ik zei, maar dat meende ik natuurlijk niet echt: *O, ja, jullie moeten eens komen eten*, waarop Nadine antwoordde: *Geweldig! Laten we dat zondag doen*. Ik was het ook helemaal vergeten, tot Nadine vanmorgen belde om te vragen of ze iets moest meebrengen.

Ik was aan de andere lijn met Julie – of ten minste met iemand die klonk als Julie, hoewel je dat moeilijk zeker kon zeggen door de ik-heb-geen-toelatingsgesprek-gekregen-op-het-Instituut-O-mijn-god-wat-moet-ik-nu-doen-hysterie heen – en deze persoon die wel of niet Julie kan zijn geweest zat ergens tussen laag-betaal-de-fabrieksbaan-die-later-kan-leiden-tot-een-longaandoening en serie-scheidingen-van-mannen-die-in-werkelijkheid-een-tanktop-dragen in de reeks van gebeurtenissen die ongetwijfeld plaats zullen vinden in het leven van Lily en die een direct gevolg zijn van het feit dat ze de kleuterschool van het Instituut niet heeft bezocht, toen ik de andere lijn opnam.

Overbodig te zeggen dat Nadine me helemaal overrompelde. Ik was volkomen van de wijs gebracht door Lily's tragische lot (waar, tussen twee haakjes, een einde aan komt als ze eenzaam doodgaat op een camping ergens in de buurt van Pacoima) en door de plotselinge, schokkende herinnering dat ik in feite zo'n idiote uitnodiging had verstrekt, dat ik helemaal geen goed excuus kon bedenken om het af te zeggen. Ik bedoel, ik hád een goed excuus, maar ik kon haar toch niet vertellen dat Andrew me gisteren bijna voorgoed heeft laten zitten en dat hij naar agility ging en zes uur lang is weggebleven. Ik werd gek toen ik me de manieren voor de geest haalde waarop Courtney 'zijn vriendin was' en de enige reden waarom ik de hele reusachtige fles Aleve die ik heb gekocht niet heb geslikt, is omdat ik niet wil dat Parker opgroeit met verhalen van hem over wat voor een vreselijk, gemeen mens haar moeder was. En ik kan ook niet echt aan haar uitleggen dat, toen hij thuiskwam en ik hoorde dat hij helemaal niet naar agility was geweest – hij is met Zoey de hele middag bij zijn moeder geweest en dat bevestigde ze toen ik haar belde om het te checken – ik twee uur lang op mijn knieën moeten liggen totdat hij eindelijk geloofde dat ik niet echt denk dat hij een verhouding heeft met Courtney en dat ik nooit, nooit, nooit meer de draak met hem zal steken. En bovendien, weet je, kan ik er niet gewoon uitflappen dat ik de afgelopen achttien uur om hem heen heb gelopen, mijn uiterste best heb gedaan om extra-speciaal, super, slagroom-met-een-kers-erop aardig tegen hem te zijn en dat het vandaag misschien niet zo'n goed moment is om mijn vader en diens nieuwe aanstaande echtgenote aan hem voor te stellen.

Nee, het enige excuus dat ik kon bedenken was dat Parker sinds gistermiddag diarree heeft en dat het hele huis naar vieze luiers ruikt. Waarop Nadine antwoordde: *Geen probleem, lieverd, we kunnen buiten eten.*

En daarom zal Andrew over iets minder dan drie uur voor de allereerste keer mijn vader en Nadine ontmoeten en ik ben op van de zenuwen. Ik moet er voortdurend aan denken dat het net een gettoversie is van *Meet the Fockers*. Weet je, in plaats van een sekstherapeut en een thuisblijvende vader heb ik een pooier en een klaploper.

Maar omdat ze, inderdaad, blijven eten, moet ik nu snel naar de supermarkt. Ik heb besloten dat ik het best mijn vader kan laten barbecuen, want dan is hij bezig en heeft hij geen tijd om Andrew de oren van het hoofd te praten en god weet wat allemaal over mij te vertellen en ook omdat ik eerlijk gezegd niet kan koken en ik het niet gepast vind om naar de afhaalchinees te gaan. Nadine is gemakkelijk – ik kan met haar de details van haar vrijgezellenfeest uitwerken en Andrew kan zich met Parker bezighouden. Deloris is niet uitgenodigd. Ik wil haar niet erbij hebben en ik denk dat ze ongetwijfeld toch niet met ons wil eten, omdat wij geen Kobe-beef of iets dergelijks eten.

Ik pak de luiertas en bind Parker in haar autostoeltje vast – ik neem haar mee omdat Susan zei dat geen ervaring stimulerender voor baby's is dan de supermarkt – en sleep haar naar buiten langs de studeerkamer waar Andrew op de bank naar golf ligt te kijken en een zak Pepperidge Farm Goldfish-kaaszoutjes achteroverslaat.

'Schat, ik ga naar de supermarkt,' zeg ik met mijn meest suikerzoete stem. 'Heb je nog iets nodig?' Hij trekt zijn ik-ben-nog-steeds-gekwetst-gezicht.

'Ik wil dat je je excuses aanbiedt,' zegt hij.

'Maar dat heb ik al honderd keer gedaan,' jammer ik. Hij werpt me een blik toe en ik denk eraan dat ik superaardig ben en daarom geef ik toe. 'Het spijt me echt heel, heel erg,' zeg ik en ik leg mijn handen tegen elkaar onder mijn kin.

Hij slaakt een lange, dramatische zucht. 'Oké,' zegt hij. 'Ik vergeef je.' Dan, alsof hij zich opeens realiseert dat hij aan het eten is, maakt hij de zak kaaszoutjes dicht, kijkt naar zichzelf en trekt een gezicht.

'Ik heb net die hele zak opgegeten,' zegt hij verbijsterd. 'Ik ben walgelijk. Ik ben v-e-t.' Hij staat op en veegt de kruimels weg. 'Ik moet gaan sporten. Ik ga nu meteen naar de j-y-m.'

Ik bijt op mijn onderlip. Ik zweer bij god dat ik uit alle macht probeer om niet te lachen, of te glimlachen, maar ik kan er gewoon niets aan doen. Ik voel een giechel opkomen en probeer die te verdoezelen met een kuchje, maar Andrew heeft het door.

'Wat?' vraagt hij. 'Wat is er zo grappig?'

'Niets.' Hij trekt een gezicht alsof hij me niet gelooft en ik bijt zo hard op mijn lip dat die wel moet gaan bloeden. 'Niets, echt waar.'

'Zeg het,' eist hij. 'Wat nu?' Ik schud mijn hoofd en weiger iets te zeggen. 'Zeg het!' schreeuwt hij.

Ik kan het hem niet vertellen. Ik wil het hem zo graag vertellen – elke vezel in mijn lichaam schreeuwt erom brutaal te zijn en hem te vertellen dat hij het woord *gym* verkeerd heeft gespeld – maar dat kan ik niet doen. Ik begeef me al op glad ijs en als ik het hem vertel, dan is het voorbij tussen ons. Daar twijfel ik niet aan.

'Ik moet naar de supermarkt,' zeg ik kalm. 'Ik heb geen tijd voor spelletjes.' Ik draai me om en loop naar buiten en Andrew roept me na.

'Lara!' zegt hij. Ik stop en draai me naar hem om.

'Wat?'

'We hebben pindakaas nodig,' zegt hij.

Ik kijk hem stralend aan, op de manier zoals moeders dat doen in televisieprogramma's uit de jaren vijftig als iemand iets van hen wil en ze daar maar al te graag aan willen voldoen, omdat het vervullen van de behoeften van anderen immers hun primaire levensdoel is.

'Natuurlijk. Wil je Skippy of Jif?' Ik weet niet waarom ik dat vraag. Natuurlijk koop ik Skippy. Ik lijk wel Annette Funicello, zoals ik me vanmorgen gedraag.

'Dat maakt me niet uit.' Hij haalt zijn schouders op. 'Het is een staaf lood om oud ijzer.'

Ik draai me snel om zodat hij niet kan zien dat ik in de lach schiet. 'Oké,' zeg ik en ik loop naar buiten. 'Ik hou van je.'

'Hou ook van jou,' zegt hij.

Ik had twintig minuten geleden al klaar moeten zijn in de supermarkt, maar die verdomde Deloris is zo'n ramp met haar vreemde voedsel – ik moet elk schap tien minuten lang afzoeken om te vinden wat ze wil. Je moet het boodschappenlijstje eens zien dat ze me heeft gegeven. Het lijkt wel een hoofdartikel in een tijdschrift, in godsnaam. Dit bijvoorbeeld:

- sinaasappelsap (NIET geconcentreerd)
- hotdogs met kalkoen – er mogen geen nitraten in zitten; daar raakt mijn maag van streek van
- tofoe (zachtste) – de laatste keer had je medium. Zacht heeft een foto van stro op het pak
- bulgur (alleen als ze biologische hebben)
- volkoren Engelse muffins – van Thomas, niet van het merkloze merk dat je al eens hebt gekocht
- enoki-champignons (drie doosjes)

Enzovoort, enzovoort, enzovoort.

Ik ben ongeveer halverwege het gangpad met de rijst naar de bulgur aan het zoeken als ik iets stinkends ruik. Ik trek mijn neus op en draai me om.

Wat is dat? Ik kijk naar de andere mensen in het gangpad en ik zie dat zij hun neus ook optrekken. *O, nee.*

Ik kijk naar Parker in haar autostoeltje dat ik in mijn winkelwagentje heb vastgebonden en ik buig me naar voren en ruik aan haar luier.

Ieuw.

Oké. Ik moet haar nú een schone luier omdoen. Ik vraag een jongen die de pakken pasta aan het rechtzetten is waar het toilet is en hij wijst naar achteren. Ik loop er meteen heen. Als ik bij de deur van het toilet kom, realiseer ik me dat mijn winkelwagentje er niet in kan en daarom maak ik Parker los en til haar uit haar stoeltje. Ik leg mijn rechterarm op haar rug en mijn linkerarm op haar bips die heel drassig aanvoelt.

Ik loop het toilet in – o, perfect, ze hebben een Koala-aankleedtafel – en ik trek die naar beneden en leg er mijn Burberry-aankleedkussen op. Ik glimlach tegen mezelf als ik me realiseer dat ik al een echte prof begin te worden. Ik leg Parker op het aankleedkussen en pak mijn luiertas als ik merk dat er iets op mijn mouw zit. Ik kijk ernaar en dan draai ik mijn arm om zodat ik de onderkant kan zien.

O, nee.

Mijn hele arm zit onder de poep. Hoe kon dat gebeuren? Ik til Parker op en draai haar om en mijn hart begint te racen. *O. O, mijn god.* Haar hele rug zit onder de diarree. Het moet over de rand van haar luier gelopen zijn. Haar truitje en de bovenkant van haar broekje zijn nat en bruin en stínken. Tussen twee haakjes, als je je ooit hebt afgevraagd waar de uitdrukking *o, shit* vandaan komt, dan moet het dit zijn.

Ik grijp Parker onder haar armpjes, houd haar van mijn lichaam af en ik ren het toilet uit en kijk naar het autozitje. Het zit helemaal onder. Een minuut lang blijf ik verdoofd staan.

Ik heb er helemaal geen idee van wat ik nu moet doen.

Oké, denk ik, Kalmeer. Denk na.

Ik ga weer naar het toilet en leg Parker op de aankleedtafel en ik probeer mijn gedachten op een rijtje te zetten.

Oké. Doekjes. Ik heb doekjes nodig. Ik pak het plastic bakje uit mijn luiertas waar vochtige doekjes in zitten en maak het zo snel ik kan open. Er zitten twee doekjes in en een ervan is al bijna helemaal opgedroogd.

O, god. Ik ben vergeten doekjes bij te vullen.

Ik pak het goede doekje en begin langs mijn mouw te wrijven, maar de poep gaat er niet af. *Oké, vergeet het maar.* Ik rol mijn mouw op zo vaak het kan in de hoop dat de extra lagen de stank vasthouden en dan trek ik Parkers kleren uit. Natuurlijk heb ik geen schone kleren bij me. Ik weet dat ik altijd een schoon T-shirt en een schone broek in mijn luiertas moet hebben, voor het geval haar luier lekt of ze spuugt – of midden in de supermarkt een enorme aanval van diarree krijgt – maar zo ben ik nu eenmaal niet. De mammunisten in mijn klas hebben allemaal doosjes met vochtige doekjes en ze leggen speentjes in kleine bakjes zodat ze niet vies worden en ze hebben vakjes gevuld met Desitin en nagelschaartjes en babylotion en extra luiers en extra rompertjes en genoeg medicijnen om een uitbraak van lepra te bestrijden. Ik ben geen georganiseerde-luiertas-meisje. Ik ben eerder een gebruikte-flesjes-gaan-schimmelen-omdat-ik-vergeet-ze-eruit-te-pakken-en-af-te-wassen-luiertas-meisje en daarom raak ik nu helemaal in paniek.

Ik haal de luiertas overhoop en zoek me wild naar een luier. *Alsjeblieft, laat er een luier zijn. Laat er alsjeblieft een luier zijn.* Eindelijk vind ik er een, verfrommeld onder in de tas. *Dank je wel, God.*

Ik trek Parkers kleren uit en leg ze in de wasbak, en ik begin haar te wassen met de bruine papieren handdoekjes uit de kleine houder aan de muur. Ik heb geen idee wat ik met haar moet doen als ik klaar ben, tussen twee haakjes. Ik heb zelfs geen dekentje om haar in te wikkelen omdat ik natuurlijk niet luister naar Susans advies en nooit een dekentje meeneem behalve naar Susans klas. Maar die brug ga ik over als ik ervoor sta. Nu moet ik me gewoon concentreren op het wassen van Parkers rug.

Ongeveer vijfendertig papieren handdoekjes later is Parker eindelijk poepvrij. Ik doe haar de schone luier om en dan pak ik haar vieze kleertjes, doe er een paar papieren handdoekjes omheen en schuif ze onder in mijn luiertas.

Aha, denk ik. Daarom hebben de mammunisten altijd een lege plastic zak bij zich. Ik heb me dat altijd al afgevraagd.

Ik pak Parker op die nu behalve de luier niets aanheeft, en ik grijp nog een handvol papieren handdoekjes en loop het toilet uit naar mijn winkelwagentje met haar stinkende autostoeltje.

'O, Parker,' fluister ik tegen haar. 'Waarom kon je hier niet mee wachten tot we thuis waren, hè?' Ze kijkt naar me en krijst.

Ik houd haar met mijn linkerarm rond haar middel vast en veeg met de papieren handdoekjes in mijn rechterhand over haar autostoeltje in de hoop zo veel mogelijk op te nemen. Maar dat heeft geen zin – de poep was zo dun als water en haar stoeltje is helemaal doorweekt. Ik probeer het winkelwagentje met een hand te duwen en haar met de andere hand vast te houden, maar na drie stappen realiseer ik me al dat dit niet werkt, omdat ze zich in alle bochten wringt en mijn ketting vastpakt en ik haar amper kan vasthouden.

Verrek.

Ik leg een paar droge papieren handdoekjes in het stoeltje en dan leg ik Parker, die behalve de verfrommelde luier niets aanheeft, erbovenop. Vervolgens leg ik nog een paar papieren handdoekjes over haar borstje om haar warm te houden en met de riempjes van haar autostoeltje houd ik de papieren handdoekjes op hun plaats. Hoezo getto?

Ik haal diep adem en besluit dat ik de onbelangrijke spullen op mijn lijstje vergeet. Ik pak alleen wat ik nodig heb voor het eten vanavond en dan maak ik dat ik wegkom. Ik kijk op het lijstje – ik heb alleen maar een fles wijn, barbecuesaus en een toetje nodig. Goed. Dat is gemakkelijk. Ik loop naar het gangpad waar de drank staat, maar voordat ik drie stappen kan zetten, trekt Parker een gezicht en komt er een echt hard geluid uit haar bips.

Nee.

Ik sluit mijn ogen en als ik ze weer opendoe, lacht ze naar me. Onderhand lopen mensen in de supermarkt langs me heen en ze staren allemaal naar mijn naakte, stinkende baby die is bedekt met papieren handdoekjes.

'Ik ben blij dat je dit grappig vindt,' fluister ik. 'Maar mammie heeft geen schone luier meer.' Ze lacht weer en ik heb het gevoel dat ik ga huilen. Als ik hiermee niet de prijs voor de slechtste moeder van het jaar win, dan weet ik het niet meer.

Zo snel als ik kan pak ik de spullen die ik nodig heb en ik loop naar de kassa. Ik tel de artikelen in mijn winkelwagentje – twaalf.

Sorry, Deloris. Jij verliest.

Ik haal de bulgur en de hotdogs eruit en leg die in het dichtstbijzijnde schap naast een stapel zakjes met m&m's die in de aanbieding zijn, en duw mijn winkelwagentje naar de snelkassa. Alsof ze een seintje krijgt, begint Parker te schreeuwen en iedereen die nog niet naar me staarde en een afkeurend gezicht trok, draait het hoofd nu in mijn richting om te zien waar al die herrie vandaan komt. Ik lach schuldbewust en zoek wanhopig in mijn luiertas naar een fopspeen. Ik weet dat er een in zit... Ik heb er nog een in gegooid toen ik de deur uit ging. Waar is hij? Waar is hij? Ik begin in de tas te graven en denk helemaal niet meer aan de poepkleren die ik erin heb gestopt, totdat mijn hand iets voelt wat nat en week is.

O, dat is zo afschuwelijk.

En natuurlijk ligt daar de fopspeen, precies op de met poep besmeurde elastieken band van haar broek. Perfect.

Ik haal mijn hand uit de luiertas, zonder fopspeen, en ik zie dat er nu een beetje poep aan mijn duim zit.

'Ssst,' zeg ik tegen Parker, 'ssssst, ssssst.'

Ik moet de poep van mijn duim vegen. Ik ben nu aan de beurt en ik kan de kruidenierswaren niet op de lopende band leggen met poep op mijn hand. Ik kijk om me heen om te zien of er iemand kijkt. Ja, ze kijken. Ze kijken allemaal. En sommige mensen houden hun hand op hun neus en een paar mensen kokhalzen, denk ik.

Ik kan wel door de grond zinken. In feite wilde ik dat ik nu écht dood zou gaan.

Helaas zie ik echter geen potentiële gewapende overvallers rondhangen die zo goed zouden willen zijn om me neer te schieten, en de kans op een zware lawine van ingeblikte erwten die de supermarkt bedelft, lijkt op dit moment onwaarschijnlijk. Daarom haal ik diep adem en terwijl iedereen naar me staart, trek ik het papieren handdoekje dat op Parkers borstje ligt onder de riempjes van haar autostoeltje uit, veeg mijn duim ermee af, verfrommel het en stop het in mijn luiertas. De vrouw achter me deinst vol afschuw terug en verschillende mensen snakken hoorbaar naar adem. De oude man voor me betaalt contant en loopt weg, en ik zucht van verlichting dat ik eindelijk aan de beurt ben.

Ik buig me over mijn winkelwagentje en wil het doosje met eieren pakken, maar de kassajuffrouw houdt me tegen.

'Hm, zal ik dat doen?' stelt ze voor. Ik weet zeker dat ze denkt dat mijn kind al genoeg wordt mishandeld. Ze wil niet dat ik haar ook nog een bacteriële infectie bezorg boven op het pak slaag dat ik ongetwijfeld regelmatig uitdeel.

Ik knik naar haar en glimlach zwakjes en ze pakt de spullen uit mijn winkelwagentje en slaat die aan terwijl ik tevergeefs probeer Parker te kalmeren door het winkelwagentje heen en weer te duwen en *sst* tegen haar te zeggen. Dan, alsof dit al niet mijn eigen persoonlijke versie van de hel is, tikt de dame achter me op mijn schouder. Ik draai me snel om en kijk haar aan.

'Misschien moet je haar oppakken,' zegt ze hooghartig tegen me.

Dank u wel, mevrouw. Alsof ik er niet aan heb gedacht om haar op te pakken. Ik bedoel, jawel, ik heb dan misschien niet de krachtigste moederinstincten, maar ik ben geen totale idioot. Ik staar haar een ogenblik aan. Ze is ouder, misschien begin vijftig, en ze heeft geen kinderen of dat is al zo lang geleden dat ze duidelijk niet meer weet hoe naar dat is. Nou, ik denk dat ik haar er gewoon aan moet herinneren. Voorzichtig, zodat ik niets aanraak met mijn besmette duim, gebruik ik mijn onderarm om een pluk haar uit mijn gezicht te strijken.

'Nou,' zeg ik nuchter, 'haar rug zit onder de diarree en ik heb geen luiers meer. En zoals u kunt zien, heb ik een ingewikkelde en, al zeg ik het zelf, tamelijk vindingrijke papieren barrière opgeworpen tussen haar en haar autostoeltje dat, te uwer informatie, ook onder de poep zit. Haar oppakken is nu dus niet echt een optie, maar als ú dat wilt, ga dan gerust uw gang. In feite, als u haar wilt adopteren, dan mag u dat ook gerust doen.'

Ik lach een brede, loop-naar-de-verdommenis-glimlach tegen haar en dan draai ik me om en krijg mijn creditcard terug van de kassajuffrouw, en terwijl ik mijn besmette duim van het winkelwagentje weghoud, duw ik mijn ontroostbaar huilende baby bedekt met papieren handdoekjes en in een poepluier met opgeheven hoofd de supermarkt uit.

Tegen de tijd dat met een glas wijn de spanning van me af is gevallen, ik Andrew heb ingelicht – *Lara, ze verkopen luiers in de supermarkt. Waarom heb je niet gewoon een pak gepakt?* (goed punt, werkelijk, maar daar zou ik in geen miljard, biljard jaar aan hebben gedacht) – en het huis heb opgeruimd, komen Nadine en mijn vader aan.

Op het moment dat ik opendoe, wil ik dood omvallen. Mijn vader draagt niet alleen een van die sweaters uit de jaren tachtig met brede, lichtgevende, kronkelige strepen erop, maar hij draagt ook een haarstukje. Een slecht haarstukje. Het is ongeveer drie tinten donkerder dan de rest van zijn haar, de voorkant is slap met een paar krullen en het ziet eruit alsof er haarlak op zit. Echt waar, het ziet eruit alsof een diertje een nestje boven op zijn hoofd heeft gebouwd en zich er vervolgens in heeft geïnstalleerd om er te sterven. Natuurlijk, omdat het mijn vader is, verwondert het me niet echt dat hij het draagt, maar ik ben diep geschokt dat Nadine hem met dat ding het huis uit laat gaan. Ik dacht echt dat ze een betere smaak had.

Ik loop met ze door de studeerkamer en door de openslaande deuren naar de achtertuin waar Andrew zijn best doet om de barbecue aan te steken met een drie meter lange aansteker op butagas.

'Hé,' zegt mijn vader en hij loopt naar hem toe. 'Ik kan dat voor je doen.' Zonder een woord geeft Andrew de aansteker aan mijn vader, die de kolen vakkundig aan het gloeien krijgt. Als hij klaar is, legt hij de aansteker op de grond en steekt zijn hand uit.

'Ik ben Ronnie,' zegt hij.

Andrew pakt zijn hand en schudt die krachtig op en neer. 'Aangenaam,' zegt hij. 'Ik ben Andrew.' Andrew kijkt naar het hoofd van mijn vader en dan werpt hij mij een verwarde blik toe. Ik knik bevestigend dat, ja, ik het heb gezien, en nee, ik niet denk dat hij een grapje maakt. Dan steek ik mijn hand uit naar Nadine.

'En dit is Nadine,' zeg ik. Nadine zwaait.

'Hoi,' zegt ze. 'Ik heb al veel over jou gehoord.' *Nee, nee, dit gaan we niet doen.*

'Oké,' verander ik snel van onderwerp. 'Waarom gaan we niet eten? Pap, jij gaat barbecuen.' Ik bedenk nu dat dat misschien toch niet het beste idee was omdat zijn haarstukje, dat er hoogst brandbaar uitziet, gemakkelijk vlam kan vatten, maar het is nu te laat.

'Klinkt goed,' zegt hij. Hij trekt het belachelijke schort aan dat Andrew vorig jaar heeft gekocht en waarop *Licensed to Grill* staat en ik probeer snel Andrew bij hem weg te lokken. Maar voordat we naar binnen kunnen lopen, roept hij ons achterna.

'Andrew,' zegt hij. 'Waarom blijf je niet bij me? Zijn wij mannen onder elkaar.'

O, god. Dit is precies waar ik bang voor was. Ik trek een gezicht.

'Eigenlijk, pap, moet Andrew op Parker passen.'

Mijn vader fronst de wenkbrauwen. 'Nou, waar is de nanny dan? Is dat niet haar taak?'

Ik sla mijn ogen ten hemel en zucht.

'Ja, maar ik wilde dat er vanavond alleen maar familie was. We zijn met ons vieren. We hebben Deloris niet nodig.' Op dat moment komt Deloris naar buiten met Parker in haar armen.

'Dat is idioot,' schreeuwt mijn vader naar me. Hij draait zich om in de richting van Deloris en zwaait. 'Hallo daar!' zegt hij tegen haar. 'Ik ben Lara's vader. Waarom blijf je niet hier met Parker en eet met ons mee?' Ik krimp ineen als hij dit zegt. Deloris maakte absoluut geen deel uit van mijn plannen voor vanavond.

'Wat bent u aan het maken?' vraagt Deloris voorzichtig. O, daar gaan we weer. Mejuffrouw Kieskeur is weer bezig.

Mijn vader kijkt naar de schaal met eten die ik naast de barbecue heb gezet. 'Lijkt op gegrilde groente, kippenborst en' – hij kijkt naar mij – 'wat is dit, Lara? Filet?' Met tegenzin knik ik. 'En filet mignon,' zegt hij. Deloris lacht.

'Ik neem een beetje filet,' antwoordt ze. Wauw. Dat is een schok.

'Geweldig,' grijnst mijn vader. 'Dan kan Andrew nu bij mij blijven. Zie je? Dat was gemakkelijk.'

Andrew kijkt me tersluiks aan en loopt weer naar de barbecue. Nou, ik denk er niet aan dat ik die twee – nee, die drie – hier alleen laat. Ik moet deze situatie absoluut controleren. Ik wend me tot Nadine.

'Waarom blijven wij dan ook niet buiten?' stel ik voor. 'We kunnen hier ook aan het feest werken.' Ik wijs in de richting van de rieten tweezitsbank die vlak bij de barbecue staat.

'Mij best,' lacht Nadine.

We lopen naar het bankje en gaan zitten en ik leg het schrijfblok en de pen die ik bij me heb, op het bijzettafeltje.

'Zo,' zeg ik tegen haar. 'Ik denk dat we eerst een lijst met genodigden moeten maken. Aan hoeveel mensen denk je?'

Nadine denkt even na en haalt haar schouders op. 'Acht, misschien tien.'

'Oké.' Ik schrijf het op, maar dan zie ik uit mijn ooghoek hoe mijn vader met zijn mouw over zijn voorhoofd veegt.

'Wauw,' zegt hij en hij wuift zich met zijn hand wat koelte toe.

'Deze barbecue is zo heet, mijn hoofd begint te zweten.' Hij pakt een servet en dept er de zweetdruppels op zijn voorhoofd mee die onder zijn haarstukje vandaan komen. O, man, dit is zo walgelijk. Ik wend me weer tot Nadine.

'En wat was je van plan met eten? Wil je met iedereen samen eten of moeten we de mensen eerst laten eten en dan later aan de bar bij elkaar komen?'

Maar voordat Nadine kan antwoorden, slaakt Deloris een gil. We draaien ons allebei om en kijken naar haar. Ze heeft een hand op haar mond gelegd en ze staart in de richting van Andrew en mijn vader alsof ze zojuist iets heeft gezien dat te vreselijk is voor woorden. O, god, ik wist het. Het verdomde haarstukje staat in brand. Ik draai me snel om en kijk naar mijn vader, maar zijn hoofd staat niet in brand. Zijn hoofd is kaal en hij veegt het af met een servet met het dode haarstukjesdier in zijn linkerhand.

'Ah,' lacht hij. 'Dat is veel beter.'

Ik wrijf met mijn hand over mijn voorhoofd en sluit mijn ogen. Ik ben nu zo gekwetst. 'Pap,' zeg ik, 'wat ben je aan het doen?'

'Wat?' vraagt hij verbaasd. Alsof iedereen in het openbaar een haarstukje afzet. 'Ik had het heet en daarom heb ik het afgezet.'

Ik schud mijn hoofd. 'Waarom droeg je het eigenlijk?'

Hij haalt zijn schouders op. 'Soms vind ik het leuk om haar te hebben. Ik draag het alleen bij speciale gelegenheden.'

Nou, denk ik, daar gaan de trouwfoto's.

'Maar pap, het is afschuwelijk. Het lijkt zelfs niet op haar.'

Hij trekt een gekrenkt gezicht. 'Dat doet het wel. De beste pruikenmaker in Vegas heeft het voor me gemaakt. Het is op maat gemaakt.' De beste pruikenmaker in Vegas. Het klinkt alsof het het vervolg is op *The Best Little Whorehouse in Texas*.

Ik wend me tot Nadine die nog geen woord heeft gezegd.

'Vind jij het mooi?' vraag ik aan haar. Ze perst haar lippen stevig op elkaar en ik krijg het gevoel dat ze niet gelukkig is met het gesprek.

'Het maakt dat je vader zich goed voelt over zichzelf, Lara, en daar hou ik van.' O. Nou, is zij niet gewoon Juffrouw Positief Zelfrespect? Op dat moment moet Andrew wat zeggen.

'Maak je geen zorgen,' zegt hij tegen mijn vader. 'Dit soort dingen zegt ze ook altijd tegen mij.'

Ik kijk hem aan alsof ik wil zeggen: *Dank je wel voor je hulp, An-*

drew, en ik hoor hoe Deloris achter me afkeurend met haar tong klakt. Oké. Dat doet de deur dicht. Het interesseert me niet als ze ontslag neemt. Ik heb genoeg van deze vrouw. Ik draai me om en kijk haar aan.

'Wilde jij iets zeggen, Deloris?' In de ogen van Deloris verschijnt een wie-ik?-blik en ze schudt haar hoofd.

'Helemaal niets, mevrouw Lara. Deloris mengt zich niet in deze discussie.' Ze pakt Parker op die met haar vuistjes aan het gras trekt en dat in haar mondje probeert te stoppen, en loopt naar binnen. 'Kom, we gaan, mijn baby,' zegt ze. 'We gaan de tafel dekken.' Ze verdwijnt naar binnen en als ik me weer omdraai, staart iedereen me aan.

'Wat?' schreeuw ik. Nadine legt haar hand op mijn been.

'Lara, lieverd, ik moet mijn neus poederen. Denk je dat je me kunt laten zien waar het toilet is?'

Ik wijs naar een deur naast die van de slaapkamer aan de achterkant van het huis. 'Daar is een badkamer,' zeg ik.

Nadine lacht en pakt mijn arm. 'Ja, maar ik zou het heel fijn vinden als je me die zelf wijst.'

O. Ik begrijp het. Ze wil met me praten. Goed. We staan allebei op en als ik naar de deur loop, loopt zij naar mijn vader en kust hem op de mond. Met de tong. *Bah.* Ik heb een hekel aan stelletjes die doen alsof ze pas getrouwd zijn. Laten we eens kijken of ze dat over tien jaar nog steeds doet. Laten we eens kijken of ze over tien jaar nog wel met elkaar *práten.*

'We zijn zo terug, jongens,' zegt ze tegen hen en ze loopt terug in mijn richting. 'Doe jezelf geen pijn.'

We lopen naar binnen en ze gaat me voor naar de keuken waar Deloris borden en bestek pakt. Nadine lacht naar haar.

'Wil je ons een minuutje excuseren, Deloris?' Deloris knikt.

'Ik ging toch net weg,' zegt ze tegen Nadine en ze werpt mij een gemene blik toe. Ze pakt de stapel borden en draagt die met één hand, terwijl ze Parker met de andere hand vasthoudt. Ik heb er geen idee van hoe ze dat doet. Ik kon zelfs het winkelwagentje niet duwen en tegelijkertijd Parker vasthouden.

'Schatje,' zegt Nadine en ze probeert mijn aandacht trekken.

'Ja,' zeg ik en ik concentreer me weer op haar. 'Luister, het spijt me, oké? Ik wilde niet gemeen zijn of zo, maar hij is mijn vader. Ik kan dingen tegen hem zeggen die andere mensen niet tegen hem kunnen zeggen.'

Nadine drukt haar lippen op elkaar. 'Net zoals je dingen tegen Andrew kunt zeggen die andere mensen niet tegen hem kunnen zeggen, omdat hij je man is?'

'Ja. Precies. Ik bedoel, hij denkt dat ik gemeen ben, maar als ík hem niet vertel dat hij idioot is of dat hij stom doet, wie doet het dan?' Ik schud mijn hoofd. 'We hadden er gisteren nog laaiende ruzie over. Hij kende de woorden van "Old MacDonald" niet en daarom probeerde ik hem te corrigeren en hij droeg een gescheurde jeans van vijftien jaar geleden of zo en hij flipte toen ik hem zei dat hij moest veranderen.'

Nadine knikt. 'Dat is het nu juist, lieverd. Je kunt mensen niet veranderen. Ze zijn wie ze zijn, ten goede of ten slechte.'

'Nee,' zeg ik. Ik schud mijn hoofd en probeer het uit te leggen. 'Ik zei niet dat hij anders moest worden. Ik zei dat hij iets anders moest aantrekken.'

'Maar lieverd, begrijp je het dan niet? In zijn geest is dat hetzelfde.' Nadine pakt mijn hand met beide handen vast. 'Herinner je je nog dat ik je vertelde dat mannen kinderen zijn?' vraagt ze.

Ik knik. 'Vaag,' zeg ik.

'Dat is waar. Denk er eens over na: als je de kleren die Parker draagt niet mooi vindt of als ze iets verkeerds zegt, zou je dan tegen haar praten zoals je tegen Andrew of tegen je vader praat?'

'Nee,' zeg ik. 'Ik zou nooit zo hard tegen haar zijn. Maar zij zijn volwassen. Zij moeten opbouwende kritiek kunnen verdragen.'

Nadine haalt adem alsof ze zich zojuist realiseert dat dit langer duurt dan ze had verwacht. 'Ja, dat zouden ze,' zegt ze. 'Maar soms kunnen ze dat niet. Vooral niet van mensen van wie ze houden.' Ze ademt uit. 'Luister, lieverd, ik ben in mijn tijd met heel veel mannen omgegaan en het ene ding dat ik heb geleerd, is dat ze gewoon iemand willen die hen aanmoedigt en die vertelt hoe goed ze zijn. Zo eenvoudig is het.' Ze wacht even en kijkt me recht in de ogen. 'En de meeste mannen die ik ken, ken ik omdat ze dat niet van hun vrouw kregen.'

Ik neem heel even de tijd om dit te laten bezinken. Probeert ze me te vertellen dat Andrew naar de hoeren gaat omdat ik soms de draak met hem steek? Nee. Dat zou Andrew nooit doen – O, ik weet het allemaal weer. Ik heb haar toen over Courtney verteld. Ze probeert me te vertellen dat Andrew zich met Courtney ophoudt, omdat ik hem niet geef wat hij nodig heeft.

'Je bedoelt Courtney, nietwaar?' vraag ik aan haar.

'Dat weet ik niet,' zegt Nadine. 'Is zij het kreng met de poedel?' vraagt ze. Ik knik. 'Dan ja. Die bedoel ik. Ze zijn nu alleen maar vrienden, maar jij moet geen risico lopen. Je hebt een goede man, schat. Laat iemand anders die niet van je afpakken.' Ze buigt zich naar me toe en fluistert: 'Maar Deloris?' vraagt ze. 'Wat is er met jullie twee aan de hand?'

'We kunnen niet met elkaar opschieten,' fluister ik terug. 'Ze haat me omdat ze denkt dat ik niet genoeg tijd aan Parker besteed en ze denkt waarschijnlijk dat ik Andrew ook niet verdien. En ze doet aan voodoo.' Ik zucht. 'Ik heb een voodoopop op haar kamer gevonden die ze van mij heeft gemaakt. Wat vind je daarvan?'

Nadine bijt op haar onderlip en denkt even na. Dan richt ze zich op en slaat haar armen over elkaar.

'Luister, lieverd. Ik wil je een vraag stellen. Wil je voorgoed van Courtney af komen, goed kunnen opschieten met Deloris en je huwelijk van vroeger terugkrijgen?'

'Nee,' zeg ik. 'Dat wil ik niet. Dat zou verschrikkelijk zijn. Als dat gebeurde, zou ik niets meer te klagen hebben en dan zou ik in feite gelukkig moeten zijn.'

Nadine lacht. 'Nou, ga aan die glimlach werken, lieverd, want ik heb een plán.'

19

'Oké, mammies.'

Susan klapt drie keer in haar handen om de aandacht van iedereen te trekken, maar we worden allemaal zo in beslag genomen door de discussie over het pijpfeest dat we het niet merken. Over het algemeen had iedereen zich geamuseerd, een paar meisjes hadden hun mannen die avond echt gepijpt en íedereen wist nog dat Parker een plat hoofdje heeft en dat Andrew me waarschijnlijk bedriegt met een meisje van vijfentwintig.

Susan staat nu op haar vouwstoel en slaat op een xylofoon van Fischer Price met een geel plastic trommelstokje dat er met een touwtje aan is vastgemaakt.

'Dames! Dames! We zijn al te laat. We moeten beginnen!'

Eindelijk houdt iedereen op met praten en gaan we allemaal met onze baby in een kring zitten als Lisa (Carters mammie) mij vertelt dat haar man eens een kinderneuroloog heeft verdedigd die de helm bij een jongetje van vijf maanden per ongeluk te strak had gemaakt en die helm had in de loop van vier maanden een deel van zijn schedel langzaam in elkaar gedrukt.

'Oké, iedereen,' zegt Susan buiten adem. 'Het thema van vandaag is weer gaan werken. Ik wil dat jullie allemaal om de beurt zeggen wat jullie deden voordat je de baby kreeg en wat je plannen zijn voor nu of voor de nabije toekomst. Oké?'

Ik zie de ogen van iedereen glazig worden, want we weten allemaal dat mammunisten niet werken. Alsjeblieft, de helft werkte zelfs niet voordat ze de baby kregen en heeft dus niets om naar 'terug' te gaan. Behalve ik, natuurlijk. Waarom krijg ik toch altijd het gevoel dat iemand dat liedje uit *Sesamstraat* moet gaan zingen als ik in deze klas kom? Je weet wel: 'One of these things is not like the others; one of these things just doesn't belong.'

Ik ben dol op *Sesamstraat*, tussen twee haakjes. De afgelopen dagen wordt Parker vroeg wakker met die diarree en zo en daarom hebben we er elke ochtend samen naar gekeken voordat Deloris begint. Nou, ik kijk ernaar en zij ligt gewoon in bed naast me en probeert de afstandsbediening op te eten. Maar dat Koekiemonster is dolkomisch. Vandaag hadden ze hem een fluwelen jasje aangetrokken en een halsdoek omgedaan en hij deed een stuk dat Monsterstuk Theater wordt genoemd. Hij besprak *One Flew Over the Cuckoo's Nest*, over de historische reis van nummer een toen die over een nest koekoeken vloog. Veel beter dan die stomme Wiggles.

De mammunist rechts naast Susan begint te praten.

'Ik probeerde de uren bij elkaar te krijgen voor mijn kwalificatie voordat Cooper werd geboren, maar ik denk niet dat ik het afmaak. Voorlopig tenminste niet.' Ze kijkt naar Cooper – spuug druppelt langs zijn kin – en ze lacht. 'Ik kan me gewoon niet voorstellen dat ik hem nu alleen moet laten.'

Susan lacht terug en knikt naar de volgende in de rij: de moeder met de pony die, tussen twee haakjes, de magerste moeder van een baby van vier maanden is die ik ooit heb gezien. Kreng.

'Ik ga absoluut niet meer werken. Ik zou liever doodgaan dan Emma de hele dag bij iemand anders achter te laten. Bovendien geef ik nog steeds borstvoeding en ik weet niet hoe en of dat wel werkt.'

Ik weet wel hoe het werkt. Het wordt een kolfscherm genoemd. Toen ik zwanger was, vroeg het hoofd van de facilitaire dienst op school me twee maanden lang of ik er een nodig had op mijn kantoor als ik terugkwam van zwangerschapsverlof, want dan moest hij het bestellen voordat hij in augustus op vakantie ging en of ik het hem alsjeblieft ASAP (hij sprak het uit als *aysap*) kon laten weten. En omdat ik geen antwoord voor hem had toen ik met verlof ging, omdat ik op dat moment nog steeds in het zalige ongewisse verkeerde dat vijf minuten borstvoeding geven meer was dan ik aankon, laat staan vijf máánden, stuurde hij me ongeveer zes e-mails per week, totdat ik hem een paar dagen geleden eindelijk antwoordde dat ik, nee, geen borstvoeding geef en dat ik daarom geen kolfscherm nodig heb als ik terugkom. Waarop hij antwoordde: *Oké. Maar heb je dan toch wel minstens drie maanden borstvoeding gegeven?*

Als de andere vrouwen aan de beurt komen, is het steeds weer hetzelfde verhaal.

'Mijn man zei dat ik nooit meer hoef te werken als ik dat niet wil en ik wil dat absoluut niet.'

'Ik heb niet gewerkt, omdat ik wist dat ik kinderen wilde. En mijn vriendinnen werken allemaal niet. Ik kan dus met heel veel mensen afspreken. Misschien over tien jaar, als ik genoeg kinderen heb en ze allemaal fulltime op school zitten. Maar ik weet het eigenlijk niet.'

'Ik hield van mijn baan, maar ik kan altijd teruggaan als hij op school zit. Hij is maar een keer een baby, weet je.'

Tegen de tijd dat ik aan de beurt ben, ben ik bijna in tranen. Ik moet wel denken dat er echt, echt iets met me aan de hand is, als ik de enige ben van de twaalf vrouwen in de kamer die haar kind wél acht uur per dag in de steek wil laten.

'Lara,' zegt Susan lachend. 'En jij?'

Ik probeer mijn tranen te bedwingen, haal diep adem en glimlach dapper. 'Ik ga wél weer werken.' Iedereen snakt collectief naar adem en ik vind dat ik dat moet uitleggen. 'Het zal moeilijk zijn om bij haar weg te gaan,' hoor ik mezelf zeggen, 'maar ik ben echt dol op mijn baan.'

Iedereen staart me aan, alsof ze dit gewoon niet kunnen begrijpen.

'Ik werk met tieners,' zeg ik. Ze staren nog steeds. 'Het is enorm bevredigend.' Ze knipperen nog niet met de ogen. Ook goed. Ik zal het moeten uitleggen op een manier die ze kunnen begrijpen.

'Het is nog niet fulltime. Het is maar drie dagen per week van acht tot vier.' Eindelijk lachen ze allemaal en zeggen *oooohhh*.

En dan begint het gelul. Een heleboel valse bewondering, zoals: *Wauw, dat is geweldig dat je iets voor jezelf doet*, of: *Het is zo verbazingwekkend dat je weer gaat werken. Je moet zo sterk zijn*, of mijn favoriet: *Goed voor je! Je zult zo'n positief voorbeeld voor Parker zijn.* Blablablablabla. Ik weet wat ze echt denken. Ze denken: *Arme Lara. Haar man moet het niet erg goed doen als ze haar baby in de steek moet laten om parttime te gaan werken.*

Als de les is afgelopen, gaan Melissa en een aantal andere moeders lunchen in de pizzeria verderop in de straat en ik besluit mee te gaan, al is het alleen maar om ervoor te zorgen dat ze er niet over gaan speculeren dat Andrew en ik al bijna aan de voedselbonnen moeten.

Als ik in het restaurant kom, is het er een totale chaos. Zeven moeders, zeven baby's, zeven kinderwagens – we hebben het restaurant helemaal overgenomen en nu begrijp ik die lunch om elf uur volkomen, want dit zou nooit goed gaan als het restaurant nu niet helemaal leeg was. Ik duw de Snap-N-Go naar een leeg plekje aan de tafel en trek een stoel bij en Melissa begint meteen tegen me te praten.

'Nou, Lara, ik wist niet dat je weer ging werken. Dat is zo gek. Je wordt zoiets als – ze maakt met haar vingers aanhalingstekens in de lucht – "een werkende moeder".'

Ik knik en glimlach verlegen, en ik weet niet goed wat ik moet antwoorden, als Lisa tussenbeide komt.

'Kun je nog wel naar de les komen?' vraagt ze.

'Ja,' zeg ik. 'Ik werk op maandag, dinsdag en donderdag en ik kom dus op woensdag naar deze les en als ze wat ouder is, ga ik misschien naar muziekles of iets anders op de vrijdag.'

'O,' zegt Melissa en ze klinkt alsof ze de regeling nu pas voor het eerst begrijpt. 'Dan is het dus altijd drie dagen. Ik weet niet waarom, maar ik kreeg de indruk dat het alleen maar voor dit jaar was.'

Ik knik. 'Het is alleen maar voor dit jaar,' zeg ik. 'Na de zomer volgend jaar moet ik weer fulltime gaan werken. Ik bedoel, ik ben decaan van de school. Ze hebben me daar nodig.' Amy (Coopers mammie) die links van me zit, kijkt ongerust.

'En de peuterklas dan?' vraagt ze.

'Wat is daarmee?' schiet ik terug en ik haal mijn schouders op. 'Ze begint in het najaar als ze twee is geworden.'

Amy lacht verlegen naar me, alsof ze er een hekel aan heeft dat zij mijn zeepbel uiteen moet laten spatten. 'Maar hoe ga je dan de overgangsperiode doen?'

Melissa en Lisa en de andere moeders aan tafel knikken allemaal.

'Wat is de overgangsperiode?' vraag ik.

Lisa fronst het voorhoofd alsof ze al bang was dat ik dat zou zeggen en buigt zich naar voren om het uit te leggen.

'Het eerste jaar van de peuterklas moet je meegaan, totdat ze er zonder jou kunnen zijn. Ik heb gehoord dat het bij sommige kinderen wel zes maanden duurt voordat ze zover zijn.'

Ik staar haar aan. Ik heb nooit van deze overgangsperiode gehoord.

'Nou,' zeg ik, 'wat doen andere mensen die werken?'

Melissa en Lisa kijken omlaag naar de tafel en Amy lacht weer verlegen naar me.

'Ik bedoel, ik denk dat sommige mensen hun nanny sturen om de overgangsperiode te doen, maar er zijn ook scholen die een geen-nanny-beleid voeren. Die vinden dat de kinderen veiliger zijn als hun ouders er zijn.'

Ik kijk haar aan alsof ze een grapje maakt.

'Je wilt me toch niet vertellen dat er helemaal geen werkende moeders in deze stad zijn?' zeg ik kortaf.

Ze haalt haar schouders op. 'Nee, ik weet zeker dat er genoeg werkende moeders in deze stad zijn. Maar die sturen hun kinderen pas naar de peuterklas als ze drie zijn.'

Mijn mond valt open van verbazing. Begrijp ik het goed? denk ik. Mijn dochter moet een heel jaar peuterklas missen alleen maar omdat ik een baan heb? Parker wordt gestraft omdat ik werk? Dit kan niet waar zijn.

'Ik begrijp niet hoe dat mogelijk is,' zeg ik. 'Het slaat gewoon nergens op.' Ik probeer uit alle macht om nu niet overstuur te raken. Kijk wie het zegt, blijf ik tegen mezelf zeggen. Ze zijn niet bepaald de slimste leerlingen van de klas, deze meiden. Maar Amy is vasthoudend.

'Geloof me maar,' zegt Amy verwaand. 'Als je haar op haar tweede naar school wilt laten gaan, dan moet ze de overgangsperiode doen. Maar jij hebt een nanny, nietwaar? Schrijf haar dan gewoon niet in op de scholen die een geen-nanny-beleid voeren, dat is alles.'

Oké, op de eerste plaats gaat Deloris alleen over mijn lijk naar de peuterklas met mijn kind en op de tweede plaats, hoe pretentieus is het om een geen-nanny-beleid te hebben? En hoe maken ze dat beleid aan de wereld bekend? Een dikke rode streep door een foto van een Latijns-Amerikaanse vrouw die een kinderwagen duwt? Echt waar. Dit is zó LA.

Melissa legt haar hand op mijn arm.

'Lara, móét je werken?' vraagt ze vriendelijk. Ik weet dat ze nu niet laatdunkend is, maar ik wil haar heel graag een klap in het gezicht geven.

'Nee,' zeg ik en ik probeer mijn stem in bedwang te houden. 'Ik hoef niet te werken. Ik bedoel, ik heb een goed salaris, maar als het moet, overleven we het ook wel zonder mijn salaris.' Ik wacht even. 'Ik weet dat jullie dit niet kunnen begrijpen, maar ik werk niet voor het geld. Ik werk graag. Ik mis mijn baan.'

Amy steekt haar handen uit met de handpalmen omhoog en slaat ze in elkaar alsof ze de zaak zojuist heeft gesloten. 'Nou, dan is het jouw keuze, dat is alles.'

Een ongemakkelijke stilte valt over de tafel en de woorden blijven in de lucht hangen en galmen voortdurend door mijn hoofd. *Dat is jouw keuze. Dat is jouw keuze. Dat is jouw keuze.*

Aan de andere kant van de tafel slaat Sabrina (Ashtons mammie) met haar hand op de tafel en begint over iets anders te praten.

'O, mijn god, jongens,' roept ze uit. 'Dit is zo'n grappig verhaal.' Iedereen draait zich om en kijkt naar haar en dan begint ze te ratelen.

'Ik was gisteren in de supermarkt en de kassajuffrouw vertelde me over die moeder die er vorig weekend met haar baby was en de baby had diarree en de moeder had geen extra luier of kleertjes of zo bij zich en daarom liet ze de baby in de poepluier liggen, trok alle kleertjes uit en bedekte haar met papieren handdoekjes. De kassajuffrouw zei dat de hele supermarkt er drie uur later nog naar stonk. Kun je dat geloven?' Iedereen schiet in de lach en ik bid dat niemand mijn rode wangen opmerkt.

'O, mijn god,' zegt Melissa. 'Dat is zo komisch. Waarom heeft ze geen luiers gekocht?'

'Waarom is ze niet gewoon naar huis gegaan?' vraagt Lisa. Ze draait zich om en kijkt naar mij. 'Wie blijft er nu in de supermarkt als zoiets gebeurt?'

'Ja,' zeg ik. 'Wat een idioot.'

Na de lunch heb ik geen zin om naar huis te gaan en daarom besluit ik even langs te gaan bij Stacey in de bar. Die Nadine maakt geen grapjes, tussen twee haakjes. Ze regelde een ontmoeting voor Jimmy en Stacey op zaterdagochtend en maandagmiddag had Stacey bouwvergunningen, een nieuwe drankvergunning en een officiële aannemer met referenties van zestien andere bars in de buurt. Ik bedoel, ik kan me de informatie die ze over deze mensen heeft zelfs niet voorstellen. Maar Stacey is ontzettend gelukkig. Het idee om negenduizend dingen in twee weken te moeten doen ligt helemaal in haar straatje en hoe onmogelijk het ook klinkt, ze werkt in feite méér uren sinds ze bij haar advocatenkantoor is weggegaan. Ik weet echt niet wat ze gaat doen als de bar eenmaal open is en ze er alleen maar voor hoeft te zorgen dat de wodka niet opraakt. Ze zal ongetwijfeld mensen gaan aanklagen om bezig te blijven.

Ik loop naar binnen en probeer de Snap-N-Go tussen stukken triplex en dozen met glaswerk te navigeren en ik ontdek Stacey op handen en knieën onder een tafel terwijl ze de vinylbekleding in een van de nissen met een mes wegsnijdt.

'Hoi,' zeg ik en ze schrikt. 'Blij om te zien dat je eindelijk het geleerde in de praktijk kunt brengen.'

Ze stoot bijna haar hoofd als ze omhoogkomt om me aan te kijken, maar ze stopt precies op tijd en kijkt dan naar Parker die in de Snap-N-Go ligt te slapen. 'Dat moet u nodig zeggen, juffrouw Stone,' zegt ze en ze verwijst daarmee naar de naam die mijn leerlingen voor mij gebruiken. 'Wat doe je hier trouwens?'

'Ik ben alleen maar gekomen om gedag te zeggen. Ik heb nog geen zin om naar huis en naar Deloris te gaan.'

Stacey kruipt onder de tafel uit, staat op en klopt het stof van haar kleren. Ze tilt haar rechterarm op en zwaait ermee door de lucht, zoals een van de *Price is Right*-meiden.

'Nou, wat vind je?' vraagt ze.

Ik kijk om me heen. De bar is helemaal weggehaald en de bekleding van de nissen is verwijderd, waardoor je de gele voering kunt zien. Het tapijt is opgerold. Er steken verroeste spijkers uit de vloerplanken en er ligt overal troep. Ik til een kant van mijn lip omhoog.

'Ik vind dat het eruitziet als Beiroet. Weet je zeker dat dit over anderhalve week klaar is?'

Stacey is beledigd. 'Op de eerste plaats hebben we in drie dagen bereikt waar de meeste mensen drie maanden over doen. Op de tweede plaats ziet een bar er overdag nooit goed uit. Jij moet dat weten. En op de derde plaats, natuurlijk krijg ik het af. Ik heb acquisities van grote filmstudio's in minder dan anderhalve week geregeld. Dit stelt niks voor.'

'Ik hoop het,' zeg ik. 'Want Nadine heeft gisteren de e-vites gestuurd en je krijgt een tiental vrouwen over de vloer die zich willen amuseren, of het nu klaar is of niet.'

'Ja, ja,' zegt ze en ze kijkt op haar horloge. 'Hé, het is al bijna één uur. Kom, we gaan lunchen, ik heb honger.'

'Eigenlijk,' zeg ik, 'heb ik al gegeten, sorry. Maar ik kom wel bij je zitten. Parker slaapt nog minstens een halfuur, denk ik.'

Stacey haalt haar schouders op. 'Oké. We gaan. Er is een goed restaurantje in de straat.'

We lopen naar buiten en ik doe de zonnekap van Parkers kinderwagen omlaag en loop dan achter Stacey aan langs een paar etalages, tot ze blijft staan en de deur opendoet. Ze loopt naar binnen en laat de deur achter haar dichtvallen en die slaat bijna met een klap tegen de kinderwagen aan.

'Dank je,' roep ik tegen haar. 'Je bent zo attent.' Ze draait zich om en ziet me worstelen om de kinderwagen door de deur te krijgen en dan komt ze eindelijk terug en houdt de deur voor me open.

'God,' zegt ze. 'Wat ben jij een ramp.'

Ik pak een tafeltje terwijl zij aan het buffet haar lunch bestelt en dan komt ze bij me zitten en wacht tot ze haar lunch brengen.

'Nou, echt,' zeg ik. 'Hoe gaat het? Ben je gelukkig?'

Stacey denkt even na en houdt haar hoofd scheef. 'Voor nu,' zegt ze. 'Ik hoef er niet bij na te denken en het houdt me bezig, en ik denk dat ik er iets cools van kan maken. Maar ik weet niet of het voor altijd is. Ik weet dat ik me tamelijk snel verveel.'

'Daar dacht ik ook aan,' beken ik. 'Het is net als mijn zwangerschapsverlof. Weet je, leuk voor een paar maanden, maar niets dat ik permanent wil doen. Hoewel... Nou, het doet er niet toe. Je hoeft niet te luisteren naar mammiepraat.'

Stacey lacht door haar neus. 'Hé,' zegt ze, 'ik heb alleen maar de verbouwing, dus als jij niet gaat praten zul je moeten horen hoe vreselijk gecompliceerd het is om vinyl van onder een stoel in een nis te verwijderen.'

'Ik pas,' zeg ik tegen haar.

'Dan voor de dag ermee, lieverd,' zegt ze. Ze steekt haar handen uit en krult haar vinger naar binnen alsof ze een hond uit een hoek probeert te krijgen.

'Nou,' zeg ik aarzelend. 'Oké. Ik sta nu gewoon een beetje in tweestrijd om weer te gaan werken. Ik bedoel, ik wil het wel – ik verlang ernaar – maar ik denk dat het misschien niet goed is voor Parker.'

Stacey staart me aan alsof ik haar zojuist heb verteld dat ik zonder parachute uit een vliegtuig wil springen.

'Meen je dat?' vraagt ze. 'Wil je echt niet meer gaan werken?'

Ik zucht. 'Dat is niet wat ik wil, nee.'

'Waarom verspreid je dan zo'n laster?' Ze wacht even. 'Is er iets gebeurd?'

Ik schud mijn hoofd. 'Nee, er is niets gebeurd. Nou, niet niets. Ik had lunch vandaag met de mammunisten en ik kwam erachter dat als je kind met twee jaar naar de peuterklas gaat, je zo'n overgangsperiode moet doen waarin de ouder met het kind meekomt en als je dat niet kunt omdat je werkt, dan moet je vermoedelijk wachten tot ze drie zijn voordat ze naar school kunnen. Maar ik weet niet wat ik daarvan moet denken. Ik bedoel, Parker zou er heel veel nadeel bij hebben. Ze mist een heel schooljaar, dat andere kinderen wel hebben gehad.'

Stacey gluurt naar me en ik krijg het gevoel dat ze de oude Lara probeert terug te vinden onder deze persoon die tegenover haar zit.

'Ik wist het,' zegt ze en ze schudt haar hoofd.

Op dat moment brengt de kelner haar lunch: een hamburger met kaas en spek, kaasfriet met een kommetje ranchdressing en een chocolademilkshake. Het ziet eruit als een hartaanval op een plastic dienblad.

'Wat?' vraag ik als hij wegloopt. 'Wat wist je?'

Ze propt een handvol kaasfrietjes in haar mond en antwoordt terwijl ze nog steeds kauwt. 'Ik wist dat ze zouden proberen je te bekeren. Ik heb het je gezegd.'

Ik sla mijn ogen ten hemel en verwonder me over haar dunne benen. Het zijn net twee takjes die op een stoel liggen. 'Ze waren me niet aan het bekeren, Stacey. Ze vertelden me gewoon de feiten. En het feit is dat Parker als ik weer fulltime werk, een heel schooljaar mist en god weet wat nog meer.'

Stacey slaat haar ogen ook ten hemel en bijt in haar hamburger.

'Op de eerste plaats heb ik er geen idee van waar je het over hebt. Parker kan de overgang in twee dagen doen, weet jij veel.'

Ik trek een ja-juist-gezicht. 'Sorry, Stace, maar ik denk dat ik hen op dit gebied eerder geloof dan jou. Ik betwijfel of kinderen in twee dagen de overgang kunnen doen.'

Ze lacht naar me met een mond vol hamburger. 'Eigenlijk doen kinderen de hele tijd de overgang in twee dagen. Ik had eens een cliënte die een baby had – ze was scenarioschrijver – en haar kind ging naar de peuterklas op Universal en deed de overgang in de eerste week. Ze zei dat de helft van de klas tegen de tweede week de overgang had gedaan en dat er maar twee of drie kinderen waren die er meer dan een maand voor nodig hadden.'

'Heeft Universal zijn eigen peuterklas?'

Ze knikt. 'Alle studio's hebben er een. Bij de filmstudio.'

Sjonge. Alsof werken bij film en televisie niet al genoeg voordelen biedt, moeten ze ook nog hun eigen peuterklas hebben.

'Oké,' zeg ik, 'goed. Maar stel dat Parker dat ene kind is dat meer dan een maand nodig heeft? Ik kan dat risico niet lopen.'

Ze zuigt aan het rietje van de milkshake. 'Natuurlijk wel,' zegt ze. 'Weet je van wie de kinderen waren die er het langste over deden?' Ik schud mijn hoofd en wacht op een antwoord. 'De kinderen met een moeder die niet werkte. De kinderen met een werkende moeder waren gewend aan een nanny of zaten de hele dag op de crèche en hadden dus geen probleem. Maar de kinderen die de hele dag bij hun moeder waren, werden helemaal hysterisch. Een kind was zo gehecht dat haar moeder zelfs niet aan de andere kant van het lokaal mocht zitten. Ze kleurde met een hand en hield met de andere hand haar moeders hand vast en dat duurde bijna vier maanden.' Stacey schudt haar hoofd. 'Het is niet gezond, zo'n gehechtheid. Ik zou liever minder tijd met mijn kind doorbrengen, maar ervoor zorgen dat hij zich goed aanpast.'

Ik staar haar even aan. 'Jouw cliënte heeft je dat allemaal verteld?' vroeg ik ongelovig.

Stacey knikt en ze haalt haar neus op. 'Ze was een prater.'

Ik leun achterover, sla mijn armen over elkaar en neem het in me op. 'Ik ben gewoon in de war,' zeg ik.

Stacey veegt de rest van de ranchdressing met haar vinger op en steekt die in haar mond. 'Waarover?' vraagt ze.

'Naar wie ik moet luisteren. Ik heb het gevoel dat elke keer als ik mijn rug keer, iemand anders me iets anders vertelt. Ik dacht bijvoorbeeld dat ik mijn kinderarts kon vertrouwen, maar hij is waardeloos. Hij zegt dat ik op dingen moet letten twee maanden nadat die al zijn gebeurd en hij praat me een schuldgevoel aan omdat ik geen borstvoeding meer geef. En ik dacht dat Deloris me kon leren hoe ik goed met haar moest omgaan – ik dacht dat Deloris een Mary Poppins was – maar ik kan er niet van op aan wat ze zegt, omdat ze wíl dat ik er een potje van maak. Ze is de anti-Mary Poppins. En toen dacht ik dat Susan de oplossing was, maar ik heb ontdekt dat ze geneeskunde beoefent zonder vergunning. En ik dacht dat de mammunisten in elk geval zouden weten waar ze het over hebben, maar nu zeg jij dat die ook helemaal shit zijn.' Ik gooi mijn handen in de lucht. 'Wie kan ik dan vertrouwen? Wie kan me vertellen wat ik met dit kind moet doen?'

Stacey slurpt de laatste slokjes milkshake luidruchtig op, pak vervolgens het rietje uit de beker en likt het af. Ze is soms zo walgelijk. Het is alsof je met een jongen van tien aan het eten bent. Als er geen molecuul milkshake meer in de beker, op het rietje of op het plastic dekseltje zit, kijkt ze omhoog en trekt een gezicht naar me. Het gezicht zegt overduidelijk dat ik een totale debiel ben.

'Niemand, Lara,' zegt ze nuchter. 'Je kunt niemand vertrouwen behalve jezelf. Daarom is het ouderschap ook zo moeilijk. Hè.'

Ik leun achterover in mijn stoel en denk hier even over na.

Niemand.

Ik kan het niet geloven, maar ze heeft gelijk. Als je me had gevraagd wie mij het beste advies zou kunnen geven, zou ik het telefoonboek openslaan en willekeurig namen gaan lezen, voordat ik Stacey had gezegd. Maar ze heeft absoluut gelijk. Juffrouw Ik-Haat-Kinderen geeft precies het goede antwoord.

Ik sta op van mijn stoel, loop naar haar toe en geef haar een kus op de wang.

'Ik hou van je,' zeg ik. Ik pak een briefje van twintig uit mijn beurs en leg het op tafel. 'Ik trakteer.'

Dan pak ik snel mijn luiertas, duw Parker het restaurant uit en zwaai naar Stacey die, tussen twee haakjes, nog steeds naar me kijkt alsof ik een totale debiel ben.

20

Ik heb besloten dat de situatie met Deloris moet verbeteren. Ik bedoel, als ik over een paar weken weer ga werken, kan ik het niet hebben dat ze me voortdurend probeert te ondermijnen terwijl ze doet alsof ze haar werk doet. Ik zweer je, soms heb ik het gevoel dat Deloris en ik de koude oorlog uitvechten ten tijde van de Cubaanse raketcrisis. Het is echt een perfecte analogie als je erover nadenkt: ik ben Kennedy (uiteraard) en zij is Chroesjtsjov die achter mijn rug om in het geheim een voorraadje raketten aanlegt. Alsjeblieft, je weet wat ze me aandoet. Ze is slecht. En het wordt alleen nog maar erger. Je moest eens zien wat er de laatste tijd gebeurt met Parkers slaapjes.

Het begon allemaal toen ik op een dag opmerkte dat Parker het meeste lacht als ze wakker wordt en ik maakte een opmerking tegen Deloris dat ze doet alsof je haar zojuist hebt bevrijd uit Alcatraz als je de kamer in loopt en haar uit het bedje pakt. Het is echt zó schattig. Ze kijkt door de spijlen en wacht tot iemand haar komt halen, en als ze de deur van haar kamer open ziet gaan, krijgt ze die enorme grijns op haar gezichtje – de ene helft is je reinste vreugde en de andere helft totale opluchting – en als je haar dan echt oppakt, trilt ze praktisch van opwinding en maakt ze van die gelukkige kirrende babygeluidjes alsof ze duidelijk probeert te maken hoe blij ze is dat je er bent. Geloof me, het is onbetaalbaar.

Maar goed, ik besloot dat ik regelmatig een stukje hiervan wilde meekrijgen, omdat a) het heerlijk is en b) als ze zo blij is als ze uit het bedje wordt gehaald, dan is dat goed voor de totempaal als ik degene ben die haar bevrijdt. De afgelopen week of zo blijf ik dus thuis als Parker slaapt en probeer ik bij haar te komen als ze wakker wordt. Ik zeg *probeer*, omdat Deloris er een verdomde Olympische gebeurtenis van heeft gemaakt. De slaapjessprint noem ik het, want die vrouw rent letterlijk naar Parkers kamer als Parker wakker wordt. Het is absurd. Ik wil haar verslaan. Ik zit in mijn kamer en kijk naar de monitor en op het moment dat Parker beweegt, sprint ik de deur uit en de gang op. Maar als je naar figuur 1 hieronder kijkt, kun je zien dat het lastig wordt zodra ik in de grote hal kom.

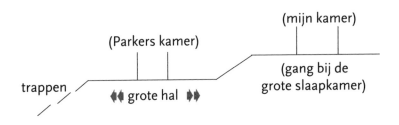

Figuur 1

Weet je, Deloris rent gewoonlijk de trap op aan het andere einde van de grote hal als ik om de hoek van de gang bij mijn slaapkamer kom. Zodra we elkaar zien, klinkt het startschot. Eerst vertragen we tot een flinke pas, zodat de ander niet denkt dat het echt een wedstrijd is. Dan loop ik zo snel ik kan en loopt zij zo snel ze kan en arriveren we doorgaans allebei op precies hetzelfde moment bij de deur van Parkers kamer. En nu komen we aan het beslissende onderdeel van de slaapjessprint, want wie het eerste door die deur komt, is duidelijk de winnaar (tenzij, natuurlijk, iemand vals speelt en haar voet uitsteekt en de andere deelneemster beentje licht waardoor zij verliest; een strategie die ik nog niet heb gebruikt, maar die ik absoluut ga proberen). Dus met een enorme, valse, ik-probeer-je-niet-te-verslaan-probeer-jij-mij-maar-eens-te-verslaan-glimlach op onze gezichten gepleisterd werken Deloris en ik met de ellebogen en we duwen en dringen elkaar uit de weg totdat een van ons zegevierend door die deur komt en de ander zich terugtrekt, de verwarde haren uit haar gezicht strijkt en over haar gekneusde, pijnlijke arm wrijft.

Tot nu toe sta ik met twee-zes achter en hadden we één gelijkspel, wat vreselijk klinkt, maar in feite niet zo slecht is als je bedenkt dat Deloris een halve kop groter en vijftig kilo zwaarder is dan ik. Maar ik werk eraan. Ik ben met tai chi begonnen.

De slaapjessprint is echter maar een klein deel van het probleem. Ik bedoel, voor het geval je een blonde, in haar la verstopte voodoopop nog niet genoeg vindt, er zijn nog andere dingen gebeurd. Gisteren bijvoorbeeld speelde Deloris met Parker op haar kamer terwijl ik me aankleedde, en op de monitor hoorde ik dat ze Parker probeerde te leren hoe ze *papa*, *Delo* en *Zoey* moest zeggen, maar ze maakte geen gewag van de woorden *mammie* of zelfs *mama*. Overbodig te zeggen dat ik kookte en nadat ik de hele nacht heb liggen woelen en draaien, heb ik besloten dat ik Nadines plan, hoe stom ik het ook vind, ga proberen, omdat ik er nu definitief genoeg van heb.

En daarom wordt vandaag, als alles goed gaat, de Berlijnse Muur afgebroken. Als alles goed gaat, zullen Deloris en ik ons verenigen als bondgenoten tegen een nieuwe bedreiging, een bedreiging die veel groter en potentieel verwoestender is dan wij ten opzichte van elkaar kunnen zijn. Als alles goed gaat, gaan Deloris en ik het opnemen tegen Parmantige Poedel Bitch.

Mijn god, ik hoop dat Nadine weet wat ze doet.

Als Parker in haar bedje ligt voor haar ochtendslaapje, loop ik naar mijn slaapkamer en ga voor de spiegel staan. Zo hard als ik kan wrijf ik met mijn vuisten over mijn ogen en probeer die zo rood mogelijk te maken en vervolgens veeg ik alle make-up onder mijn ogen weg zodat je mijn donkere kringen goed kunt zien. Ik werp een laatste blik in de spiegel – oké, ik zie er afschuwelijk genoeg uit – en dan loop ik naar de keuken waar Deloris teentjes knoflook staat te pellen. Als ik anders in de keuken kom en Deloris is er ook, dan negeren we elkaar gewoon en bemoeien ons in stilte met onze eigen zaken. Maar omdat het vandaag Victorie Deloris-dag is (beter bekend als v&d-dag, een ongelukkige bijnaam, dat weet ik), ga ik bij het aanrecht zitten, zucht hardop en snik elke paar seconden terwijl ik de post doorkijk. Uit mijn ooghoeken zie ik hoe Deloris zich omdraait en naar me kijkt.

Oké, denk ik, tijd om in actie te komen.

Met trillende stem begin ik te praten.

'Deloris?' zeg ik en ik probeer haar aandacht te krijgen. Ze draait zich weer om en kijkt me aan.

'Ja, mevrouw Lara, wat is er?'

Ik zucht opnieuw en doe alsof ik aarzel voordat ik verder praat. 'Deloris, het spijt me dat ik je bij iets persoonlijks ga betrekken, maar ik weet niet wie ik anders om hulp moet vragen...' Ik laat mijn zin wegsterven en doe alsof ik me moet beheersen.

Deloris legt haar knoflook neer en kijkt me aan. 'Wat is er aan de hand, mevrouw Lara?' vraagt ze. 'Is er iets met de baby?'

Ik schud mijn hoofd. 'Nee, nee,' zeg ik. 'Het is niet Parker. Het is gewoon... nou, heb jij gemerkt dat Andrew de laatste tijd anders is?'

Deloris knijpt haar ogen dicht en ik zie dat ze niet weet wat ik bedoel. 'Anders hoe?' vraagt ze.

Ik snik en probeer me puppies voor te stellen die worden afgemaakt in een poging een paar tranen tevoorschijn te toveren. 'Ik weet het niet,' zeg ik. Ik adem trillend in en adem dan uit. 'Maar ik denk...' Ik wacht even en ze kijkt me aan. Voor het dramatische effect ga ik zachter praten en ik fluister: 'Ik denk dat hij versierd wordt.' Als ik het woord *versierd* zeg, leg ik mijn hand op mijn mond alsof ik het gewoon niet kan verdragen.

Deloris kijkt boos. Ze richt zich op en schudt haar hoofd. 'Ik denk het niet,' zegt ze. 'Meneer Andrew zou dat zijn gezin nooit aandoen.'

Ik bet mijn ooghoeken met mijn wijsvingers. 'Ik had dat ook nooit gedacht, maar ik weet tamelijk zeker dat een andere vrouw achter hem aan zit.'

Deloris slaat haar armen over elkaar. 'Waarom?' vraagt ze. 'Waarom denk je dat?'

Nu moet ik voorzichtig zijn. Ik wil niet dat Deloris kwaad wordt op Andrew, want dan valt mijn hele plan in duigen. Ze moet het gevoel krijgen dat hij het slachtoffer is.

'Nou,' snik ik hard. 'In de klas die hij doet met Zoey zit die vrouw. Ze is heel knap en ze is gewoon niet bij hem weg te slaan. Ze verzint altijd uitvluchten om hem te kunnen zien of met hem te praten en ik vind dat allemaal niet normaal.' Deloris is nog steeds sceptisch. Ik haat dit, maar ik denk dat ik een klein leugentje om bestwil moet verzinnen. Ik duim achter mijn rug. 'Vorige week heeft ze chocoladecakejes voor hem gebakken, omdat hij haar heeft verteld dat hij die heel lekker vindt, en gisteravond pakte ik per ongeluk de telefoon op en hoorde dat ze hem vertelde dat ze alles voor hem zou doen en dat hij alleen maar een seintje hoefde te geven.' Oké. Twee kleine leugentjes om bestwil. Maar het is voor een goed doel.

Ik werp een onopvallende blik op Deloris die witheet is van woede.

'Denk je dat meneer Andrew erin trapt?' vraagt ze.

'Ik weet het niet, Deloris. Ik weet het gewoon niet. Ik bedoel, hij is soms zo naïef. Ik heb tegen hem gezegd dat ik niet wil dat ze zo vaak bij hem rondhangt, maar hij houdt vol dat ze alleen maar vrienden zijn. Hij heeft medelijden met haar omdat ze net hierheen is verhuisd en niemand kent. Maar ik ben een vrouw. Ik weet wat ze aan het doen is.'

Opeens kijkt Deloris op alsof ze een visioen heeft.

'Heeft ze blond haar?' vraagt ze. 'En een gebruinde huid?'

'Je ként haar?' vraag ik en ik doe alsof ik kwaad ben. Deloris knikt en ze balt de vuisten. O, dit is perfect. 'Waarvan?' vraag ik. *Ja, waarvan eigenlijk?* Misschien zitten mijn kleine leugentjes om bestwil er toch niet zo ver naast.

'Ze was hier op een avond,' zegt ze en ze schreeuwt bijna. 'Buiten. Jij was bij de baby en ik hoorde buiten iets en daarom keek ik uit het raam en ik zag haar. Ze stond bijna vijf minuten aan de voordeur. Ik dacht dat ze misschien iets voor jou wilde afgeven. Maar misschien wilde ze hem zien en veranderde ze van gedachten toen ze zich realiseerde dat jij thuis was.' Ze denkt hierover na en probeert scenario's te bedenken. 'Of misschien stalkt ze hem. Misschien wachtte ze tot hij thuiskwam, zodat ze met hem kon praten en misschien duurde haar dat te lang. Of misschien wist ze dat ik haar had gezien.' Ze wijst naar me. 'Iets dergelijks gebeurde een keer bij *All My Children*. Het was bijna hetzelfde.'

Deloris knikt nu langzaam en combineert het allemaal in haar hoofd, en ik denk dat ze de avond bedoelt toen Courtney Zaks halsband kwam halen. Deloris moet zich niet gerealiseerd hebben dat Andrew haar binnenliet en dat ik met haar heb gesproken. Ze moet haar bij de deur hebben zien staan nadat ik haar heb uitgelaten.

Ik doe alsof ik geschokt ben door deze nieuwe informatie en ik zet mijn ellebogen op het aanrecht en leg mijn handen voor mijn gezicht. Ik kijk naar Deloris door de spleetjes tussen mijn vingers en ik zie hoe ze haar lippen tuit en haar hoofd schudt.

'Wat ga je doen?' vraagt ze.

'Ik weet het niet,' zeg ik door mijn vingers heen. 'Ik weet het gewoon niet.'

Deloris aarzelt en dan loopt ze naar het aanrecht tegenover me. Ze staat ongeveer een halve meter van me af en ze buigt zich naar voren en gaat zachter praten.

'Vertel me de waarheid, mevrouw Lara. Denk je dat ze minnaars zijn?' vraagt ze.

Ik haal mijn schouders op en doe mijn handen naar beneden zodat ik haar kan aankijken. 'Nee,' schud ik mijn hoofd. 'Ik weet niet waarom, maar ik denk niet dat het al zover is gekomen.'

Deloris slaakt een zucht van verlichting en knikt. 'Je moet op je intuïtie vertrouwen,' zegt ze en ze wijst naar me. 'Een vrouw weet dat.'

Ik haal opnieuw mijn schouders op. 'Maar dat het nog niet is gebeurd, betekent niet dat het niet gáát gebeuren,' zeg ik snel voordat ik haar belangstelling verlies. 'Als ze hem echt probeert te verleiden, wie weet wat er dan over een paar weken gebeurt?' Ik wacht even en betrek haar weer in het gesprek. 'Maar als hij dat doet...' Ik staar in de verte en doe alsof ik me het ergste voor de geest haal. 'Als hij dat doet, denk ik niet dat ik het hem ooit kan vergeven. Ik hou van hem, maar ik kan niet met hem getrouwd blijven.'

Deloris ziet eruit alsof ze gaat huilen. Ze is een goede dertig seconden doodstil voordat ze iets zegt.

'Mevrouw Lara,' zegt ze. 'Vertrouw je Deloris?'

O, natuurlijk, denk ik. Ik vertrouw Deloris ongeveer net zo ver als ik haar kan weggooien. Maar ik knik van ja.

'Natuurlijk vertrouw ik je,' lieg ik. 'Ik bedoel, ik weet dat we het niet altijd met elkaar eens zijn, maar jij zorgt voor mijn baby. Er is niemand die ik meer vertrouw.' Nou, als ik het op deze manier zeg, is het eigenlijk niet eens zo'n grote leugen.

Deloris knikt naar me en zet een ernstig gezicht.

'Oké, dan,' zegt ze. 'Deloris gaat je helpen, voordat dit nog erger wordt.' Ze kijkt in de richting van Parkers kamer. 'Mijn baby moet niet opgroeien in een ontwricht gezin. Dat is niet goed voor een kind.'

Oké, Nadine heeft een bovennatuurlijke gave of ze is een genie. Ze heeft precies voorspeld dat Deloris dat tegen me zou zeggen.

Deloris buigt zich naar voren en klopt op mijn hand. 'Maak je geen zorgen,' zegt ze. 'Deloris kan dit oplossen.'

Ik kijk haar aan. 'Wat ga je doen?' vraag ik.

Deloris lacht en gebaart dat ik moet opstaan. 'Kom mee,' zegt ze. 'Deloris moet je iets laten zien.'

Ik loop achter haar aan door de hal naar haar slaapkamer en Deloris gebaart dat ik op het bed moet gaan zitten terwijl zij haar bovenste la opentrekt. Ze steekt haar hand erin en een paar seconden later draait ze zich om met de blonde voodoopop in haar hand.

'Weet je wat dit is?' vraagt ze me. Ik staar haar even aan.

Ja, ik weet wat het is, denk ik. Het is die verrekte voodoopop die je van míj hebt gemaakt. Maar ik doe alsof ik gek ben.

'Het lijkt op... Ik bedoel, is dat een voodoopop of zo?'

Deloris knikt. 'Dat klopt,' zegt ze. 'Het is een beschermingspop die boze invloeden en boze effecten moet tegenhouden.' *Ja, net als ik.* Ze bekijkt de pop en draait die rond in haar hand. 'Maar als ik hem een heel klein beetje verander, kan hij een vernietigingspop worden die precies doet wat de naam zegt.'

Oké, time-out. Ik houd mijn handen omhoog.

'Wacht even, Deloris. Ik wil niet dat je haar vermoordt of zo.'

Deloris grinnikt. 'Het is een fabeltje dat voodoo lichamelijke schade toebrengt,' zegt ze. 'De pop zal de vrouw niet vernietigen. Hij zal alleen haar macht over de man vernietigen. En om er helemaal zeker van te zijn, kunnen we een bezwering doen die haar onzichtbaar maakt voor hem.'

'Echt waar?' vraag ik en ik trek een wenkbrauw op.

Deloris knikt naar me. 'Het wordt de Ga Weg Vrouw genoemd,' zegt ze. 'Het is de krachtigste bezwering tegen de liefde.'

Ik wíst het. Ik wist dat ze die bezwering bij mij deed zodat Parker niet van mij zou houden. En Julie dacht dat ik gek was. Wacht maar totdat ik het haar vertel.

Ik haal mijn schouders op.

'Oké,' zeg ik. 'Laten we het doen. Wat moet ik doen?'

Het volgende uur draait Deloris rond in kringetjes en gooit verschillende kleuren poeders en drankjes over de blonde voodoopop en eindelijk is de metamorfose van mij in Courtney voltooid. Nou, metamorfose is misschien een te groot woord. Eigenlijk ziet de pop er precies hetzelfde uit, alleen draagt ze nu een wit hemd in plaats van een zwart en ik liet Deloris een beetje poeder op het gezicht van de pop smeren, zodat dat er een beetje gebruind uitziet. Maar volgens Deloris hebben we nu een bonafide, door een Haïtiaanse priesteres gemaakte liefde-vernietigingspop die haar macht gaat gebruiken om Courtney over een paar dagen uit Andrews leven en hart te verbannen.

Ik zeg je, deze dame is knettergek.

Maar gek of niet, haar houding tegenover mij is in het afgelopen anderhalf uur totaal veranderd. Ik bedoel, Parker werd ongeveer twintig minuten geleden wakker en Deloris vróég me nota bene of ik haar wilde halen. En toen ik ja zei, láchte ze zowaar en toen ik met Parker terugkwam naar Deloris' kamer en haar in mijn armen hield terwijl Deloris aan de voodoopop werkte, zei ze echt áárdige dingen over mij tegen Parker. In feite, als mijn geheugen me niet in de steek laat, denk ik dat haar exacte woorden waren: *Nou, Parker, vind je het niet fijn bij je lieve mammie?* Het was choquerend, dat kan ik je vertellen. Gewoon choquerend. God, als ik had geweten dat er alleen maar een heel klein beetje valse nieuwsgierigheid naar haar voodoo-onzin voor nodig was, zou ik haar drie maanden geleden hebben gevraagd of ze misschien een bezwering voor gewichtsverlies achter de hand had. Hm. Nu ik erover nadenk, misschien moet ik het haar nu vragen. O, kom op. Het kan geen kwaad.

'Mevrouw Lara,' zegt Deloris en ze houdt de pop omhoog. 'Het is tijd voor jouw aandeel. Je moet je wens doen voor de pop.'

Een wens? Ik moet een wens doen? Ik legt Parker tegen mijn linkerschouder, waar ze op gaat sabbelen.

'Oké,' zeg ik. 'Maar kun je me een voorbeeld of zoiets geven? Ik wil het niet verpesten.'

Deloris trekt een ernstig gezicht en schudt haar hoofd. 'Je wens moet van jezelf komen en het kan van alles zijn, zolang je de regel van het universum volgt.' O, natuurlijk. Alsof iedereen weet wat de regel van het universum is.

'Oké, Deloris, ik pas,' zeg ik en ik probeer niet te sarcastisch te klinken. 'Wat is de regel van het universum?'

Deloris steekt een vermanende wijsvinger naar me op. 'De regel is dat je een vrouw geen groter onrecht mag toewensen dan wat ze jou heeft aangedaan. Begrijp je? Want als je deze regel overtreedt, kan Deloris je niet helpen met het karma dat het universum je zal geven.' Ik moet mijn ogen even dichtdoen zodat ik er niet mee ga rollen.

'Oké,' zeg ik. 'Ik begrijp het.' Deloris knikt en geeft me de pop, die ik met mijn rechterhand aanpak.

'Goed,' zegt ze. 'Geef me nu de baby, zodat je dit goed doet.'

Ik geef Parker aan Deloris en kijk haar aan voor instructies. Ze loopt naar de witte rieten boekenplank in de hoek van de kamer en ze pakt een bakje dat eruitziet alsof het werd beschilderd door een kind van vier. Ze reikt het me aan.

'Hier. Pak dit en leg het op het bed en zet dan de pop erop.' Ik doe het en dan wijst ze naar de grond. 'Kniel nu voor het bed, leg je rechterwijsvinger op het hart van de pop en als je klaar bent, sluit je je ogen en doe je je wens.'

O, mijn god. Als televisiekijken ADHD veroorzaakt, dan vraag ik me af wat je krijgt als je je moeder ziet neerknielen voor een stropop met een blonde pruik. Ik wed dat Susan die vraag nog nooit heeft gekregen.

'Moet ik het hardop zeggen?' vraag ik als ik kniel.

Deloris schudt haar hoofd tegen me. 'Nee. Zeg het in gedachten en de pop zal je horen.'

O, man. Ik kan niet geloven dat ik dit doe. Aarzelend ga ik op mijn knieën zitten en leg mijn vinger op de borst van de pop en dan kijk ik of Deloris het goed vindt. Ze knikt en trekt een gezicht alsof ze wil zeggen dat ik door moet gaan. Oké. Mijn wens, mijn wens. Wat wens ik eigenlijk?

Eens kijken... Ik wou dat ik een normale nanny had. Ik wou dat ik de verzameling schoenen van Sarah Jessica Parker had. Ik wou dat ik wittere tanden had. Ik wou dat—

'De pop kan je helpen met je wens met betrekking tot de vrouw,' zegt Deloris streng. Geschrokken draai ik mijn hoofd om en kijk haar wantrouwig aan. Ze trekt een je-bent-zo'n-fiasco-gezicht tegen me.

Geen sprake van. Ze kon helemaal niet geweten hebben wat ik dacht. Wedden dat iedereen eerst iets anders wenst?

'Ik dénk gewoon na,' zeg ik. 'Ik wil het goed doen.' Deloris steekt haar voet vooruit en begint ermee te trappelen alsof ze ongeduldig wordt. 'Oké,' zeg ik. 'Ik ben klaar. Jeetje.'

Ik haal diep adem en doe mijn ogen dicht.

Dit is zo stom.

'De wens!' eist Deloris.

Ik leg mijn vinger op mijn lippen. 'Sst!' zeg ik met gesloten ogen. *Bah.* Ik doe gewoon die stomme wens zodat ze me verder met rust laat. Ik verander de toon van de stem in mijn hoofd in een toon van vals berouw, zoals Bart Simpson klinkt als hij zegt dat hij er spijt van heeft dat hij in de klas met propjes heeft gegooid, en ik doe mijn wens.

Hoewel Andrew me niet bedriegt, zou ik willen dat hij geen vrienden meer is met Courtney en dat Courtney met agility stopt.

Zo. Ik heb het gedaan. Ik doe mijn ogen weer open en haal mijn vinger van de pop af, en dan sta ik op.

'Goed zo,' zegt Deloris en ze pakt de pop op. 'En je zult het zien. Jouw wens zál uitkomen. De poppen van Deloris doen het altijd heel goed.'

'Ik hoop het,' zeg ik en ik wil Parker pakken. Tot mijn verbazing laat Deloris haar meteen los. Nou, dát noem ik tovenarij. Oké, dan. Eens kijken waar ik nog meer mee wegkom. 'Ik ga met haar spelen op de studeerkamer,' zeg ik voorzichtig.

'Oké,' zegt Deloris. 'Ik moet nog wat wassen. Ik ben in de bijkeuken als je me nodig hebt.'

Ik ben sprakeloos van verbazing. 'Geweldig,' zeg ik eindelijk. 'Ik zie je straks.'

Ik loop naar buiten en draag Parker naar de studeerkamer, waar ik ongehinderd en zonder chaperonne bijna drie kwartier met haar speel.

Oké, mensen, zet het maar in de krant. Deze koude oorlog is eindelijk ontdooid.

21

'Julie, jij gaat met me mee naar dit vrijgezellenfeest. Je hebt niks te kiezen.'

'Maar ik ken er niemand,' jammert ze, 'en ik heb geen zin om uit te gaan en te zien hoe een groep mensen die ik niet ken dronken wordt. Waarom moet ik mee?'

'Omdat je mijn vriendin bent,' zeg ik tegen haar. 'En vriendinnen laten vriendinnen niet alleen naar willekeurige vrijgezellenfeestjes gaan.'

Ze slaakt een zucht van protest. 'Maar je bent niet alleen,' zegt ze. 'Stacey is er ook.'

'Het is Staceys bar,' breng ik haar op de hoogte. 'Zij werkt daar. Kijk, wil je dat ik je smeek? Want dan smeek ik.' Het is stil aan de andere kant van de lijn. 'Oké. Alsjeblíéft, alsjeblíéft, alsjeblíéft, ga met me mee. Ik heb je daar nodig. Alsjeblieft.' Weer een zucht, maar nu is het een zucht van berusting. Ik lach.

'Goed,' zegt ze. 'Ik ga met je mee. Wat trek je aan?'

'Ik heb geen idee,' zeg ik. 'Iets dat past.'

'Hoeveel moet je nog afvallen?' vraagt ze verbaasd. 'Je bent al zo mager.'

'Nog twee kilo en die zitten allebei in mijn buik. Ik zweer je, die kan ik vijftien centimeter indrukken. O, dat is waar ook! Kun je je zus vragen of bij haar ook een stuk huid over haar litteken hangt? Want bij mij is dat walgelijk. Ik denk dat ik de volgende keer aan mijn dokter vraag of hij er wat vanaf kan snijden.'

'De volgende keer?' vraagt Julie. 'Krijgen jullie weer een baby?'

'Nou, nog niet heel snel,' zeg ik, 'maar later eens, ja.'

'Echt waar?' vraagt ze. 'Omdat je het zo vreselijk vond toen je zwanger was en je je zo ellendig voelde toen Parker was geboren, kan ik niet geloven dat je het weer gaat doen.'

'Ik heb nooit gezegd dat ik dat graag wilde, maar ik zal nog een kind krijgen. Ik moet. Ik denk dat Andrew doodvalt als hij geen zoon krijgt.'

'Maar stel dat je weer een meisje krijgt?' vraagt ze. 'Neem je dan een derde kind?'

'Hallo, nee. Andrew kan doodvallen. Of misschien kunnen we het sperma laten uitsorteren. Ik heb gehoord dat je dan vijfentachtig procent kans hebt op een jongen. Maar het maakt niet uit. Het duurt nog een hele tijd. Laat me eerst mijn babygewicht kwijtraken voordat je me weer zwanger maakt, oké?'

'Oké,' zegt ze. Ik kan haar stomme glimlach bijna door de telefoon zien. 'Maar ik ben zo trots op je. Als ik je drie maanden geleden had gezegd dat je dit weer zou doen, dan denk ik dat je met een geweer achter me aan was gekomen.'

'Nou, dank je wel, mammie,' zeg ik. 'Hier ben ik heel blij mee. Tussen twee haakjes, hoe zit het met het Instituut? Heb je nog iets gehoord?'

Julie slaakt een gefrustreerde zucht. 'Niets. Ik heb al drie keer gebeld om te zien of ze niet van gedachten veranderen en ons toch een toelatingsgesprek geven, maar ik kom niet verder. Ze blijven zeggen dat een toelatingsgesprek geen voorwaarde voor toelating is, maar als dat dan niet zo belangrijk is, waarom hebben ze het dan?'

'Ik weet het niet,' zeg ik. 'Misschien gebruiken ze dat alleen voor grensgevallen. Heb je daar al eens aan gedacht? Misschien ben je al toegelaten en vinden ze het niet nodig om nog een toelatingsgesprek met jou te hebben.' Ik kan haar glas bijna halfvol horen worden als ze deze mogelijkheid overweegt.

'Echt waar?' vraagt Julie. 'Denk je dat dat kan?'

'Alles kan,' zeg ik. 'Is er iemand ooit toegelaten die geen toelatingsgesprek heeft gehad? Misschien moet je dat eens vragen?'

'Dat is een goed idee,' zegt ze. 'Ik ga ze meteen bellen.'

'Doe dat,' zeg ik tegen haar. 'Nou, luister, ik haal je zaterdagavond om half negen op, oké?'

'Oké,' zegt ze met tegenzin, maar met veel minder tegenzin nu ik haar dag heb goedgemaakt.

'En niet afzeggen,' waarschuw ik haar.

'Ik zal niet afzeggen,' zegt ze.

'Jij bent de beste,' zeg ik. 'Doeg.'

Ongeveer een halfuur later belt mijn vader aan. Hij belde me vanmorgen op met de vraag of hij vanmiddag even mocht komen om Parker te zien en ik besloot welwillend te zijn en zei ja. Natuurlijk, toen ik dat had gedaan, bedacht ik dat ik nu drie van de vijf regels heb overtreden die ik met betrekking tot hem voor mezelf heb opgesteld. Een samenvatting, als je het goed vindt:

1. Ik zal zijn verloofde niet ontmoeten. *Eh, ja, oké.*
2. Ik wil niets te maken hebben met zijn bruiloft. *Eens kijken, bruidsmeisje, ik regel het feest waarop genodigden de cadeaus kunnen afgeven, en het vrijgezellenfeest in de nieuwe bar van mijn beste vriendin. De verkoop van die bar heeft zijn verloofde die ik niet ging ontmoeten, helemaal geregeld.*
3. Hij zal Andrew niet ontmoeten en ook geen tijd met Parker doorbrengen. *Andrew: denk aan het incident met het haarstukje tijdens de BBQ. Parker: zie hierboven.*

Maar ik ben niet te vermurwen over regel vier en vijf en dat zijn trouwens de belangrijkste.

4. Ik zal niet warm en liefdevol tegen hem zijn, nooit.
5. Hoewel dat heel onwaarschijnlijk is, is het mogelijk dat ik hem op een dag vergeef voor wat hij heeft gedaan, maar ik zal het nooit vergeten.

Nou, ik begrijp het wel als je je nu afvraagt waarom ik regel nummer drie overtreedt en hem Parker laat zien. Ik bedoel, als ik jou was, zou ik me dat ook afvragen. Natuurlijk denk je nu ongetwijfeld dat dat iets te maken heeft met die vier miljoen dollar, maar dat is niet waar, ik zweer het je. Ik bedoel, ja, het zou geweldig zijn als hij een spaarrekening voor haar zou openen, maar ik verwacht dat niet. Ronny Levitt is geen man die gemakkelijk afstand doet van zijn geld en ik verwacht niet dat hij het aan mijn kind geeft, net zo min als ik verwacht dat hij het aan mij geeft. Maar hij gaf Deloris zaterdagavond na het diner wel een fooi. Het was zo raar. Hij liep naar haar toe en gaf haar een briefje van vijftig en toen bedankte hij haar dat ze de borden heeft opgeruimd en op Parker heeft gepast toen wij aan het eten waren. Ik had zoiets van: *Pap, je hoeft mijn nanny geen fooi te geven*, maar hij hield vol dat het goed was. Andrew dacht dat hij misschien niet meer zo spaarzaam is op zijn leeftijd, of dat hij zich door zijn miljoenen realiseert dat hij niet meer zuinig hoeft te zijn, maar dat denk ik niet. Ik denk dat hij gewoon te lang in Vegas is geweest. Kom op, gokkers zijn berucht om hun grote fooien. Dat maakt deel uit van hun cultuur.

Maar goed, de reden waarom ik hem Parker laat zien, is omdat ik begin te vermoeden dat Nadine gelijk heeft. Ik heb besloten dat ik opensta voor de mogelijkheid dat hij het echt goed bedoelt, maar dat hij gewoon een beetje misleid werd in zijn pogingen. Het is een enorme stap, dat weet ik, maar als ik meer tijd met hem doorbreng, begrijp ik misschien wat Nadine in hem ziet. Het lijkt er bijvoorbeeld echt op dat hij weer een gezin wil hebben. Hij belt me de hele tijd en hij wil altijd plannen maken. Hij heeft zelfs aangeboden om te babysitten als Deloris een vrije dag heeft. Niet dat ik hem dat zou laten doen, maar het is de gedachte die telt...

Kijk, ik vertrouw hem nog steeds niet voor honderd procent – ik weet echt niet of ik hem ooit helemaal zal vertrouwen – maar ik denk dat ik hem net zo goed een kans kan geven. Er bestaat natuurlijk een kans dat ik het op een dag helemaal verpest met Parker en als dat gebeurt, dan hoop ik gewoon dat ze hetzelfde voor mij doet. Weet je, het is die hele theorie van slecht karma en van *what goes around, comes around*. Ik geloof er niet echt in, maar ik ben bang om er botweg niet in te geloven, voor het geval het allemaal waar blijkt te zijn. Maar het is grappig. Mijn vader kwam precies op het juiste moment terug in mijn leven. Ik denk niet dat ik zo vergevingsgezind zou zijn als ik niet net een baby had gekregen. In feite weet ik zelfs niet of ik hem wel binnen had gelaten op die dag dat hij hier kwam opdagen. Ik denk dat je echt anders over bepaalde dingen gaat denken als je moeder wordt.

Ik doe open en mijn vader loopt naar binnen. Hij buigt zich naar voren om me een knuffel te geven, maar ik deins terug. Hé, ik zei dat ik hem een kans zou geven, niet dat ik de rest van mijn regels zou overtreden.

'Hoi, Buhbie,' zegt hij terwijl hij terugkrabbelt.

'Hoi, pap.' Ik loop met hem naar de studeerkamer waar Parker op haar alfabetmat ligt. (Andrews letter-van-de-week-plan is niet verder gekomen dan de A, tussen twee haakjes. Na ongeveer de derde dag begon Parker te huilen zodra hij begon te praten met die áchterlijke, afschúwelijke stem.) Als hij Parker op de grond ziet liggen, gaat hij op zijn knieën zitten en legt haar op zijn schoot.

'O, wee,' zegt hij als hij voelt hoe zwaar ze is. 'Wat doe je in haar flesje, milkshake met chocolade?'

Ik leg mijn handen op mijn heupen. 'Dat is niet grappig,' zeg ik tegen hem. 'Baby's begrijpen het als mensen gemene dingen over hen zeggen. Ze weet misschien niet precies wat het betekent, maar ze weet dat je het ergens niet mee eens bent. Doe me dus een lol en houd je gedeisd met je v-e-t-commentaar, oké?'

'Oké, oké. Ik wist niet dat je ineens zo politiek correct was.'

Ik sla mijn ogen ten hemel. 'Het is ineens voor jóú,' antwoord ik. 'Maar in feite ben ik al veel langer zo.'

Hij knijpt in Parkers bovenbeentje en kijkt me aan. 'Jouw benen waren ook zo,' zegt hij. 'Mollig, mollig, mollig.' Ik werp hem een wat-heb-ik-zojuist-gezegd-blik toe en hij knikt om te laten zien dat hij het begrijpt. 'Sorry. Geen v-e-t-commentaar meer, ik beloof het.' Hij draait Parker naar zich toe en ze lacht stralend naar hem.

'Is ze niet het schattigste meisje dat je ooit gezien hebt?' vraag ik hem en ik ga op de grond naast hem zitten.

Hij knikt en zucht dan. 'Ik kan gewoon niet geloven dat jij moeder bent. Ik kan me jou als baby nog zo levendig herinneren. En nu ben je zo anders. Je bent zo groot geworden en ik heb het gevoel dat ik je niet meer ken.'

'Pap,' zeg ik en ik doe extra veel moeite om niet vijandig te klinken, 'ik bedoel dit op een heel aardige manier, maar je kent me écht niet. Mijn hele volwassen leven ben je weggeweest.'

'Ik weet het,' zegt hij verdrietig. 'Ik heb gewoon gedacht dat je niet zo anders zou zijn. Ik dacht dat alles weer zo zou zijn als vroeger. Je weet wel, je zou nog steeds zo zijn als op de middelbare school: aanvoerder van de cheerleaders, gestrest over een proefwerk. Ik had gewoon niet verwacht dat je zo'n andere persoon zou zijn.'

'Ik ben niet zó anders,' zeg ik tegen hem.

Maar hij knikt. 'Jawel, dat ben je wel,' houdt hij vol. 'Je bent harder dan vroeger en je bent niet zo vriendelijk. En je zegt waar het op staat. Dat deed je vroeger nooit. Je hield altijd je mond als je het ergens niet mee eens was, omdat je niemand van zijn stuk wilde brengen. Ik maakte me daar zoveel zorgen over. Ik zei altijd tegen je moeder dat ze over je heen zouden lopen als je de echte wereld in zou gaan.'

Zie je, ik heb je gezegd dat ik een slappeling ben. Altijd geweest.

'Ik zeg tegen jóu waar het op staat,' zeg ik tegen hem. 'Maar niet altijd tegen andere mensen.' *Vraag maar aan mijn nanny.* 'Maar goed, je doet alsof ik zo'n kreng ben. Kom ik zo op jou over?'

'Nee,' zegt hij en hij schudt zijn hoofd. 'Ik heb geen kritiek op je. Ik vind het geweldig. Ik ben er trots op hoe je bent geworden.' Hij haalt zijn schouders op. 'Misschien was het goed voor je dat ik er al die jaren niet ben geweest.'

'Of misschien was ik nog beter geworden als je er wel was geweest.'

Hij kijkt me even aan en slaat dan zijn blik neer. 'Je aanbad me altijd,' zegt hij en hij kijkt nog steeds naar de grond. 'Wat ik ook deed, je vergaf het me altijd. Je vond het niet erg als ik er eens niet was als je moest dansen of als ik je verjaardagsfeestje vergat. Jouw liefde was onvoorwaardelijk.' Hij balanceert Parker op zijn schoot en geeft haar een kus boven op haar hoofdje. 'Dat is het beste van kinderen hebben, Lara. Ze houden van je, wat er ook gebeurt.' Hij wacht even. 'En dan worden ze volwassen en leren ze meer.' Hij kijkt me aan en ik zie dat zijn ogen vochtig zijn. 'Dat is het gedeelte dat ik niet verwacht heb, denk ik. Ik beschouwde het als vanzelfsprekend dat je nog steeds van me zou houden, zelfs na wat ik heb gedaan, omdat je vroeger ook altijd van me bleef houden.'

Parker begint onrustig te worden en daarom pak ik haar van hem over. Ik draai haar om en leg haar op mijn schouder, en ze kalmeert onmiddellijk. Ik zucht. Ik had echt niet verwacht dat dit bezoek een therapiesessie zou worden. Ik dacht dat we misschien gewoon bij Parker konden zitten, de reusachtige olifant in de kamer negeren en doen alsof alles goed is. Maar het ziet er niet naar uit dat dat gebeurt. Verdomme, waarom praten joden altijd zoveel? Ik wieg Parker een paar keer heen en weer terwijl ik mijn gedachten op een rijtje zet.

'Weet je, pap, toen je was vertrokken, praatte ik altijd over jou als een niet uit te spreken symbool en ik noemde je de Klootzak Vroeger Bekend als Mijn Vader.'

Hij krimpt ineen. 'Oké,' zegt hij. 'Dat begrijp ik.'

Ik knik. 'Maar weet je, ik heb hier de laatste tijd heel veel over nagedacht en er is eigenlijk heel veel waars in die naam.' Hij kijkt alsof hij kwaad wordt, maar ik zwaai met mijn hand dat hij even moet wachten. 'Ik probeer niet te zeggen dat je een klootzak bent. Daar heb ik het niet over. Maar het deel van jou dat vroeger mijn vader was – dat bedoel ik. Ik bedoel, ik hou nog steeds van je, maar ik hou van jouw oude ik,' zeg ik en ik probeer niet te huilen. 'Ik hou van de man die mijn vader was toen ik klein was. Of in elk geval van de man die ik dacht dat je was toen ik klein was. Maar jij bent die man niet meer. En misschien ben je dat ook nooit geweest, ik weet het niet.' Ik haal mijn schouders op en ga dan verder.

'Maar zoals jij vindt dat ik nu anders ben, zo vind ik dat jij nu anders bent. Dus, ik denk dat wat ik probeer te zeggen, is dat ik je opnieuw moet leren kennen voordat ik weer van je kan houden. En ik weet het niet, maar misschien moet jij mij ook opnieuw leren kennen voordat je weer van me kunt houden.' Ik moet denken aan wat Stacey tegen me zei op die dag toen we aan het wandelen waren en ik lach. 'Weet je, je kunt pas van iemand houden als je een relatie met hem hebt.'

Hij kijkt bedroefd, alsof ik zojuist zijn hart heb gebroken. Maar dan knikt hij. 'Je hebt gelijk,' zegt hij. 'Het overrompelde me gewoon, dat is alles.' Hij kijkt op zijn horloge en dan, alsof hij zich niet heeft gerealiseerd hoe laat het is, staat hij snel op.

'Ik moet gaan,' zegt hij ongerust. 'Ik ben al laat voor mijn afspraak bij de kleermaker voor mijn smoking.' Hij doet me denken aan Assepoester op het bal als de klok twaalf uur slaat en ik vraag me af of zijn grote Mercedes buiten in een pompoen verandert. Ik leg Parker neer en hijs me op van de grond, en hij staat onhandig voor me.

'Lara,' zegt hij, 'is het goed als ik je een knuffel geef?' Het klinkt bijna als een smeekbede en het is zo aandoenlijk dat de tranen in mijn ogen springen. Ik kan absoluut geen nee zeggen. Zelfs ik ben niet zo harteloos.

Ik zucht. 'Natuurlijk mag je me knuffelen,' zeg ik tegen hem en ik spreid mijn armen. Hij komt dichterbij en slaat zijn armen om me heen en we omhelzen elkaar een hele tijd.

Tot zover regel nummer vier.

'Ik hou meer van jou dan van iemand of iets ter wereld, Lara,' zegt hij zo zachtjes dat hij bijna fluistert. Hij gaat achteruit en er zijn nu tranen in zijn ogen, en hij glimlacht naar me. 'Als je kinderen hebt, dan verandert dat nooit, hoeveel tijd er ook voorbijgaat of hoe anders je ook bent geworden.' Ik kijk naar Parker en ik moet op mijn wang bijten om niet in tranen uit te barsten.

'Ik weet het,' zeg ik tegen hem. 'Ik weet het.'

Als Andrew thuiskomt, zijn Deloris en ik allebei in de studeerkamer met Parker en we kijken hoe ze worstelt om zich om te rollen op de alfabetmat.

'Ze kan het bijna,' zegt Deloris.

'Ik weet het,' zeg ik. 'Ik hoop alleen dat ze het snel doet. De helft van de baby's in Mammie-en-ik draait zich nu al om. Ik wil echt niet dat ze de laatste is.'

'Ze doet het,' zegt Deloris. 'Ze doet het als haar tijd gekomen is.' Andrew schraapt zijn keel en legt zijn sleutels op het bijzettafeltje naast de bank.

'Hoi,' zegt hij en hij klinkt verbaasd omdat hij ons samen ziet.

'Hoi,' zeggen we allebei in koor. Hij lacht, maar het is duidelijk dat hij niet goed weet wat er hier aan de hand is. 'Je bent vroeg thuis,' zeg ik. Ik sta op en loop naar hem toe. Ik geef hem een vluchtige kus op de mond. 'Wat is er?'

'Niets,' zegt hij. 'Ik wilde vanavond gewoon bij jou en Parker zijn en ik had niet zoveel werk en daarom besloot ik om naar huis te gaan.'

'Dat is geweldig,' zegt Deloris enthousiast. Ze straalt. Ik kijk haar even aan en probeer erachter te komen waarom ze zo gek doet. Ze trekt haar wenkbrauwen een heel klein beetje naar me op met een ik-heb-het-je-verteld-blik. *O, god.* Ze denkt dat haar bezwering werkt. Ik moet mijn best doen om niet hardop te lachen. 'Oké, dan,' zegt ze. 'Deloris gaat eten als jullie dat goed vinden. Kunnen jullie even samen zijn.'

'Oké,' zeg ik. 'Dank je wel, Deloris.'

Ze keert zich naar me toe en lacht weer. 'Heel erg graag gedaan,' zegt ze en ze loopt de kamer uit naar de keuken. Andrew kijkt helemaal verbijsterd. Arme jongen. Hij heeft vast en zeker het gevoel dat hij in een ander universum of zo terecht is gekomen.

'Wat was dat allemaal?' vraagt hij.

'Niets,' zeg ik. 'Deloris en ik hebben vandaag gewoon even met elkaar gepraat. Zij en ik worden vriendinnen, denk ik.'

'Echt waar?' zegt hij opgewonden. 'Wat is er veranderd?'

'Niets is veranderd,' zeg ik. 'Ik heb haar gewoon gezegd wat ik van bepaalde dingen vond en zij reageerde positief. Dat had ik eigenlijk lang geleden moeten doen.' Parker grijnst naar Andrew en beweegt haar handen voor haar gezichtje op en neer.

'Zie je papa?' vraag ik aan haar. 'Hou je van je papa?'

'Waarom heb je dat niet gedaan?' vraagt hij.

Ik pak Parker op en geef haar aan hem. 'Waarom heb ik wat niet gedaan?'

Hij pakt Parker en knijpt in haar beentje. 'Waarom heb je haar niet eerder gezegd wat je ervan vond?'

'O,' zeg ik. 'Omdat ik er niet eerder aan heb gedacht. Het was Nadines idee. Ze zei dat je iemand als Deloris niet op een beschuldigende manier kunt aanpakken. Weet je nog bij de barbecue toen ik tegen haar schreeuwde en zij gewoon wegliep?' Andrew knikt. 'Nou, Nadine zei dat je zo niet met haar om moet gaan. Ze zei dat als ik met haar overweg wil kunnen, ik haar moet laten zien dat ik kwetsbaar ben. Dat heb ik dus gedaan. En weet je wat? Het lukte. Ze doet nu heel anders tegen me.'

Andrew houdt zijn hoofd scheef en kijkt me wantrouwig aan. 'Je doet raar,' zegt hij. 'Je luistert naar Nadine en je bent aardig tegen Deloris. Is er iets waar ik niets vanaf weet?'

Ik kijk hem aan en lach boosaardig. 'Andrew, er is altijd iets waar jij niets vanaf weet. Ben je daar nog steeds niet achter?'

Hij haalt zijn schouders op en schudt zijn hoofd. 'Ik wil het zeker niet weten?' vraagt hij.

Ik lach naar hem. 'Nee,' zeg ik. 'Nee, je wilt het niet weten.'

22

Ik sta in mijn kleedkamer en staar naar de lange broek. Er was een tijd dat ik die elke dag paste – weet je nog? – daarna deed ik het nog maar een keer per week en toen het gewoon te deprimerend werd, paste ik hem helemaal niet meer. Ik denk dat het bijna een maand geleden is dat ik er zelfs maar aan heb gedacht. Maar vanavond is het vrijgezellenfeest en Parker wordt vandaag vierenhalve maand en dus voel ik me gelukkig. Ik pak de broek van de hanger en stap uit de trainingsbroek die ik al de hele dag aanheb.

Als hij niet past, zeg ik tegen mezelf, dan is het ook goed. Maar alsjeblieft pas. Alsjeblieft, alsjeblieft, alsjeblieft, alsjeblieft, alsjeblieft pas.

Langzaam stap ik met mijn linkerbeen erin en dan mijn rechter en ik trek hem omhoog. Helemaal omhoog, en hij voelt niet aan als een legging. Maar wacht even, raak niet te snel opgewonden. Ik ben al zover geweest. Het probleem is hem dicht te krijgen. Hij heeft een lage taille. De zijkanten moeten dus bij elkaar komen over mijn laatste twee kilo's vet die verbazingwekkend genoeg allemaal in mijn onderbuik zijn gaan zitten, en daarom is *hem dicht krijgen* gemakkelijker gezegd dan gedaan. Maar ik ga het proberen, denk ik. Ik houd mijn buik zo ver mogelijk in, ga rechtop staan en probeer de knoop in het knoopsgat te krijgen.

O, mijn god. Hij gaat dicht. Hij gaat dicht! Mijn broek past! Mijn broek past! Ik wou dat ik in een flat in New York woonde zodat ik het van de daken kon schreeuwen. *Hé, iedereen! Mijn broek past weer!* Natuurlijk zouden mijn kankerende buren dingen schreeuwen als: *Kop dicht, er proberen hier mensen te slapen*, maar daar zou ik me niets van aantrekken. Ik zou mijn armen uitslaan en gaan zingen of zoiets.

Stel je niet aan, loop naar de maan!
Ik zing en ik schreeuw en ik gil voortaan,
Want ik krijg mijn broek weer aaaaaaaan!

Dat is het. *De Broek, de musical.* Als iemand Tim Rice kent, laat hem dan contact met me opnemen. Dank je wel.

Ik draai me om voor de manshoge spiegel en bewonder mijn achterwerk van alle kanten. Het ziet er gewoon zo... goed uit. Echt waar, iedereen zou zo'n broek moeten hebben. Je ego krijgt meteen een zetje. Om nog maar niet te spreken van de onmiddellijke opkikker van je achterwerk. Hij is perfect. Ik pas een paar verschillende topjes en schoenen en kies een lang, lichtroze topje met een v-hals, zilveren naaldhakken van Christian Louboutin en een zilverlamé handtasje.

Perfect. Nu heb ik heel veel zin om vanavond uit te gaan.

Om half negen precies ben ik bij Julie, maar natuurlijk is ze nog niet klaar en daarom moet ik naar binnen gaan en met Jon praten terwijl zij haar haren föhnt.

'Hoi, Jon,' zeg ik en ik geef hem een kus op de wang.

'Hoi, Laar. Ik heb je zo lang niet gezien. Je ziet er goed uit.'

'Dank je,' zeg ik. Ik gooi mijn haren naar achteren. 'Hoe gaat het met jou?'

'Heel goed. Hard werken.' Ik knik. Ik heb eigenlijk niet zo veel tegen Jon te zeggen. Andrew is er anders altijd bij en treedt op als buffer. 'Van wie is het vrijgezellenfeest waar jullie vanavond heen gaan?' vraagt hij.

'O, het is de verloofde van mijn vader. Ze is negenenveertig, maar ze doet alsof ze eenentwintig is.' Hij trekt zijn wenkbrauwen op. 'Het wordt interessant,' zeg ik.

Er valt een ongemakkelijke stilte als we allebei iets bedenken om te zeggen, maar Jon komt het eerst met een opmerking.

'Nou,' zegt hij. 'Heb je al nagedacht over een peuterklasje?' Ik zweer je, hij en Julie passen zo perfect bij elkaar, het is gewoon weerzinwekkend.

Ik schud mijn hoofd. 'Niet echt,' zeg ik tegen hem. 'Ze kan op Bel Air Prep naar de kleuterschool. Ik maak me er dus niet zoveel zorgen over.'

Jon knikt weer. 'Dat is geweldig,' zegt hij. 'Julie zal je wel hebben verteld over het Instituut, hè?'

'Ja. Maar dat is alleen maar een toelatingsgesprek. Het betekent niet dat je er niet op komt.'

Jon haalt zijn schouders op. 'Misschien,' zegt hij en hij gaat zachter praten. 'Maar om eerlijk te zijn, denk ik dat het door de essays kwam.'

Nou, ja, dat had ik je ook kunnen vertellen. O, wacht, dat heb ik je verteld. Domme ik. Ik sta op het punt een felle aanval te lanceren over hoe ik haar heb verteld dat ze waardeloos waren maar dat ze niet wilde luisteren, als Jon weer begint te praten.

'Weet je, ik vond dat ze ze heel goed had geschreven – al die dingen over diversiteit en alles waren zo goed – maar ze had op twee verschillende plaatsen *betrokkenheid* verkeerd gespeld. Ik kan het niet geloven. Wie controleert tegenwoordig de spelling niet? Bah. Ik was zo boos op haar.'

Houdt hij me voor de gek? Hij denkt dat ze geen toelatingsgesprek hebben gekregen vanwege een spelfout? Wat als het hele essay een fout was? Jeetje. Ik hoop echt dat Lily niet naar de kleuterschool van Bel Air Prep gaat, want ik wil niet over zeventien jaar met Julie en Jon kibbelen als ze zich wil inschrijven op een universiteit. Over nachtmerrie-ouders gesproken!

Op dat moment komt Julie de trap af gesprongen. Ze draagt een strakke witte broek, een turquoise topje en zilveren platte sandalen met turquoise steentjes erop en ze heeft een bijpassend turquoise vestje om haar nek gebonden. Zoals altijd ziet ze eruit alsof ze gaat zeilen.

'Sorry,' zegt ze. 'Lily ging laat naar bed en ik stond pas om kwart voor acht onder de douche.' Ze grijpt haar enorme emmertas van Louis Vuitton en zwaait hem over haar schouder. 'Dag, lieverd,' kust ze Jon op de wang. Dan kijkt ze naar mij. 'Hoe laat zijn we thuis? Twaalf uur of zo?'

Is ze gek geworden? We komen vast niet voor twee uur thuis. Het is een vrijgezellenfeest, hoor. Maar ik knik.

'O, ja,' zeg ik. 'Absoluut.'

Jon lacht en zwaait naar me. 'Oké,' zegt hij. 'Veel plezier.'

'Dank je wel!' roep ik en dan pak ik Julies arm en loop met haar de deur uit.

We arriveren in de bar – Stacey heeft hem California Bar genoemd – en het duurt nog een halfuur voordat het feest gaat beginnen. Als we naar binnen lopen, ben ik diep onder de indruk. Het is een compleet nieuwe plek. De nissen en de barkrukken zijn bekleed met kobaltblauw suède en afgewerkt met zilveren sierknopjes. De tafels en de bar zijn chocoladebruin geverfd en het vieze tapijt is nu een prachtige houten vloer. Er is nieuwe verlichting, een cabine voor een livedeejay en aan weerszijden van de bar is een enorm verhoogd podium afgewerkt met witte lijsten. Ik moet zeggen dat de bar práchtig is. Ik moet ook zeggen dat ik verbáásd ben. Ik kan niet alleen bijna niet geloven dat ze dit in twee weken heeft klaargespeeld, ik kan ook niet geloven dat Stacey zo'n goede smaak heeft. Ik bedoel, het meisje heeft bijna zeven jaar in een leeg appartement gewoond. Ik had er geen idee van dat ze nog iets anders kon bedenken dan Ikea en een paar stapelbare kratten.

Als Julie en ik alles in ons opnemen, verschijnt Stacey uit het niets in een zwarte leren broek en een lichtblauwe omslagbloes waar haar tieten amper in passen.

'Nou, wat vinden jullie?' doet ze ons opschrikken.

'Het is verbazingwekkend,' zeg ik tegen haar. 'Ik sta hier gewoon met open mond. Had je een binnenhuisarchitect?'

Ze schudt haar hoofd. 'Nee. Ik heb het helemaal zelf gedaan. Ik had een droom.'

Julies ogen gaan wijdopen. 'Het is echt goed,' zegt ze. 'Ik bedoel, je kon binnenhuisarchitect zijn. Ik zou je absoluut inhuren.'

Ik bijt op mijn lip en probeer niet te lachen bij het idee dat Stacey als Julies binnenhuisarchitect gaat werken.

'Ja,' zegt Stacey en ze kijkt mij minachtend aan. 'Dank je wel, maar nee, dank je.'

Voor het geval je het niet wist, Stacey kan Julie niet uitstaan. Ze is veel te levendig naar Staceys smaak. Natuurlijk heeft Julie er geen idee van, omdat ze te aardig is en het niet bij haar opkomt dat iemand haar niet aardig vindt omdat ze zo aardig is, maar ik denk dat ze wel ziet dat ze Stacey irriteert, wat ze compenseert door nog aardiger te doen als Stacey in de buurt is, waardoor Stacey haar in haar gezicht wil slaan. Het is best grappig om naar te kijken.

'Nou,' zeg ik, 'je hebt fantastisch werk geleverd. Ik ben diep onder de indruk. Als je het niet erg vindt, kun je me dan helpen met alles in orde te maken voor het feest?'

Stacey schudt haar hoofd. 'Hallo?' zegt ze. 'Ik open vanavond.

Ik moet nog wel een paar dingen doen die belangrijker zijn dan jouw feestje.' Ze wijst naar een opwindende jongen in een zwarte leren broek en een strak zwart T-shirt, die in de hoek staat te praten met een serveerster die ook een zwarte leren broek en een zwart T-shirt draagt.

'Dat is mijn manager,' zegt ze. 'Hij heet Tom. Tom Collins.' Ze lacht. 'Is dat niet perfect voor de manager van een bar?' Ik knik ja. 'Maar goed,' zegt ze, 'hij kan je helpen met alles wat je nodig hebt. Ik moet de bar in orde maken. Ik zie je straks.'

Stacey gaat weg en daarom loop ik naar Tom Collins, die nu bij de voordeur staat met een koptelefoon tegen zijn oor. Ik schraap mijn keel en geef hem de uitdagende hoi-ik-ben-een-schattig-meisje-laat-me-alsjeblieft-naar-binnen-glimlach die ik vroeger gebruikte bij portiers, maar ik moet je vertellen dat het nu gewoon verkeerd aanvoelt. Het is net een leugen. Net alsof ik probeer te doen alsof ik jong en zonder zorgen ben en regelmatig in een club kom en niet de oude moeder de vrouw die ik in werkelijkheid ben en die sinds president Clinton geen club meer vanbinnen heeft gezien. Maar Tom Collins lijkt het me niet kwalijk te nemen.

'Hoi,' lacht hij terug. 'Kan ik je ergens mee helpen?'

O, hij is snoezig.

'Eh, ja,' zeg ik. 'Ik organiseer vanavond een vrijgezellenfeest en ik wilde even kijken of ik een paar tafeltjes kan reserveren en daar misschien al een paar flessen drank neer kan laten voor als iedereen er is.'

Hij knikt en lacht weer en kijkt vervolgens in mijn decolleté. Ik bloos. God, het is echt lang geleden dat iemand dat heeft gedaan. Ik vraag me af wat hij doet als hij erachter komt dat ik bijna eenendertig ben en dat twee kilo vet, een litteken van vijftien centimeter en een enorme huidplooi die daaroverheen hangt onder dit shirt verborgen zitten. Ja. Hij zou me vast en zeker vertellen dat ik buiten in de rij moet gaan staan.

'Geen probleem,' zegt Tom Collins met een sexy grijns. 'Dat regel ik voor je. Kan iemand je iets te drinken brengen terwijl je op je gezelschap wacht?'

'Graag,' zeg ik en ik werp hem weer die uitdagende glimlach toe. 'Ik neem een wodka tonic.'

Normaal gesproken zou ik ook een drankje voor Julie bestellen, maar ik probeer gewoon nog een paar minuten van zijn aandacht te genieten en als ik hem erop attendeer dat ze bij mij hoort, weet hij meteen dat ik oud ben. Ik bedoel, ik weet dat ze er niets aan kan doen, maar ze ziet er altijd zo als een móéder uit.

'Geweldig,' zegt hij. 'Ik ga er meteen voor zorgen.'

Ik draai me om en dan kijk ik over mijn schouder en zie dat hij achteruitloopt en aandachtig naar mijn achterwerk staart. Ik bloos opnieuw en hij lacht en draait zich om. God, ik hou van deze broek.

Julie zit in een nis en ik loop naar haar toe en ga bij haar zitten.

'Er werd net met me geflirt,' kondig ik aan. 'Door een lekker ding.' Ik grijns breed, maar Julie ziet er geschokt uit.

'Echt waar?' vraagt ze. 'Heb je teruggeflirt?'

Ik knik lachend naar haar. 'Ja,' zeg ik. 'Het voelde zo goed.'

Julie kijkt me ongerust aan. 'Gaat alles goed tussen jou en Andrew?' vraagt ze.

'Natuurlijk,' zeg ik. 'Ik ga niet met hem naar bed. Ik zie hem waarschijnlijk nooit meer. Het is gewoon leuk om te zien dat ik het nog steeds heb, dat is alles.'

'Nou, ik ga niet flirten,' zegt ze. 'Ik ben alleen maar hier om alles te observeren.'

Ik rol met mijn ogen naar Jane Goodall en een serveerster komt aangelopen met mijn drankje en zet het voor me neer. 'Het is van het huis,' zegt ze en ze wijst naar achteren waar mijn nieuwe vriendje een paar minuten geleden verdween. 'En ik maak nu uw tafels klaar.'

'Dank je wel,' zeg ik. Ze loopt weg en ik werp Julie een blik van verstandhouding toe.

'Wees voorzichtig, Lara,' waarschuwt ze. 'Doe geen domme dingen.'

'O, alsjeblieft, Julie, ontspan je. Je bederft de pret. Hier,' ik geef haar mijn drankje. 'Neem jij dit. Jij hebt het veel harder nodig dan ik.'

Tien minuten later druppelen de mensen binnen en tegen de tijd dat Nadine binnenkomt, is het heel druk in de bar. Nadine heeft zich uitgedost in een strakke zwarte broek en een laag, laag, laag uitgesneden zwart topje met gouden lovertjes aan de voorkant. Tot mijn verbazing heeft ze de rode schoenen met de hoge hakken vervangen door zwarte platte schoenen. Maar voor het geval dat ze dacht dat ze zelf niet genoeg aandacht zou trekken, komt ze met een snaterend gezelschap onmogelijk fantastische, onmogelijk magere vrouwen in een onmogelijk schaarse outfit. Ze zien er absoluut uit alsof ze stripteasedanseressen zijn, of misschien waren ze vroeger stripteasedanseressen, maar op de een of andere manier krijg je het gevoel dat deze vrouwen hun kleren niet uittrekken voor bankbiljetten. Voor diamanten misschien, maar niet voor bankbiljetten.

In elk geval voel ik me een eland naast hen. Tot zover me goed voelen vanavond.

'Wauw,' zegt Nadine terwijl ze rondkijkt. 'Ik kan het niet geloven. Jimmy zou het zelfs niet meer herkennen!'

'Ik weet het,' roep ik. 'Is het niet verbazingwekkend?'

Ze knikt en vervolgens doet ze een stap achteruit om me aan haar troep voor te stellen. 'Lara,' zegt ze, 'dit zijn mijn vriendinnen.' Ze wijst hen om de beurt aan en noemt hun naam. 'Leila, Tawny, Brandi, Gemma, Eden, en je kent Marley natuurlijk.' Ze zwaaien allemaal naar me en ik lach en probeer niet naar hun tieten te staren.

'Hoi,' zeg ik. 'Ik ben Lara en dit is mijn vriendin Julie.' Ik kijk naar Julie, maar ze zit als versteend. Alsof ze nog nooit van haar leven een tiet heeft gezien. Ik stoot haar onder de tafel met mijn elleboog aan en ze begint meteen te lachen als een boer die kiespijn heeft.

'Hoi,' zegt ze. 'Aangenaam kennis met jullie te maken.' Dan wendt ze zich tot Nadine. 'En gefeliciteerd,' zegt ze. 'Je moet wel opgewonden zijn.'

Nadine lacht en knikt. 'O, lieverd, je hebt er geen idee van.'

Ik zwaai met mijn arm en val haar in de rede. 'We hebben deze drie tafeltjes,' zeg ik en ik wijs naar de twee tafeltjes achter ons. 'En de drank is al geregeld. Je moet alleen een serveerster zoeken die het drankje voor jullie mixt.'

Nadine, Marley en Gemma, denk ik, schuiven in onze nis en de anderen besluiten een rondje te maken en de bar te bekijken. Als ze vertrokken zijn, wendt Julie zich tot mij en lacht.

'Ik moet naar het toilet,' zegt ze met de vriendelijkste stem die ik ooit heb gehoord, zelfs voor haar doen. 'Ga je met me mee?'

O, ze gaat absoluut tegen me schreeuwen. Zij is de enige persoon die ik ken wier stem eigenlijk hoger en beleefder wordt als ze overstuur is. Ik zucht en glijd achter haar de nis uit. Als we bij het toilet komen, is ze bijna in tranen.

'Wie zijn die vrouwen?' vraagt ze. 'Wist je dat die er zouden zijn?'

Ik schud mijn hoofd. 'Nee,' zeg ik. 'Ik bedoel, ik wist dat Nadine haar vriendinnen zou meebrengen, maar ik heb die nooit ontmoet. Nou, ik heb Marley een keer ontmoet, maar toen was ze aan het werk. Ze zag er totaal anders uit.'

'Lara, ik wil niet de hele avond in hun gezelschap doorbrengen,' zegt ze. 'Het zijn net pornosterren of zoiets. Ik heb me in mijn hele leven nog nooit zo geschaamd.'

'Het zijn geen pornosterren,' zeg ik tegen haar. 'Ik denk dat een paar van hen misschien stripteasedanseres is geweest.' Julie wordt bleek. 'Luister,' zeg ik. 'Nadine is een echte goede vrouw. Zij zou niet hun vriendin zijn als ze drugsverslaafden of prostituees of zo waren. Je moet me gewoon vertrouwen, oké? Ik weet dat ze er niet uitzien als wij, maar ik weet zeker dat ze heel aardig zijn.'

Maar Julie aarzelt. 'Ik weet het niet, Laar, ik denk dat ik gewoon moet gaan.'

'Kom op, Julie, geef ze gewoon een kans. Als je je over een uur nog steeds beroerd voelt, dan breng ik je naar huis. Ik beloof het. Alsjeblieft? Alsjeblieft, blijf bij me.'

Ze fronst haar wenkbrauwen. 'Oké,' zegt ze. 'Maar één uurtje.'

Ik knik en geef haar een knuffel. 'Dank je wel,' zeg ik. 'Dank je wel.'

We lopen het toilet uit en gaan terug naar onze nis, waar Marley en Gemma wel zes verschillende jongens om zich heen hebben staan. Julie en ik banen ons een weg door de mist van testosteron heen en gaan zitten.

'We zijn er weer,' zeg ik tegen Nadine, die zich afzijdig probeert te houden van de activiteiten die bij de tafel plaatsvinden.

Nadine straalt. 'Dit is fantastisch,' zegt ze. 'Die Stacey is een doorzetter.' Ik knik instemmend en Nadine richt haar aandacht op Julie. 'Nou, Julie, wat doe jij?' vraagt ze.

Julie wordt een beetje rood. 'O, niets,' zegt ze ongemakkelijk. 'Ik ben een thuisblijfmoeder.'

'Julie heeft een dochtertje van tien maanden,' breng ik Nadine op de hoogte. 'Zij heeft me alles geleerd wat ik over baby's moest weten.' Nadine trekt een wauw-gezicht en ik ga door en probeer

Julie te vleien, zodat ze wil blijven. 'Ik zou verloren zijn zonder Julie,' zeg ik. 'Zij heeft me verteld over de Mammie-en-ik-klas, zij ging met mij alle babyspulletjes kopen toen ik zwanger was, zij legt me uit wat ik moet doen voor de peuterklas. Ze weet álles.'

Nadine kijkt verbaasd. 'Je denkt al over een peuterklas?' vraagt ze me. 'Maar Parker is nog zo klein.'

Nu vrolijkt Julie op. 'Je hebt geen idee hoeveel concurrentie er is,' zegt ze. 'Je moet je er zorgen over gaan maken op het moment dat je zwanger wordt.'

Als Julie aan het praten is, zie ik dat het mannenharem van Marley en Gemma zich naar het tafeltje achter ons begint te verplaatsen en daarom draai ik me om om te zien wat er mogelijk nog verleidelijker kan zijn dan Marley, Gemma, ik, Julie en Nadine. Ah. Brandi, Tawny, Eden en Leila zijn teruggekomen van hun rondje bar en Brandi laat Eden de nieuwe tatoeage zien die ze op haar heup heeft. O, nou. Ik denk dat daar niet veel mee kan concurreren. Ik draai me weer om en vang de laatste helft van Julies zin op.

'...we proberen echt op die school die het Instituut wordt genoemd, maar we hebben geen toelatingsgesprek gekregen, dus ik denk dat we nu geen kans maken.'

Plotseling zwaait Nadine met haar hand in de lucht. 'Het Instituut?' schreeuwt ze. 'Is Dan Gregoire daar nog steeds directeur?' Helemaal geschokt knikt Julie van ja en Nadine trekt een *pf!*-gezicht. 'O, schat. Ik kan je op het Instituut krijgen. Dan is een goede oude vriend van mij.'

Ongelofelijk. Is er geen enkele man in deze stad die geen 'oude vriend' van Nadine is? Ik begin te denken dat ik veel naïever ben dan ik zelf denk, omdat ik er geen idee van had dat zoveel mannen regelmatig naar een callgirl gaan.

'Meen je dat?' vraagt Julie. Ze ziet eruit alsof ze zich elk moment aan Nadines voeten kan gooien.

'Absoluut,' zegt Nadine. 'Ik bel hem maandagmorgen meteen. Hebben we dinsdag de bevestiging van toelating.'

'O, mijn god,' roept Julie uit. 'Je hebt er geen idee van hoeveel dat voor mij betekent.' Ze is even stil en doet een poging om zich te beheersen en dan begint ze opnieuw, maar nu langzamer. 'Ik kan gewoon niet geloven wat een toeval dit is. Wat een kleine wereld, dat jij met Lara's vader gaat trouwen en dat jij Dan Gregoire kent. Dit is zo ongelofelijk, ik kan het niet–'

Plotseling rukt Gemma zich los van haar Cosmopolitan en valt haar in de rede. 'Dan Gregoire?' schreeuwt ze dronken naar Nadine. 'Is hij niet die man die van kleine kinderen houdt? Ik moest een schooluniform aantrekken en dan sloeg hij me met een liniaal. Was dat zijn naam?'

Julie legt haar hand op haar mond en Nadines ogen schieten vuur. 'Neem me niet kwalijk, meisjes,' zegt ze tegen ons met een brede glimlach en dan pakt ze snel Gemma's arm, trekt haar uit de nis en duwt haar in een hoek. Ik kan niet horen wat ze zegt, maar ze wijst met haar vinger recht in Gemma's gezicht en Gemma is verstijfd van schrik. Julie, Marley en ik staren naar hen terwijl dit gebeurt, maar na een minuut of zo excuseert Marley zich en loopt naar hen toe. Ze legt haar hand op Nadines arm alsof ze probeert te bemiddelen.

Julie draait zich om en kijkt mij aan.

'Waar had ze het over?' vraagt ze. 'Wat bedoelde ze dat ze van hem een schooluniform moest aantrekken?'

Ik sluit mijn ogen. *O, shit.* Er zijn zoveel redenen waarom ik niet wil dat Julie de waarheid over Nadine te weten komt, en een van de belangrijkste redenen is dat Julie een reusachtige kletskous is die er met een paar strategische telefoontjes voor kan zorgen dat de hele stad morgenvroeg met dit nieuws wakker wordt.

'Ik heb geen idee,' zeg ik. 'Ik weet niet waar ze het over heeft.'

Julie staart me even aan. 'Jawel, dat weet je wel,' houdt ze vol. 'Ik kan het zien. Je bent een slechte leugenaar. Vertel me wat er hier aan de hand is. Wie zijn die vrouwen?'

'Jul,' probeer ik tijd te rekken. 'Het is niet mijn taak om je dat te vertellen. Als je het wilt weten, zul je het hun zelf moeten vragen.'

Julie slaat haar armen over elkaar en trekt een wenkbrauw op. 'Lara,' zegt ze en ze pakt haar mobiele telefoon uit haar tas. 'Als je me het niet nu meteen vertelt, bel ik de politie dat hier zeven prostituees zijn die gearresteerd moeten worden.'

Ik slaak een diepe zucht. 'Op de eerste plaats,' zeg ik, 'is dat belachelijk. Zelfs als ze prostituees waren, wat ze niet zijn, maar zelfs als ze het waren, spreken ze nu niemand aan. Het is niet verboden om schaars gekleed in een bar te zitten. En op de tweede plaats is je gebluf afschuwelijk. Veel erger dan mijn leugens. Probeer nooit poker te spelen, alsjeblieft.'

Julie kijkt me woedend aan en haar stem bereikt z'n hoogtepunt. 'Vertel het me nu meteen!' eist ze. 'Vertel het me of ik praat nooit meer met je. Ik meen het, Lara. Jij hebt me hierheen gebracht, je bent me een verklaring schuldig.' Deze keer liegt ze niet. Ze is echt boos. God, het is zo eng. Ik heb Julie nog nooit kwaad gezien. Ik wist zelfs niet dat Julie kwaad kón worden.

'Jul,' smeek ik. 'Begrijp het alsjeblieft. Het is niet aan mij om dit geheim te vertellen.'

Ze grijpt haar tas en staat op. 'Nu meteen, Lara. Vertel het me nu meteen of onze vriendschap is voorbij. Voorgoed.' Ik aarzel en ze schudt haar hoofd naar me. 'Goed,' zegt ze. 'Tot kijk.' Ze draait zich om en doet alsof ze wegloopt.

Verdomme. Ik kan niet geloven dat ik Julie over Nadine moet vertellen. Ik bedoel, ik heb dit geheim zo lang bewaard en nu moet ik het verklappen en dan ook nog aan Julie?

'Wacht,' zeg ik en ik pak haar arm. 'Ga zitten. Ik vertel het je, oké?'

Julie knikt en glijdt weer in de nis. Ze draait haar lichaam naar me toe. Ze heeft haar armen nog steeds over elkaar geslagen. 'Vertel,' zegt ze op gebiedende toon.

Wauw. Julie is net een dominatrix of zoiets. Ik probeer mijn gezicht in de plooi te houden als ik dit scenario in gedachten speel. Julie in zwart leer, die met een zweep op de arme Jon slaat die is vastgebonden in de geheime martelkamer die ze hebben gebouwd achter de kleerkast op hun slaapkamer. Ik schud mijn hoofd in een poging het beeld uit mijn hoofd te verwijderen.

'Oké,' zeg ik. 'Maar je moet me beloven dat je tegen niemand vertelt wat ik je nu ga vertellen. Tegen níémand. Niet tegen Jon, je moeder, je zussen, niemand.'

'Oké,' zegt ze. 'Ik beloof het.'

Plotseling herinner ik me dat ze aan mensen die ik niet ken had verteld dat ik zwanger was voordat ik het zelf bekend had gemaakt, in de veronderstelling dat als ik die mensen niet ken, het niet erg is dat zij mijn geheim kennen. Mijn maag draait om als ik hieraan denk en ik realiseer me dat ik nog duidelijker moet zijn.

'En je mag het ook niet vertellen tegen mensen die me niet kennen,' zeg ik. 'Dit is iets anders dan iemand vertellen dat iemand anders die ze niet kennen zwanger is. Dit is echt. Dit kan het leven van mensen ruïneren. Nadine kan gearresteerd worden. Begrijp je?'

Julie knikt plechtig. 'Ik begrijp het,' zegt ze. 'Ik beloof je dat ik het aan niemand zal vertellen.'

'Goed,' zeg ik. 'Omdat ik jou hierin vertrouw. Ik heb het zelf ook tegen niemand verteld. Zelfs niet tegen Andrew.' Julies ogen gaan wijd open als ik dit zeg en nu weet ik dat ze het begrijpt. Ik kijk om me heen om te zien of iemand naar ons luistert en dan haal ik diep adem. 'Nadine had vroeger een escortservice,' zeg ik zachtjes, 'en de meisjes die vanavond hier zijn, waren een paar van de escorts. Iedereen ging naar hen toe. Filmsterren, directeuren van filmstudio's, ministers... en directeuren van particuliere scholen blijkbaar. Zij was de originele Hollywood Madam.'

Julies mond valt open en ze worstelt om hem weer dicht te krijgen.

'O, mijn god,' fluistert ze. 'En jouw vader gaat met haar trouwen?'

Ik knik. 'Ik weet het,' zeg ik. 'Ik heb het hem uit het hoofd proberen te praten, maar ze houden echt van elkaar.' Ik haal mijn schouders op. 'Alhoewel, nu ik haar ken, denk ik dat zij degene is die het moeilijk gaat krijgen in deze relatie. Ze is echt heel cool. En ze heeft een hart van goud. Ze helpt iedereen, zelfs mensen die ze niet kent. Kijk wat ze voor Stacey heeft gedaan. En nu helpt ze jou. Hoewel ik dat over Dan Gregoire niet geloof.' Ik grinnik. 'Ik wed dat je het niet zo erg vindt dat je geen toelatingsgesprek hebt gekregen, hè?'

Julie kijkt me uitdrukkingsloos aan. 'Het is het Instituút,' zegt ze. 'Het is de beste school van de stad. Natuurlijk vind ik het nog steeds erg dat ik geen toelatingsgesprek heb gekregen.' Ze zet haar ellebogen op de tafel en buigt zich naar me toe. 'Lara, weet jij wie de ouders zijn op het Instituut?' Ik schud mijn hoofd. 'Filmsterren, directeuren van filmstudio's, ministers. Zij hebben Dan Gregoire waarschijnlijk Nadines nummer gegeven.' Ze gaat rechtop zitten en is heel tevreden over zichzelf. 'Alsjeblieft, zijn bezoek aan een callgirl is het beste wat me ooit is overkomen. Hij móét me toelaten als Nadine hem dat zegt. Beloof me dat je haar eraan herinnert dat ze hem maandag belt.'

Ik ben geschokt. Ik weet zelfs niet wat ik tegen haar moet zeggen. 'Julie, meen je dat? Die vent heeft niet alleen "een callgirl gezien". Je hoorde wat ze zei. Hij houdt van kleine kinderen. Daar is een naam voor. Het heet pedofilie. Wil je echt dat Lily daar rondloopt, wetende dat hij opgewonden wordt als hij haar in haar schooluniform ziet?'

Julie schudt haar hoofd naar me. 'Op de eerste plaats ga ik er niet van uit dat ze de waarheid spreekt. En op de tweede plaats, als ze dat wel doet, zolang hij geen kind aanraakt, gaat het mij niet aan wat Dan Gregoire opwindt. Ik heb nog nooit van iemand een klacht over hem gehoord. In feite dragen de ouders hem op handen.' Ze kijkt me recht in de ogen. 'Geloof me, Lara, je hoeft niet bang te zijn dat ik iemand iets over Nadine vertel. Ik wil niet degene zijn die het Instituut neerhaalt. Ik wil alleen dat ze me erin krijgt en dan doen we alsof jij en ik dit gesprek nooit hebben gehad. Oké?'

Mijn aandelen in Julie zijn zojuist gekelderd tot ergens in de buurt van het gesmolten middelpunt van de aarde. Ik kan haar gewoon niet geloven. Ik bedoel, welk soort ouder trekt zich nou niets van zoiets aan? Hè? En ik heb altijd gedacht dat Julie de perfecte moeder was. Ik heb altijd gewild dat ik meer op haar zou lijken. Mijn god. Heeft Stacey gelijk? Doet iedereen gewoon alsof? Maar voordat ik een kans krijg om hierover na te denken – of om Julie ervan te beschuldigen dat ze haar kind in gevaar brengt om te klimmen op de sociale ladder en om uitgenodigd te worden in de betere kringen – komt Marley aangerend.

'Lara,' zegt ze. 'Ik heb je even nodig.' Ik aarzel, omdat ik niet zeker weet of mijn gesprek met Julie voorbij is of niet. 'Het is belangrijk,' dringt ze aan. Ik kijk naar Julie, die gebaart dat ik moet gaan.

'Ik ga met Nadine praten,' zegt ze. 'Maak je over mij geen zorgen.'

Wauw. Over een verandering van opvattingen gesproken.

'Oké,' zeg ik en ik draai me om naar Marley als Julie wegloopt. 'Wat is er?'

Ze ziet er bezorgd uit en buigt zich dicht naar me toe. 'We hebben een probleem.'

23

Tien minuten later ren ik door de bar op zoek naar Nadine, maar als ik haar vind, is het al gebeurd. Van de andere kant van de bar zie ik haar op een barkruk zitten in een diepgaand gesprek met Julie. Ik loop zo snel ik kan naar hen toe, maar als ik bij hen kom, legt een man in politie-uniform zijn hand al op Nadines schouder. Marley, Gemma, Brandi en de rest van de Scooby-gang staan om haar heen, maar niemand zegt een woord.

'Nadine Conlan?' vraagt de politieman. Nadine schrikt en haar gezicht wordt bleek. Julie staart me vol ontzetting aan.

'Dat ben ik,' antwoordt Nadine kalm. 'Is er een probleem, meneer?'

'Kom mee,' gebiedt hij. Nadine staat op en de politieman pakt een paar handboeien. Julie springt van haar barkruk en grijpt mijn arm.

'O, mijn god,' roept ze uit. 'Ik zweer het, Lara, ik heb het tegen niemand verteld.'

Er springen tranen in haar ogen, maar ik weet tamelijk zeker dat dat niet komt omdat ze bang is voor Nadine. Ik weet tamelijk zeker dat dat komt omdat ze weet dat Nadine maar één telefoontje mag plegen uit de gevangenis en dat zal niet naar Dan Gregoire zijn. Maar nu is niet het moment om ruzie met haar te maken.

'Ik weet het,' zeg ik tegen haar. 'Maak je geen zorgen.' De politieman draait Nadine om en doet de handboeien om haar polsen en dan draait hij haar weer om zodat ze hem moet aankijken. Ze is doodsbang.

'Je hebt het recht... sexy te blijven,' kondigt hij aan en hij rukt zomaar zijn shirt open en laat een gebruinde, onbehaarde borst en sixpack zien. De angst op Nadines gezicht verandert in een glimlach en alle meisjes beginnen te schreeuwen en te juichen als hij zijn pet op Nadines hoofd zet en haar naar een van de verhoogde podiums aan de zijkant van de bar brengt. Ik kan niet beslissen wie meer opgelucht is, Nadine of Julie.

'Wist jij dit?' vraagt Julie me.

Ik schud mijn hoofd. 'Nee. Ik kwam het pas te weten toen Marley naar me toe kwam. De man stond buiten en de portier wilde hem niet binnenlaten en daarom moest ik Stacey gaan zoeken om het op te lossen.'

'En Stacey vindt het niet erg dat ze dit doen op haar openingsavond?'

Een stoel wordt het podium op gehesen en als Nadine erop gaat zitten, wijst de stripper naar iemand in het publiek. Ik volg zijn vinger met mijn ogen naar de cabine van de deejay en ik zie dat Stacey erin staat met een zwarte leren koptelefoon op haar oren. Ze steekt haar duim omhoog en binnen een paar seconden klinkt 'It's Raining Men' door de ruimte.

'Nee, ik denk niet dat ze het erg vindt,' zeg ik. 'Mensen zullen over deze bar praten.'

Ik kijk naar de stripper die nu alleen nog maar een slip aanheeft en met gespreide benen boven Nadine staat en tegen haar aan begint te rijden. Hij buigt zich voorover en glijdt met zijn borst over haar lichaam en als zijn gezicht bij het hare komt, fluistert ze iets in zijn oor. De stripper knikt en draait zich om en voor ik zelfs besef wat er gebeurt, is hij de trap af gesprongen en trekt aan Julies arm.

'Nee, nee, echt,' zegt Julie tegen hem en ze probeert haar arm uit zijn greep te bevrijden. 'Dat kan ik niet. Ik doe zoiets niet.'

Daarop lacht de stripper. 'Nou, zij zegt dat je het doet,' antwoordt hij en hij wijst naar Nadine. 'En zij is de baas vanavond.'

Julie schudt krachtig met haar hoofd. 'Nee, je begrijpt het niet,' protesteert ze. 'Ik hoor zelfs helemaal niet bij haar. Ik ken haar pas sinds vanavond. Ik denk dat ze bedoelde dat je haar moest halen.'

Julie strekt haar arm uit en wijst met haar vinger naar mij. Wauw, denk ik, verbaasd over haar bereidheid om mij te verraden. Goed dat Julie er nog niet was tijdens het McCarthy-tijdperk. De hele stad zou op de zwarte lijst geplaatst worden.

Maar de stripper schudt zijn hoofd. 'Nee, hoor,' zegt hij en hij kijkt even naar mij. 'Ze had het absoluut over jou. Ze zei dat ik die preutse moest halen.' Ik lach hardop en de stripper kijkt haar aan alsof hij wil zeggen dat de discussie voorbij is. Vervolgens legt hij zomaar een bezwete, vettige arm om Julies nek en de andere bezwete, vettige arm achter haar knieën en tilt haar op.

'Nee,' schreeuwt Julie als hij haar het podium op draagt. 'Dit kun je niet doen. Ik ben een moeder. Ik heb een baby van tien maanden!'

O, denk ik. Dit gaat goed worden.

Nog een stoel wordt op het podium getild en de stripper zet Julie – die nog steeds protesteert – erop en gaat schrijlings op haar zitten, zodat ze niet op kan springen en weg kan rennen. Hij pakt de pet van Nadines hoofd en zet hem schuin boven op Julies hoofd en dan maakt hij de trui om haar nek los en gooit hem op de grond. Dan buigt hij zich voorover en likt Julies hals.

Als zijn tong haar huid raakt, stopt Julie meteen met jammeren. Haar hele lichaam verstrakt en haar gezicht vertrekt, alsof ze van angst zelfs niet meer kan ademhalen. Maar de stripper merkt het niet of trekt zich er niets van aan, want hij tilt haar rechterarm op en glijdt met zijn tong over de hele lengte ervan, van onder de oksel tot voorbij de elleboog. Julie klemt haar lippen zo stevig op elkaar dat ze bijna helemaal verdwijnen en zelfs ik moet daarvan huiveren. Ik bedoel, zo schattig is die jongen nou ook weer niet. Nou, hij ziet er eigenlijk uit als Scott Baio. Niet de veertien jaar oude *Happy Days* Scott Baio en ook niet de *Joanie Loves Chachi* Scott Baio met de gevederde haren. Stel je *Charles in Charge* Scott Baio voor, maar dan dik besmeerd met olie en aan de steroïden. Maar goed, hij is niet schattig genoeg om haar oksels te likken, zoveel is zeker. Hoewel, als ik erover nadenk, zelfs als de jongen een dubbelganger van Brad Pitt was, zou het nog steeds tamelijk walgelijk zijn. Zelfs als de jongen écht Brad Pitt was, zou het nog steeds tamelijk walgelijk zijn.

Maar net toen ik dacht dat het onmogelijk erger kon worden, pakt de stripper zijn kruis vast, legt het goed en rukt zijn slip in een snelle beweging af. Het publiek – dat door het dolle heen is op dit moment – brult en Julie doet haar ogen open en ziet alleen dat die nu op gelijke hoogte zijn met een onmogelijk grote zak, alleen bedekt met een strakke, flou-oranje G-string. Even gaan haar ogen wijd open. Het is alsof ze zich zelfs bij alle afkeer toch moet verwonderen over de grootte van de penis van deze jongen. Maar als hij ziet dat ze kijkt, stoot hij precies op haar neus en alle verwondering die ze had is voorbij. Nu lijkt het alsof ze flauw gaat vallen.

Overal om me heen schreeuwen vrouwen de longen uit hun lijf

en gooien bankbiljetten op het podium en Nadine, die zich de hele tijd lachend en klappend van genot afzijdig heeft gehouden, begint die op te rapen en stopt ze in Julies shirt en broek.

O, man, denk ik. Dit wordt nog zoveel erger.

Ik moet eerlijk zijn. Ik begin het erg te vinden voor Julie. Ik bedoel, het is absoluut grappig om haar op een podium te zien met een onsmakelijke, bijna naakte jongen op haar schoot, maar om binnen reukafstand van zijn testikels te moeten zitten... Nou, dat is gewoon niet goed. Maar ik denk dat er geen grenzen zijn aan wat sommige mensen doen als ze hun kind op een particuliere eliteschool proberen te krijgen. Pleegde die Grubman in New York geen fraude met aandelen om in de Tweeënnegentigste Straat invloed te kunnen uitoefenen? En alsjeblieft, als je ook maar een seconde denkt dat Julie nog steeds op dat podium zou zitten als Nadine daar niet verantwoordelijk voor was, nou, dan zou ik nu de afdeling Vermiste Personen moeten bellen, omdat ik heb gehoord dat een chauffeur van een vrachtwagen vol suikerbieten zojuist aangifte heeft gedaan. Oké. Als ik hierover nadenk, vind ik het toch niet zo erg voor haar.

Ik maak mijn tas open en pak drie biljetten van een dollar uit mijn beurs, en ik houd die net achter Nadine omhoog.

'Nadine!' schreeuw ik. 'Nadine, hier!'

Nadine draait zich om en rukt ze uit mijn hand. Ze knipoogt naar me. 'Dank je wel, lieverd. Ik zorg ervoor dat die op een speciale plaats terechtkomen.'

Ik kijk naar Julie en lach, en ze ziet dat ik naar haar kijk. Ze weet dat ik haar niet kan horen en daarom vormt ze met haar lippen de woorden *Ik vermoord je*. Ik grijns naar haar en klap in mijn handen.

'Wooooooo-hooooooo!' schreeuw ik en ik kijk haar recht in de ogen. Ze schudt haar hoofd naar me en sluit haar ogen als Nadine een bankbiljet in haar schoen stopt. Op dat moment zet iemand uit het publiek twee volle glazen whisky op de rand van het podium vlak bij Nadines voet. Nadine pakt ze op en geeft er een aan Julie.

'Een, twee, drie,' schreeuwt Nadine.

Een fractie van een seconde ziet het ernaar uit alsof Julie gaat huilen, maar dan slingert ze het tot mijn verbazing achterover alsof ze een professionele armworstelaar is. Ze sluit haar ogen en trekt een vies gezicht en gebaart vervolgens naar Nadine voor het andere glas. Nadine trekt haar wenkbrauwen op en geeft het aan haar. Julie gooit het achterover en geeft het lege glas aan Nadine, die diep onder de indruk is. Als de muziek 'Sex Bomb' van Tom Jones laat horen, klopt Nadine Julie op de rug en loopt terug naar haar stoel aan de zijkant van het podium.

De volgende vijf minuten of zo kijk ik een beetje met afschuw vervuld toe hoe de stripper met zijn tanden de bankbiljetten van diverse plaatsen op Julies lichaam vist, terwijl Julie, die door de whisky een heel klein beetje ontspannen is, op haar stoel beleefd zit te wachten tot hij klaar is. Ten slotte, na een finale waarin hij op zijn hoofd gaat staan en zijn ingewreven, bruingebrande dijen om Julies nek slaat, en ik naar huis wil rennen om een douche te nemen, is de stripper/Scott Baio-dubbelganger klaar met zijn act.

Na een diepe buiging trekt hij zijn broek met velcrosluiting en zijn shirt weer aan, verzamelt zijn stripperuitrusting en pakt vervolgens Julie's hand en loopt met haar onder een daverend applaus van het podium af. Hij drukt een stevige kus op haar mond voordat hij wegloopt en dan komt Julie naar me toe, versuft en verward. Nou, tot zover haar observeren vanavond.

Als ze bij me is, bekijk ik haar. Haar wangen gloeien, haar haren zijn in de war, haar broek is tot op haar enkels opgerold en haar gezicht glanst van het zweet. Ik zweer je, ze heeft er nog nooit van haar leven sexyer uitgezien.

'Hoi,' zeg ik voorzichtig. Ik heb het gevoel dat ze nu behoorlijk woest op me is.

Maar ze lacht alleen maar. 'Ho,' zegt ze en ze doet haar ogen dicht en houdt haar handen naar voren alsof ze een trein probeert tegen te houden. 'Dat was een ervaring.' Haar stem klinkt dronken en dat heb ik nog nooit gehoord. Natuurlijk heb ik Julie nooit dronken gezien en dat heeft er misschien iets mee te maken.

Ik houd mijn hoofd scheef en gluur naar haar. 'Een goede ervaring of een slechte ervaring?' vraag ik.

Julie aarzelt voordat ze antwoord geeft en dan knikt ze. 'Ik denk dat het een goede is geweest.' Oké. Ze is bedorven. Maar dan is ze meteen serieus en wijst naar me. 'Maar zeg nóóit tegen niemand dat ik dat heb gezegd.' Haar lichaam wankelt heen en weer, maar ze krijgt zichzelf uiteindelijk weer onder controle en draait zich half om. 'Ik moet naar de wc,' kondigt ze aan.

'Oké,' zeg ik. 'Wil je dat ik met je meega?' Julie schudt haar hoofd, tilt haar linkerhand op en slaat me bijna op mijn neus.

'Nee,' zegt ze. 'Ik moet even alleen zijn.' Ik knik, hoewel ik niet goed weet waarom ze eigenlijk alleen moet zijn, en dan draait ze zich om en wankelt naar het toilet.

Om de stemming erin te houden heeft Stacey dansmuziek opgezet en als ik me weer omdraai, zie ik Brandi, Gemma en Eden op het podium bij Nadine waar ze allemaal met elkaar dansen. Dirty dancing. Ik kijk er even naar, verbaasd over hoe verdomd mager ze allemaal zijn, en dan loop ik naar de cabine van de deejay. Ik vind dat Stacey een paar ernstige gelukwensen verdient. Ik bedoel, als LA een Page Six had, zou dit feestje er morgenvroeg helemaal op staan. Maar voordat ik twee stappen kan zetten, pakt Marley mijn arm.

'Lara,' zegt ze. 'Kom op.' Ze wijst naar het podium waar Nadine naar me zwaait en wenkt dat ik naar hen toe moet komen.

'O, nee,' schud ik mijn hoofd. 'Geen sprake van,' zeg ik tegen haar. Ik schud krachtig mijn hoofd tegen Nadine, die knikt en vanaf het podium naar me schreeuwt.

'Het is mijn vrijgezellenfeest,' roept ze uit. 'Je moet hier komen. Denk je dat Julie de enige is die vanavond geplaagd wordt?'

Nou, ja, eigenlijk wel. Ik schud weer mijn hoofd naar haar. Ik ga absoluut niet op dat podium. Ik wil niet die vette griet zijn die zich belachelijk maakt naast een groepje professionele hotties. Nee, dank je wel. Ik zou veel liever gemolesteerd worden door Scott Baio. Maar Nadine geeft het niet op.

'Kom op,' schreeuwt ze. Ze loopt de trappen van het podium af, strekt haar arm uit en pakt mijn hand. 'We gaan.'

Ik kijk naar de mensen die toekijken en mijn ogen schieten van links naar rechts terwijl ik een vluchtplan probeer te bedenken. Maar Marley staat achter me en duwt me de trappen op en dan sta ik opeens op het podium. De meisjes die er al zijn beginnen voor me te klappen en ik zie Stacey lachen in de cabine van de deejay. O, dit blijf ik mijn leven lang horen. Gelukkig heeft LA geen Page Six.

De dansplaat die opstond stopt plotseling en even later klinkt een nieuw liedje. Een paar seconden lang is het alleen maar een snelle drumsessie.

Ik ken dit, denk ik. Wat is dit? Dan komt de gitaar erbij en ik lach. Het is Van Halen. 'Hot for Teacher'. Ik kijk naar de cabine van de deejay en rol voor de grap met mijn ogen naar Stacey, die in haar handen klapt en schreeuwt dat ik moet dansen. Oké. Ik denk dat ik ga dansen. Ik draai me naar Brandi en Eden en we beginnen met ons drieën te dansen. Brandi doet haar ogen dicht, wrijft met haar vingers door haar haren en draait zich dan om en duwt haar achterwerk tegen me aan.

'Ben jij lerares?' vraagt ze en ze kijkt me over haar schouder aan.

Ik knik naar haar en probeer het feit te negeren dat ze bijna op mijn schoot zit.

'Zo ongeveer,' zeg ik. 'Ik ben decaan.'

'Nee, helemaal niet,' zegt ze en ze draait zich weer om. 'Mijn decaan zag er helemaal niet uit als jij.' Ik weet niet wat ik hierop moet zeggen en daarom lach ik maar en haal mijn schouders op. Maar dit is blijkbaar niet goed genoeg voor Brandi. Ze wijst met haar vinger naar mijn hoofd en gilt naar iedereen in de bar.

'Ze is schooldecaan,' schreeuwt ze. 'Hadden jullie niet ook een decaan gewild die eruitzag zoals zij?' Een paar jongens beginnen te klappen en ik zie Tom Collins in de hoek. Hij lacht en kijkt naar me.

Ik voel dat ik zo rood als een biet word en daarom loop ik weg van Brandi naar Nadine toe. 'Ik ga je vermoorden,' zeg ik als we samen dansen.

'Waarom?' vraagt ze. 'Je kunt heel goed dansen. Je kunt bewegen, lieverd. Als ik het niet wist, zou ik denken dat je beroeps was.' Ze lacht om haar grapje, gooit haar armen in de lucht en draait rond. 'Ontspan je gewoon, Lara. Amuseer je nu eens voor de verandering. Je vriendin heeft dat ook gedaan.'

Ik sta op het punt haar te vertellen dat mijn vriendin een psychose krijgt als ze nuchter wordt en zich realiseert wat er vanavond met haar is gebeurd, als ik uit mijn ooghoek een bekend gezicht ontdek. Ik knijp mijn ogen half dicht om het goed te kunnen zien, maar ik vergis me niet. Het is Courtney. Ik pak Nadines hand.

'Courtney is hier.' Ik raak in paniek. 'Je weet wel, het meisje met wie Andrew flirt.'

'Ik weet het,' zegt Nadine kalm. 'Ik heb haar uitgenodigd.' Ze draait weer rond en ik ga haar bijna slaan.

'Jij hebt wat?' vraag ik als ze weer terugdraait. 'Hoe kon je haar uitnodigen? Je kent haar helemaal niet.'

'Nou, technisch gezien heeft Andrew haar uitgenodigd,' legt ze uit.

Wacht heel even. Wat? Ik houd mijn hoofd schuin en frons mijn voorhoofd, en ik eis in stilte een verklaring.

'Ik heb hem vorige week gebeld,' zegt ze tegen me, terwijl ze haar borst heen en weer beweegt. 'Ik heb tegen hem gezegd dat ik alles wist van de situatie met jou en zijn hondenvriendin en dat ik dacht dat ik kon helpen om alles bij te leggen tussen jullie twee als ze vanavond zou komen.'

Ze wat? Ze zei wat?

'Maar Andrew heeft niets tegen me gezegd,' zeg ik tegen haar. 'Waarom zou hij me niet vertellen dat ze komt?'

Nadine draait met haar hoofd en lacht. 'Omdat ik hem heb gezegd dat hij dat niet moest doen, lieverd. Ik vroeg hem me te vertrouwen en hij zei dat hij dat deed. Hij zei dat als ik een manier wist om jou te laten inzien dat je je over haar geen zorgen hoeft te maken, hij het wel wilde proberen.'

O, dit is gewoon ongelofelijk. 'Maar waarom?' vraag ik haar. 'Waarom zou je haar híér uitnodigen?'

Nadine lacht geheimzinnig. 'Het maakt allemaal deel uit van mijn plan, lieverd. Andrew heeft me alles verteld wat ik over haar moet weten. Nou, jij gaat gewoon door met dansen en laat dat meisje zien wat een sexy stuk je bent.'

Ik kijk nog eens naar Courtney. Ze draagt een lowrider-jeans van ongeveer maat vijfentwintig en een strak wit topje met zo'n schoudertruitje met lange mouwen dat je onder je tieten vastmaakt. Haar blonde haar zit in een losse paardenstaart en haar huid is zo bruin dat ik bijna alleen haar tanden zie. Die natuurlijk sneeuwwit zijn.

Als ik naar haar staar, komt Tom Collins verlegen naar haar toe gelopen en ik voel een onverklaarbare steek van jaloezie. Uit mijn ooghoek kijk ik naar hen. Hij begint tegen haar te praten en dan zegt hij iets grappigs, denk ik, want ik zie een flits witte tanden als ze lacht. Hij maakte vast en zeker een grapje over die zielige oude dames die op het podium aan het dansen zijn. Ik draai me weer om naar Nadine.

'Ik moet hier af,' zeg ik. 'Ik voel me stom als ze naar me kijkt en ik ben te oud om dit te doen.'

Nadine duwt met haar schouder tegen mijn borst. 'Lieverd, jij bent het onzekerste mooie meisje dat ik ooit heb ontmoet. Ik ben twee keer zo oud als iedereen in deze verdomde bar en ik voel me gewoon heel goed. En ter informatie: jij bent het jongste meisje op dit podium.'

Ik draai met mijn ogen. 'Ja, maar zij zien er allemaal verbazingwekkend uit. Ik heb nog wat babyvet. En zelfs als ik niet ouder ben dan zij, dan zie ik er toch ouder uit.' Ik haal mijn schouders op. 'Ik ben gewoon niet zo zelfverzekerd als jij, Nadine. Ik kan er niets aan doen.'

Eindelijk houdt Nadine op met dansen en pakt mijn schouders met haar handen vast. 'Jawel, lieverd. Je kunt er wel iets aan doen. Je moet niet meer denken aan alles wat je niét bent en je concentreren op alles wat je wél bent. Weet je nog dat ik je heb verteld over de krachten die tegen je werken en dat je alleen maar hoeft te bedenken hoe je die vóór je moet laten werken?' Ik knik naar haar en bijt op mijn onderlip. 'Nou, de krachten werken voor je, Lara. Nu moet je ze gewoon hun werk laten doen.'

Ik schud mijn hoofd. 'Ik snap het niet,' zeg ik. 'Ik begrijp niet waar je het over hebt.'

Nadine kijkt me aan alsof ik een idioot ben. 'Jij bent híér,' zegt ze. 'Je hebt Courtney precies waar je haar hebben wilt. Zorg dat zíj jaloers wordt op jóú. Laat haar denken dat je zo geil bent dat ze nooit ofte nimmer een kans maakt bij jouw Andrew. Ze moet zichzelf dom vinden als ze het toch probeert. Kom op, Lara, kijk naar haar.' We draaien ons allebei om naar Courtney. Tot mijn groot genoegen is Tom Collins verdwenen en staat ze weer alleen. Ze beweegt met haar hoofd op het ritme van de muziek en drinkt een drankje met een rietje. 'Ze heeft helemaal niets van jou weg,' houdt Nadine vol. 'Niets. Er is geen enkel sexy bot in het lichaam van dat meisje. En over tien jaar is ze een gerimpeld, leerachtig frutseltje. Ik zeg je, als ik mijn zaak nog had, zou ik dat meisje niet in de buurt van mijn klanten laten. Geen sprake van.'

Ik kijk weer naar Courtney en laat Nadines woorden tot me doordringen. Ik weet het niet. Ik vind dat ze er heel goed uitziet. Ik haal mijn schouders op.

'Misschien,' zeg ik maar ik geloof het niet echt.

Nadine slaat haar ogen ten hemel. 'Niet misschien, schat. Zeker weten.' Ze lacht naar me en draait nog eens rond. 'Nou, het liedje is bijna afgelopen, krachtig eindigen dus. We gaan!'

Ik blijf even doodstil staan en kijk om me heen. Ik kijk naar Nadine en de meisjes die op het podium aan het dansen zijn. Naar Tom Collins die in een hoek staat. Naar Stacey in de cabine van de deejay. Naar Courtney.

Mij best, denk ik. Barst toch!

Ik steek een hand de lucht in en draai mijn pols en mijn heupen rond, terwijl ik langzaam driehonderdzestig graden draai. Ik heb dat jaren geleden geleerd op dansles in mijn oude sportschool in Philly – de dansleraar was een hippe homo van in de veertig die zijn tijd ver vooruit was. Hij leerde ons stripteasebewegingen voordat iemand ook maar van *The X Factor* had gehoord. Nadine kijkt naar me en knikt goedkeurend en ik lach verlegen naar haar, terwijl ik mijn rug krom, mijn knieën buig en halverwege naar de grond zak.

Als het liedje eindelijk is afgelopen, houdt Nadine haar hand naast me omhoog alsof ze wil zeggen dat ik een applaus heb verdiend. Iedereen die van beneden toekijkt begint te klappen en te fluiten en ik maak een buiging vol zelfspot.

Nadine schreeuwt en wijst met haar vinger naar mijn hoofd: 'Baby van vier maanden, mensen. Ze heeft een baby van vier maanden.'

Er wordt weer gefloten en dan beginnen een paar jongens 'MILF, MILF' te roepen. Ik voel me net Stiflers moeder in *American Pie*, maar ik kan niet beslissen of dat goed is of niet.

Als het gefluit ophoudt, klim ik van het podium af waar Stacey, die uit de cabine van de deejay is gekomen, op me staat te wachten.

'Wie ben jij?' vraagt ze me. 'Ik had er geen idee van dat je zo kon dansen. Vooral in het openbaar.'

Ik buig naar haar toe en fluister in haar oor. 'Courtney is hier,' zeg ik. Maar voordat ik nog iets kan uitleggen, staat Courtney naast me en tikt op mijn arm.

'Lara,' zegt ze. 'Wauw, wat kun jij goed dansen. Dat was verbazingwekkend.'

Ik doe alsof ik lach. 'Dank je wel,' zeg ik. 'Dit is mijn vriendin, Stacey,' zeg ik tegen haar. 'Dit is haar bar.'

Courtneys mond valt open. 'Echt waar?' vraagt ze. 'Dat is zo cool. Wauw, Lara, jij hebt ontzettend coole vriendinnen.'

God, ik heb dat vroeger nooit gemerkt, maar ze klinkt als een idioot. In feite klinkt ze als een paar van mijn leerlingen op Bel Air Prep. Ik voel een hand op mijn schouder. Ik draai me om en zie dat het Nadine is.

'O, Stacey,' zegt ze, 'je hebt zo'n geweldig werk geleverd in deze bar. Jimmy zal zo ontzettend gelukkig zijn.'

Stacey straalt. 'Dank je wel,' zegt ze. 'Maar ik had dit echt niet zonder jou gekund.'

Nadine schudt haar hoofd. 'Ik heb er alleen maar voor gezorgd dat je kon beginnen,' zegt ze. 'Jij hebt alles bij elkaar gebracht. En het wordt de hotste plek in de hele stad. Let op mijn woorden.'

Stacey snuift. 'Alleen als jij hier elke week een vrijgezellenfeest houdt. Ik zweer je, ik zag jongens hun mobiele telefoon pakken en hoorde ze tegen hun vrienden zeggen dat ze zo snel mogelijk hierheen moesten komen. Het is verbazingwekkend wat een paar vurige, dansende meiden voor een bar kunnen doen.'

Courtney staat naast ons en luistert, en ik kan zien dat ze zich niet op haar gemak voelt. Daarom val ik hen in de rede.

'Nadine,' zeg ik. 'Dit is Courtney, Andrews vriendin van Zoeys agilitylessen.' Ik wend me tot Courtney. 'Nadine is de vrijgezel,' leg ik uit. 'Ze gaat met mijn vader trouwen.' Nadine kijkt me onverwachts aan en ik krijg het gevoel dat ze verrast is – aangenaam verrast – dat ik dit heb gezegd.

'Gefeliciteerd,' zegt Courtney. 'En bedankt voor de uitnodiging. Andrew zei tegen me dat het oké was als ik langskwam. Zo kan ik misschien een paar nieuwe mensen ontmoeten.'

Nadine knikt. 'Ja,' zegt ze en ze gaat steeds lijziger praten. 'Je bent heel welkom. In feite heb ik iemand met wie je het heel goed zult kunnen vinden. Kom mee, liever.' Nadine loodst haar weg bij ons en Stacey kijkt me aan.

'Wat gebeurt er allemaal?' vraagt ze.

'Ik heb geen idee,' zeg ik. 'Maar alles wat ze doet lijkt op de een of andere manier te werken en daarom stel ik geen vragen.'

Stacey knikt instemmend en kijkt dan vragend rond. 'Waar is Julie?' vraagt ze.

O, shit. Ik ben Julie helemaal vergeten.

'Ik heb geen idee. De laatste keer dat ik haar zag, ging ze naar het toilet om bij te komen. Of misschien om over te geven.' Ik kijk rond, maar ik zie haar nergens. Ik zucht. 'Oké. Ik moet haar zoeken. Ik zie je straks.' Stacey loopt weg, maar ik roep haar voordat ze te ver weg is. 'Hé, Stace,' schreeuw ik. Ze draait zich om.

'Ja?'

'Prima werk. Echt waar.'

Ze glundert. 'Ik weet het,' zegt ze. 'Ik ben verbazingwekkend.'

Ik rol met mijn ogen om haar bescheidenheid en dan ga ik Julie zoeken.

Na drie rondjes door de bar vind ik haar eindelijk. Ze zit in een nis helemaal achterin, geflankeerd door Tawny, Brandi en Leila. Als ik dichterbij kom, hoor ik hard lachen en dan zie ik hoe Tawny triomfantelijk haar armen in de lucht gooit.

Wat is hier verdomme aan de hand? vraag ik me af. Ik loop naar het tafeltje en ga daar staan, maar ze zien me niet.

'Oké, oké,' zegt Brandi. 'Ik heb me nooit' – ze denkt even na over wat ze nu moet zeggen en dan knikt ze als ze het heeft bedacht – 'gekleed als cowgirl en op de rug van een naakte jongen gereden!' Tawny en Leila gooien allebei hun handen in de lucht en barsten in lachen uit.

'Geen sprake van, jongens!' brabbelt Julie.

'Drínk,' schreeuwt Brandi en ze wijst naar Julie. Julie rolt gelaten met haar ogen en neemt een slokje van haar Cosmopolitan. Oké. Ik denk dat ik hier een einde aan moet maken.

'Eh, hallo,' zeg ik hard en ik probeer hun aandacht te trekken. 'Hoi, jongens.' Julie kijkt me aan met een enorme, oprechte glimlach. Ik ben even verbaasd, omdat ik zo gewend ben geraakt aan de meewarige glimlach die ze altijd voor mij heeft.

'Lara,' schreeuwt ze. 'Doe met ons mee.' Ik kijk naar de andere meisjes en schud mijn hoofd.

'Wat is hier aan de hand?' vraag ik. Leila lacht naar me, alsof ze zojuist werd betrapt met haar hand in de koekjestrommel.

'Niets,' zegt ze. 'We spelen gewoon Ik Heb Nog Nooit.' Ze giechelen alle drie en ik leg mijn handen op mijn heupen.

'Zo speel je dat niet,' zeg ik. 'Je drinkt als je het hebt gedaan, niet als je het niet hebt gedaan.' Ze kijken me aan alsof ik een spelbreker ben en Brandi legt haar vinger op haar lippen.

'Sst,' zegt ze als de anderen in de lach schieten. Ze zijn ladderzat. Ik schud mijn hoofd en kijk naar Julie, die er net achter is gekomen wat er aan de hand is.

'O jongens,' jammert ze. Ze lachen en Tawny slaat haar armen om haar heen.

'Sor-ry,' zegt Tawni met eentonige stem.

Ik leg mijn handen op de tafel en buig me naar voren zodat alleen Julie me kan horen. 'Gaat het?'

Ze sluit haar ogen en het duurt heel lang voordat ze die weer opendoet. 'Ik weet het niet,' zegt ze. 'Ben ik dronken?'

Ik lach. 'Ja,' zeg ik tegen haar. 'Je bent heel, heel erg dronken.'

Ze knikt, alsof ik iets bevestig dat ze al had vermoed en dan buigt ze zich naar me toe. 'Lara,' fluistert ze met grote ogen. 'Je zou sommige dingen niet geloven die deze meisjes hebben gedaan. Ik wist zelfs niet dat mensen over dit soort dingen dáchten.'

O, geweldig. Ik heb Julie bedorven. Ik moet haar hier weg zien te krijgen. Jon vermoordt me als ik haar thuisbreng. Hoewel, misschien ook niet.

'Luister,' zeg ik tegen Brandi. 'Ik ga afscheid nemen van een paar mensen en dan breng ik haar naar huis.' Ik kijk streng naar Julie. 'Blijf hier,' zeg ik en ik wijs naar de tafel. 'Loop niet weg.' Ik kijk weer naar Brandi. 'En geef haar geen alcohol meer. Ze drinkt bijna nooit, in godsnaam. Je vermoordt haar.'

Brandi knikt ernstig. 'Begrepen,' zegt ze en ze steekt haar duim omhoog.

Ik sta op om weg te gaan en Julie trekt een pruilend gezicht.

'Waar ga je heen?' vraagt ze. 'Ga niet weg.'

Ik leg mijn arm om haar schouder. 'Ik ga afscheid nemen van Nadine en–'

Julie valt me in de rede. 'O, mijn god, ik hou van Nadine.'

Ik knik tegen haar. 'Ik weet het,' zeg ik. 'Blijf hier zitten en ik ben over een paar minuten terug, oké?'

'Oké,' zegt ze. Ze doet haar ogen dicht en zakt terug op de bank van de nis. Ja. Jon gaat me absoluut vermoorden.

Ik vind Nadine alleen aan de bar.

'Wat doe je?' vraag ik aan haar terwijl ik op de kruk naast haar ga zitten. 'Jij moet je amuseren.'

Ze draait zich om en kijkt me aan. 'Ik amuseer me,' zegt ze. 'Ik had even een minuutje nodig om mijn gedachten te verzamelen, dat is alles.' Ze nipt van haar drankje en kijkt me in de ogen. 'Jouw vriendin was heel sportief,' zegt ze. 'Ik krijg haar op die school. Geen probleem.'

'Ze zal heel blij zijn als ze dit hoort,' zeg ik. 'Ervan uitgaande dat ze weer nuchter wordt.'

Nadine lacht. 'Waar is ze?' vraagt ze.

'O, ze zit in de hoek,' zeg ik en ik schud mijn hoofd. Een bezorgde blik komt op Nadines gezicht. 'Maak je geen zorgen. Ze is oké. Ik breng haar nu naar huis. Ik wilde alleen afscheid nemen. Ik heb me heel goed geamuseerd.'

'O, nee, liever. Ik heb me goed geamuseerd. Dit was het beste feestje dat ik ooit heb gehad. Dank je wel dat je hebt meegeholpen.'

'Ik heb het heel graag gedaan,' zeg ik. 'Echt waar.'

Nadine lacht vrolijk naar me. 'We komen van ver, wij twee, nietwaar?' vraagt ze.

'Ja, nog maar twee maanden geleden probeerde ik te bedenken hoe ik mijn vader zover kon krijgen dat hij je dumpte.'

Nadine lacht. 'O, schat, mensen beginnen altijd zo met mij,' zegt ze. 'Maar ze draaien bij.' Ze strekt haar armen uit om me te knuffelen en ik knuffel haar terug. 'Ik zie je volgende week,' zegt ze. 'We moeten nog een paar dingen doen voor het feest.'

Ik sla mijn ogen naar het plafond. 'O, god, dat klopt. Oké. Bel me maar. Misschien kunnen jij en pap nog eens komen eten.' Ik lach tegen haar. 'Je wilt niet geloven hoe alles veranderd is met Deloris.'

Nadine lacht. 'Mijn plan was goed?'

'Jouw plan was lumineus,' zeg ik tegen haar. Ik sta op het punt haar de details van de voodooceremonie te vertellen waar ik onlangs aan heb deelgenomen, als Courtney plotseling voor me staat. Ze lijkt werkelijk opgewonden over iets en ze springt op en neer.

'Lara, Lara, o, mijn god.' Ze wendt zich tot Nadine. 'Sorry dat ik stoor,' zegt ze. 'Maar ik denk dat ik een báán heb. In een hotel.' Ze geeft een gilletje. God, ik kan niet geloven dat ik me híér zo ongerust over heb gemaakt. Nadine had gelijk. Ze ís nog maar een kind.

'Echt waar?' vraag ik. 'Wat is er gebeurd?'

'Nou, ik was aan het praten met die vrouw die bij jullie is – Marley – en we begonnen over het werk te praten en ik vertelde haar dat ik de hotelschool heb gedaan, maar geen werk kan vinden en zij vertelde me dat ze hoofd van de catering is in het Peninsula. Nou, kun je het geloven? Dus vertelde ik haar dat ik dolgraag speciale evenementen wil coördineren – dat is altijd al mijn droom geweest – en zij zei dat ze op zoek is naar een nieuwe assistente en dat ik perfect zou zijn en dat ik maandag langs moet komen voor een gesprek. Hoe verbazingwekkend is dat? Het is het lot of zoiets.'

Ik werp Nadine een onopvallende blik toe en zij knipoogt naar me. Oké, ik snap het niet. Ik ben niet erg blij over het feit dat Courtney haar droombaan heeft gevonden. Hoewel, ik moet toegeven dat ik eroverheen ben nadat ik vijf minuten met haar heb gepraat. Alsjeblieft, als Andrew bij deze volslagen idioot wil zijn, kan ze hem hebben.

Dan trekt Courtney opeens een verdrietig gezicht.

'O, god,' zegt ze. 'Ik bedenk me nu dat ik niet meer met Zak naar agility kan gaan.' *Wacht heel even...*

'Waarom niet?' vraag ik en ik probeer niet zo opgewonden te klinken als ik me voel.

Ze zucht. 'Omdat de meeste evenementen op zaterdag zijn. Ik weet zeker dat ik elke zaterdagmorgen zal moeten werken.'

Ik kijk weer naar Nadine en die heeft een zelfvoldane glimlach op haar gezicht.

Hoe is het mogelijk.

Ik zweer je, ik weet niet hoe ze het doet, maar ze is goed. Ze is echt heel goed. Ik schud mijn hoofd heel zachtjes om haar te laten zien hoezeer ik onder de indruk ben en dan begint het plotseling tot me door te dringen dat ik de hele tijd mijn Mary Poppins heb gehad. De rode schoenen met de hoge hakken hebben me op het verkeerde been gezet, maar zoals ik al zei, er is geen reden waarom ze niet kan worden geüpdatet voor de eenentwintigste eeuw.

Nadine trekt veelbetekenend haar wenkbrauw naar me op en legt dan haar hand op mijn schouder.

'Nou, Courtney, dat is geweldig nieuws,' zegt ze. 'Gefeliciteerd. Nu, dames, als jullie me willen excuseren. Ik moet mijn neus poederen.'

'Oké,' zeg ik en ik geef haar weer een kus. 'Ik zie je volgende week.'

Ze loopt achteruit en knipoogt weer naar me. 'Reken maar, schat.' Dan draait ze zich om en verdwijnt in het publiek.

24

Als ik woensdagmorgen bij Mammi-en-ik binnenloop, steven ik regelrecht af op Melissa die op de grond met Amy zit te praten. Ik ga recht voor hen staan met Parker in mijn armen en als ze ophouden met praten en naar me kijken, lach ik.

'Hoi,' zeg ik en ik haal diep adem. 'Ik wilde jullie alleen maar even zeggen dat Parker definitief geen helm nodig heeft en dat mijn man absoluut géén verhouding heeft. Als jullie dat dus zouden willen, je weet wel, ophelderen aan de anderen in de klas de volgende keer dat jullie allemaal gaan lunchen en over mij praten, dan zou ik dat erg op prijs stellen.' Melissa en Amy staren me allebei aan, sprakeloos.

'O, en dat pijpding was geweldig. Dank je wel daarvoor.' Ik lach weer en loop dan naar de andere kant van de kamer waar ik Parker op haar dekentje leg en een bijtring geef.

Mijn hart bonst en mijn handen trillen een beetje. Ik kan echt niet geloven dat ik dat heb gedaan. Maar ik moest wel. Ik kon het idee dat ze over mij en mijn baby met haar platte hoofdje en mijn bijna-op-de-klippen-gelopen-huwelijk roddelen geen minuut langer verdragen. Ik adem uit en Parker kijkt me aan en lacht. Ze heeft een soort ondeugende blik in haar ogen, alsof ze me probeert te vertellen dat ze het goed vindt wat zojuist is gebeurd. Ik lach tegen haar en buig me voorover.

'Ik weet het,' fluister ik haar in het oor en ik wrijf mijn neus tegen haar hals. 'Je mammie is fantastisch.'

Oké. Ik voel me nu veel beter.

Een paar minuten later gaat Susan op haar klapstoeltje zitten en klapt in haar handen om de aandacht van iedereen te krijgen.

'Hallo, dames,' zegt ze. 'Goedemorgen.' Het gemompel houdt op en Susan lacht stralend naar ons. 'Vandaag gaan we het hebben over spelen. Welk speelgoed je voor je kind moet kopen, welke spelletjes je met je kind moet spelen en hoe je speeltijd kunt gebruiken om de ontwikkeling van de hersenen te stimuleren.'

Ik kijk de kamer rond en merk op dat iedereen een heel klein beetje rechter gaat zitten als ze *ontwikkeling van de hersenen* zegt.

Susan begint te vertellen over een onderzoek dat aantoonde dat spelen met een baby gedurende de eerste zes maanden de synapsen in de hersenen prikkelt, blablabla, en dan begint ze over speelgoed te praten. Stapelspeelgoed, waterspeelgoed, vormstoven, piano's, pop-upafbeeldingen. Alle verschillende soorten speelgoed voor baby's die in de handel zijn en welke goed zijn en welke niet goed zijn en welke prijzen hebben gewonnen en welke merken door kinderartsen worden aanbevolen en welke een baby veilig in zijn mondje kan stoppen en welke uit de handel werden genomen vanwege de een of andere giftige verf die het bedrijf had gebruikt, en welke bijtringen je nooit moet kopen omdat er een gel in zit die goed moet aanvoelen op het tandvlees van de baby als die bevroren is, maar zelfs al zijn ze zogenaamd veilig, kun je het nooit zeker weten, dus waarom het risico nemen... Ik zweer je, tegen het einde hiervan bonst mijn hoofd en ben ik zo opgeladen dat ik het gevoel heb dat als iemand me nu aanraakt, ik die persoon echt zou elektrocuteren.

Als Susan eindelijk stopt om adem te halen, steekt Sabrina (Ashtons mammie) haar hand op.

'Wat vind je van de Exersaucer?' vraagt ze. 'Is dat goed speelgoed? Ashton vindt het namelijk geweldig.'

Ik knik. Ik zet Parker altijd in de Exersaucer. Het is een groot, plastic, rond ding – het lijkt op een schotel, vind ik – en er zit een stoeltje in het midden en dat ligt ongeveer zestig centimeter van de grond af en is bevestigd op een andere ronde schotel eronder. Op de rand zitten verschillende stukken speelgoed en het stoeltje draait rond, zodat de baby ermee kan spelen als hij ronddraait. Het is een fantastisch ding. Maar Susan haalt adem en sluit haar ogen alsof ze zojuist een daverende vloek heeft gehoord.

'Ik wil niet dat jullie je kind in een Exersaucer zetten,' zegt ze.

Sabrina kijkt verbaasd. 'Waarom?' vraagt ze en ze klinkt net zo geschokt als ik me voel.

Ja, waarom?

'Als je kind in een Exersaucer zit, kan het de grove motorische vaardigheden niet ontwikkelen die nodig zijn om te lopen, en de beentjes ontwikkelen de loopspieren niet. Onderzoeken hebben aangetoond dat kinderen die te lang in de Exersaucer zitten, veel later dan normaal lopen.'

Het lijkt alsof Sabrina gaat huilen. 'Maar hij vindt het geweldig,' zegt ze.

Susan schudt haar hoofd. 'Het spijt me. Maar ik wil niet dat mijn mammies een Exersaucer gebruiken.'

Heel even heb ik het gevoel dat ik ook ga huilen. Luthor kruipt omhoog uit mijn keel en ik voel mijn ogen vochtig worden. Ik heb Parker bijna een hele maand lang elke dag in de Exersaucer gezet. Ze knabbelt heel graag op het stuurwiel en ze wordt altijd zo opgewonden als ze een van die draaiende dingetjes met die balletjes erin kan laten ronddraaien. Mijn god, ik kan niet geloven dat ik onopzettelijk haar grove motorische vaardigheden heb vertraagd door haar erin te zetten.

Als ik hierover nadenk, word ik kwaad op de fabrikanten van de Exersaucer. Hoe kunnen ze een stuk speelgoed verkopen als ze weten dat baby's daarmee veel later gaan lopen? Hoe kan zo'n slecht stuk speelgoed goede mensen overkomen? Maar dan herinner ik me wat Stacey tegen me zei op die dag waarop ik bij haar lunch toekeek.

Je kunt niemand vertrouwen behalve jezelf. Daarom is het ouderschap ook zo moeilijk.

Ja, denk ik, en ik ben niet meer kwaad op de makers van de Exersaucer. Ik heb genoeg van Susan en de onrust die ze stookt. Het wordt tijd dat ik op mijn intuïtie ga vertrouwen.

Wacht even, denk ik en ik voel hoe mijn nieuwe zelfvertrouwen me al in de steek laat. Ik heb helemaal geen intuïtie.

Heel even ben ik verbijsterd – *wat moet ik doen?* – totdat ik besef dat ik dat wel heb. Absoluut. In feite tintelt mijn hele lichaam ervan. Ik slik hard en Luthor verdwijnt in mijn keel. Ik kijk boos naar Susan en steek mijn vinger op.

'Ja, Lara,' zegt Susan en ze wijst mij aan. 'Ga je gang.'

'Nou, sorry, maar wat je zegt over de Exesaucer slaat eigenlijk nergens op.' Sabrina's hoofd schiet omhoog en een zacht gemompel van verbazing vult de kamer.

'Wat bedoel je?' vraagt Susan. 'Ik kan je het onderzoek laten zien. Dokters hebben het bewezen.'

'Ja,' zeg ik. 'Dat zullen ze zeker hebben gedaan. Maar ik ben van mening dat ze praten over misbruik van een Exersaucer. Als onverschillige ouders hun kind er bijvoorbeeld zes uur per dag in zetten omdat ze moeten werken of zo, ja, dan begrijp ik dat het de ontwikkeling hindert. Maar wij doen dat allemaal niet. Ik zet Parker altijd in de Exersaucer, maar ze heeft er na tien of vijftien minuten al genoeg van. En ik kan het echt moeilijk geloven dat twee keer per dag tien of vijftien minuten enige schade op de lange termijn veroorzaakt.'

Sabrina en de andere mammies staren naar Susan, die verbijsterd is dat een van haar leerlingen Haar Woord in twijfel durft te trekken.

'Nou,' zegt ze. Ze knippert met haar ogen en slikt. 'Je liet me niet uitpraten. Ik wilde zeggen dat als je een Exersaucer hébt, je die niet langer dan twintig minuten per dag moet gebruiken. Want daarvan is niet bewezen dat het problemen veroorzaakt.'

Ja, denk ik, natuurlijk wilde je dat zeggen.

Ik sla mijn armen over elkaar en staar haar aan.

'Met alle respect, Susan,' zeg ik, 'dat had je meteen moeten zeggen. Want je hebt net een heleboel mensen echt bang gemaakt om niets.' Ik werp haar een je-moest-je-schamen-blik toe en dan ga ik weer tegen de muur zitten en sla mijn armen over elkaar.

Een minuut lang zegt Susan niets en ze kijkt opgelucht als Sabrina haar vinger weer opsteekt.

'Ja, Sabrina.'

'Dus, je zegt dat het oké ís om de Exersaucer twintig minuten per dag te gebruiken?'

Ik zucht. Ze heeft het helemaal niet gesnapt. Na dat alles wil ze toch nog Susans bevestiging. Weet je wat? Ik heb zo genoeg van deze klas. Deze mammunisten zijn zielig.

Als de les is afgelopen, ga ik weg zonder een woord tegen iemand te zeggen. Als ik naar buiten loop, hoor ik dat ze plannen maken voor de lunch, maar ik ben niet meer geïnteresseerd. Ik ben niet zoals zij en ik wil dat ook niet zijn, en het interesseert me niet als ik niet bij hen pas. Laat ze elkaar maar overbezorgd en gek maken. Ik heb mijn eigen leven.

Op weg naar de garage is Parker in slaap gevallen. Ik pak het autostoeltje dus voorzichtig uit de Snap-N-Go en laat het zachtjes op de stoel van mijn auto zakken. Als ik haar op haar plaats heb, loop ik naar de kofferbak, vouw de kinderwagen op en leg hem erin. Als ik dit aan het doen ben, hoor ik voetstappen achter me en de Range Rover naast me piept. Het is Melissa.

'Hoi,' zegt ze terwijl ze de achterdeur openmaakt en Hannah uit haar Bugaboo en in het autostoeltje tilt. Ik doe mijn kofferbak zo zachtjes mogelijk dicht en loop naar de kant van de auto waar Parker zit en waar Melissa staat. Ik moet het zonnescherm naar beneden doen, zodat ze niet wakker wordt van de zon als we naar huis rijden.

'Hoi,' zeg ik terug terwijl ik het zonnescherm uitrol en aan het raam vasthaak. Naast me bindt Melissa Hannah vast, vouwt haar kinderwagen op en legt die in de kofferbak en loopt dan om de auto heen naar waar ik sta en maakt de deur open.

'Weet je, het was echt cool wat je vandaag hebt gedaan,' zegt ze. Ze glimlacht half naar me en ik merk dat haar stem een beetje trilt.

'Welk deel ervan?' vraag ik. Ik weet niet zeker of ze de opmerking bedoelt die ik aan het begin van de les heb gemaakt, of dat wat ik tegen Susan heb gezegd.

'Nou, alles eigenlijk, maar ik had het over wat je tegen Susan hebt gezegd. Ik denk niet dat iemand ooit vraagtekens heeft gezet bij wat ze zei. We doen gewoon allemaal blindelings wat ze zegt, zelfs als het nergens op slaat.'

'Ja,' zeg ik. 'Ik weet het. Het begon me gewoon op mijn zenuwen te werken. Ik bedoel, onze baby's zijn bijna vijf maanden. We moeten nu toch wel zelf een paar beslissingen kunnen nemen.'

Melissa knikt, maar voordat ik nog iets kan zeggen, springen er tranen in haar ogen en probeert ze een snik te onderdrukken.

'Gaat het wel?' vraag ik haar. 'Is er iets?'

Ze schudt haar hoofd, niet in staat om iets te zeggen en ze gaat op de bestuurdersstoel van haar auto zitten en legt haar hoofd op het stuur. Ze blijft zo een paar seconden zitten en dan tilt ze eindelijk haar hoofd weer op en kijkt me aan. De tranen stromen over haar wangen.

'Ik ben zwanger,' kondigt ze aan.

Als ik dit hoor, val ik bijna om. Ik grijp haar arm om mijn evenwicht te hervinden en dan doe ik alsof ik dat had bedoeld als een troostend klopje.

O, mijn god.

Ik kan echt niets ergers bedenken. Ik worstel met wat ik nu moet zeggen, omdat ik niet zeker weet of ik haar moet feliciteren of condoleren. Ik besluit dat allebei niet te doen en te gaan voor het voor de hand liggende.

'Wauw,' zeg ik. 'Hoe ver ben je?'

Ze haalt trillend adem. 'Ik ben dertien weken. Ik dacht dat er niets kon gebeuren als je borstvoeding gaf en omdat ik nog niet ongesteld was geweest... gebruikten we geen voorbehoedmiddelen.' Ze trekt haar wenkbrauwen op en kijkt me aan. 'Wees voorzichtig,' zegt ze.

Holy shit, denk ik. Andrew en ik hebben ongeveer vijf keer seks gehad sinds het vrijgezellenfeest van afgelopen weekend (tussen twee haakjes, het is verbazingwekkend wat een broek die weer past en een beetje onschuldig geflirt kan doen voor een huwelijk). Godzijdank heb ik van dokter Lowenstein de pil weer gekregen.

'Hoeveel liggen ze uit elkaar?' vraag ik.

'Iets meer dan een jaar.' Ze wacht even en ik kan zien dat ze uit alle macht probeert om niet opnieuw te gaan huilen. 'Ik weet helemaal niet waarom ik je dit vertel,' zegt ze. 'Ik heb het nog tegen niemand gezegd. Ik denk dat ik gewoon het gevoel heb, ik weet het niet, dat jij misschien iets zegt waardoor ik me beter voel.'

Ik? Meent ze dat?

'Het is niet zo erg,' lieg ik. 'Denk er eens zo over: het moeilijke gedeelte heb je in één keer achter de rug en omdat ze zo dicht bij elkaar liggen kunnen ze echt goede vriendjes worden. Mijn man en zijn zus liggen minder dan twee jaar uit elkaar en ze waren superclose toen ze opgroeiden.' Ik kan niet zeggen of dit geloofwaardig klinkt, of dat het alleen maar klinkt alsof ik een hoop onzin uitkraam, wat klopt. Andrew en zijn zus hadden een hekel aan elkaar toen ze opgroeiden. Ze vertelde me dat hun moeder hen alleen liet toen hij oud genoeg was om op haar te passen en dat Andrew haar door het huis achternazat en fluisterde dat hij haar zodra hun moeder was vertrokken zou steken met een slagersmes. Tot op de dag van vandaag heeft ze er nog steeds nachtmerries van.

'Je zult wel gelijk hebben,' zegt ze. 'We zouden het toch al gaan proberen als Hannah een jaar is. Het is gewoon een paar maanden eerder dan we hadden gepland.'

'Nou, wat zegt je man ervan?' vraag ik haar.

Ze haalt haar schouders op. 'O, die vindt het prima. Hij wil drie of vier kinderen en hij denkt gewoon hoe eerder, hoe beter.'

O, natuurlijk denkt hij dat. Als ik het me goed herinner, was haar man degene die ging pokeren in plaats van een avond op de baby te passen. En ik weet zeker dat Melissa in de eerste of tweede les iets zei over hoe haar man de week nadat Hannah werd geboren twee weken ging golfen in Ierland. Dus, ja, ik weet zeker dat het hem niet interesseert dat ze weer zwanger is. Hij hoeft niet tegelijkertijd voor twee baby's te zorgen. Of drie. Of vier. Maar ik probeer haar te helpen, zodat ze zich niet nog slechter voelt. Ik verander van onderwerp.

'En hoe voel je je?'

'Wel goed. Een beetje moe, maar niet misselijk of zo. Ik ben te druk met Hannah om er ook maar aan te denken.'

Ik huiver. Ik sidder bij de gedachte om tijdens de uitputting van de eerste drie maanden ook nog een baby te moeten verzorgen.

'Nou,' zeg ik, 'als je iets nodig hebt, laat het me alsjeblieft weten.' *Ja. Als je bijvoorbeeld een pistool nodig hebt, of een strop. Of misschien moet ik je per ongeluk van de trap duwen.*

'Dat zal ik doen,' zegt ze. 'Dank je wel.' Ze trekt de veiligheidsriem om zich heen en klikt hem vast. 'En Lara,' zegt ze.

Ik draai me om en kijk haar weer aan. 'Ja?'

'Vertel het tegen niemand, oké? Ik ben gewoon nog niet in staat om er met iemand over te praten.'

'Ik begrijp het,' zeg ik tegen haar. 'Ik zal niets zeggen.'

Ik stap in mijn auto en wacht tot ze wegrijdt en ik rijd achter haar aan de garage uit. Ik sta achter haar terwijl ze wacht tot de weg vrij is en als ze de straat op rijdt, zwaait ze naar me in haar achteruitkijkspiegel. Ik zwaai terug en draai dan de andere kant op.

Ik heb het gevoel dat ik in shock verkeer. Het dringt gewoon niet tot me door dat Melissa over zes maanden weer een baby krijgt. Zes maanden! De hele rit naar huis probeer ik me voor te stellen dat het mij was overkomen. Hoe zou ik me voelen? Wat zou ik doen? God, ik denk dat ik me zou doodschieten. Ik ben er gewoon nog niet klaar voor om dat allemaal weer opnieuw mee te maken. Ik zal mínstens drie jaar moeten wachten voordat ik ook maar kan dénken aan een volgende zwangerschap. Weet je, de ene fulltime op school hebben voordat je je met een andere moet bezighouden, zo zie ik het. Ik kan me zelfs niet voorstellen dat ik tegelijkertijd voor twee baby's zou moeten zorgen. Ik kan amper voor één baby zorgen en ik heb fulltime een inwonende nanny.

Arme Melissa. Het moet gewoon supershit zijn om het allemaal opnieuw te moeten doen, helemaal terug naar af. Het huilen en de slapeloosheid en de ellende – en de borstvoeding. Ze geeft de eerste nog steeds borstvoeding, in godsnaam. Bah, en dan weer zwanger zijn en al het gedoe dat daarbij komt kijken. Ik zweer je, ik word al misselijk bij het idee om weer aan te komen en het dan weer kwijt te moeten raken.

Ik kijk in de spiegel die ik op de achterbank heb vastgemaakt, zodat ik Parker kan zien als ze achterstevoren in het autostoeltje zit. God, ze is zo schattig als ze slaapt. Ik zucht.

Maar misschien is het de tweede keer niet zo erg. Misschien voel ik me anders bij de tweede. Ik bedoel, ik ben absoluut niet dezelfde persoon die ik was voordat Parker werd geboren. Op de eerste plaats ben ik veel geduldiger geworden. En ik zou zelfs zeggen dat het moederschap me een beetje toleranter tegenover andere mensen heeft gemaakt. Alsjeblieft, toen ik zwanger was, werd ik absoluut kwaad als willekeurige vreemdelingen tegen me begonnen te praten en me een miljoen vragen stelden over mijn zwangerschap. Maar nu vind ik het prachtig als mensen op straat naar me toe komen en tegen me zeggen hoe schattig Parker is. Ik ben zelfs beledigd als ze níet naar me toe komen en níet tegen me zeggen hoe schattig ze is. En weet je, ik begin echt te denken dat ik misschien niet meer zo egoïstisch ben als vroeger. Misschien is er wel helemaal geen zelfzuchtig gen. God, dat zou een opluchting zijn.

En bij de volgende weet ik natuurlijk wat ik kan verwachten. En wat belangrijker is, ik weet wat ik krijg. Ik weet dat de foetus me dik maakt en dat het kloddertje baby dat al mijn ellende veroorzaakt, uiteindelijk een baby wordt, waar ik meer van hou dan van het leven zelf. Ik bedoel, ik weet dat ik zeg dat ze saai is en dat ik nooit helemaal alleen voor haar wil zorgen, maar ik hou echt zoveel van Parker dat het pijn doet. Zonder gekheid, er zijn momenten waarop ik het gevoel heb dat mijn hart echt in tweeën breekt en mijn drang om haar op te eten bijna overweldigend is. Bij de tweede weet ik tenminste van tevoren dat het ruimschoots de moeite loont.

Dat moet het een beetje gemakkelijker maken, nietwaar?

Als Andrew die avond thuiskomt, heb ik Parker al naar bed gebracht. Deloris en ik zitten in de keuken te praten. Ze vertelt me over haar zoon, die zojuist het eerste jaar medicijnen in Jamaica heeft afgerond. Ik zweer je, ik ben de afgelopen twee weken meer over Deloris te weten gekomen dan de hele tijd dat ze hier al woont. Het is een beetje gênant eigenlijk. Ik was zo verdiept in de concurrentie met haar, dat het zelfs niet bij me opkwam om haar iets over haar leven te vragen. God, geen wonder dat ze zo'n hekel aan me had. Ik zou ook een hekel aan mezelf hebben als ik haar was.

Andrew loopt de keuken in en geeft me een kus op de mond, die net een beetje langer duurt dan normaal. Ik voel een vlinder in mijn buik die ik ook voelde toen we met elkaar uit begonnen te gaan en ik geef hem een je-bent-zo-ondeugend-glimlach, die hij beantwoordt. O, ik moet een excuus vinden om die broek weer aan te kunnen trekken.

'Zo,' zegt hij tegen me. 'Ik heb vanmorgen met Courtney gesproken.'

Deloris knijpt met haar ogen en we kijken elkaar even aan.

'O, echt waar?' vraag ik. 'En welke wijsheden had Courtney vandaag in de aanbieding?'

Andrew kijkt me onbegrijpend aan. 'Ik weet niet wat een wijsheid is,' zegt hij. 'Maar je zult blij zijn te horen dat ze niet meer naar agility komt. Ze heeft een baan in het Peninsula en ze moet op zaterdagochtend werken.' Marley heeft haar dus de baan gegeven. Verbazingwekkend.

'Echt waar?' zeg ik en ik doe alsof ik gek ben. Hij knikt naar me en ik lach. 'Dat is fantastisch voor haar.' Ik wacht even, omdat ik niet zeker weet of ik hem kan vragen wat ik wil weten. Ik werp een blik op hem vanaf de zijkant, zodat ik hem niet in de ogen hoef te kijken.

'Vind je het erg?' vraag ik. Maar voordat ik die zin zelfs af kan maken, schudt hij van nee. *Tjonge.*

'Ik ben blij voor haar dat ze een baan heeft,' zegt hij. 'En om eerlijk te zijn, ik ben een beetje opgelucht, want ze begon vervelend te worden. Ze praat gewoon heel veel, maar ze heeft het dan nergens over. En bovendien is ze veel te beschaafd.' Hij grijnst en geeft me een klap op mijn achterwerk. 'Ik heb mijn vrouwen liever een beetje ondeugender,' zegt hij.

Ik kijk hem aan en lach. 'Dat is goed om te weten,' zeg ik. 'Heel goed.'

'Ja, nou, ik dacht wel dat je er blij mee zou zijn.' Hij doet zijn jasje uit en maakt zijn das los. 'Ik ga dit pak uittrekken,' zegt hij. 'Ik ben zo terug.' Hij loopt de trap op en zodra hij buiten gehoorsafstand is, wendt Deloris zich tot mij en gooit haar armen in de lucht. Ze heeft een enorme glimlach op haar gezicht. Enorm.

'Weet Deloris wat ze doet of weet Deloris wat ze doet?' vraagt ze.

'Wat bedoel je?'

'Wat ik bedoel?' klinkt ze beledigd. 'Heb je niet gehoord wat meneer Andrew zojuist zei? Courtney komt niet meer naar agility.' Ze slaat haar armen over elkaar en leunt achterover tegen de gootsteen en op haar gezicht verschijnt een zelfvoldane blik.

Dan realiseer ik me opeens wat er aan de hand is. *O, mijn god.* Ze denkt dat dit is gebeurd ten gevolge van haar stomme voodoobezwering. Ik lach.

'Deloris,' probeer ik het uit te leggen. 'De persoon die haar een baan gaf, is een vriendin van Nadine. Je weet wel, de verloofde van mijn vader. Zij heeft dit allemaal geregeld.'

Deloris knikt. 'Ja, omdat Deloris het allemaal het universum in heeft gestuurd,' zegt ze en ze slaat zichzelf op de borst. 'Hoe kan er anders een vacature zijn? Nadine krijgt die sterren niet allemaal op één lijn.'

Ik zucht en denk aan wat Nadine me over Deloris heeft verteld. *Een beetje toegeeflijkheid kan heel goed zijn*, heeft ze tegen me gezegd. *Het kan geen kwaad als je meespeelt.* Ik lach naar Deloris en knik.

'Ja, je hebt gelijk,' zeg ik, alsof ik er zojuist voor het eerst aan denk. 'Ik heb er nog nooit zo over nagedacht, maar je hebt gelijk.' Ik schud mijn hoofd. 'Dat is verbazingwekkend, Deloris,' zeg ik tegen haar. 'Jíj bent verbazingwekkend.'

Deloris straalt naar me, zo gelukkig is ze met mijn waardering. 'Ik niet alleen,' zegt ze. 'Jij hebt de wens gedaan. Zonder de wens weet het universum niet wat het moet doen met de energie van de pop.'

Ik glimlach dankbaar naar haar. 'Nou, hoe dan ook, dank je wel,' zeg ik. 'Hoewel het grappig is. Ik wou al zolang dat ze weg was en nu ze weg is, interesseert ze me helemaal niet meer.'

Deloris knikt. 'Dat gebeurt altijd,' zegt ze. 'Zodra je beseft dat jij de macht hebt, lijken alle zorgen die je hebt gehad gewoon dom.'

Ik kijk Deloris verbaasd aan. Weet je, onder al die voodoogekte denk ik dat ze misschien wel echt hersenen heeft. God, ik heb me zo vergist. Hoe kon ik ooit hebben gedacht dat Deloris mijn Mary Poppins zou worden? Deloris is geen Mary Poppins. Zij is de vogelverschrikker uit *De tovenaar van Oz*. Ik lach tegen haar.

'Dat is waar, Deloris,' zeg ik. 'Dat is absoluut waar.'

25

Je gelooft het niet, maar het regent buiten. In augústus. En het is geen motregen. Het is een volwassen stortbui, die ruitenwissers en paraplu's vereist. De plaatselijke nieuwsuitzendingen worden gek. Ze hebben een grafiek en alles klaar. 'Zomerstorm' noemen ze het met de noodzakelijke, dreigende achtergrondmuziek, terwijl de een of andere weerman in een gele regenjas verslag uitbrengt vanuit Malibu en alle geschokte en teleurgestelde strandgangers interviewt. Eigenlijk is het dolkomisch. Je zou denken dat er tien meter sneeuw gevallen was, zo praten ze erover.

Maar goed, ze zeggen dat het te maken heeft met de cyclus van El Niño, maar persoonlijk denk ik dat het een soort voorteken is. Zoals het bijvoorbeeld Gods manier is om me te vertellen dat ik me gewoon moet ontspannen en me niet meer zo schuldig moet voelen over het feit dat ik over twee weken weer moet gaan werken. O, wacht, sorry. Je wist niet dat ik me schuldig voelde. Oké. Ik zal het nog even allemaal op een rijtje zetten.

Nou, dit is er gebeurd. Ik liep naar buiten om de post te pakken – wat, niet toevallig, het moment was waarop ik ontdekte dat er druppels uit de hemel vielen – en nadat ik de aandrang naast me neer had gelegd om de mensen te bellen van het kinderkamp waar ik vroeger heb gewerkt en te schreeuwen: *Zie je wel, het regent wel in de zomer,* liep ik weer naar binnen en zag een grote, dikke envelop van Bel Air Prep tussen de rekeningen en de reclame zitten. Ik hoefde hem zelfs niet open te maken, want ik wist precies wat erin zat. Het komt elk jaar in de tweede week van augustus en het is elke keer bijna hetzelfde. Het is het schema van de voorlichtingsweek van de universiteiten, die altijd in de eerste week van september valt, vlak voor de eerste schooldag. Zodra ik het zag, werd ik doodsbang. Ik bedoel, stel je voor dat je naar bijeenkomsten moet gaan die een hele dag duren over de kracht van de buurt of het belang van respect of welk saai thema ze voor dit jaar ook kiezen, en vervolgens naar workshops over hoe je de nieuwe technologie moet gebruiken die tienduizenden dollars heeft gekost en die ze tijdens de zomervakantie hebben laten installeren en die onvermijdelijk in de eerste drie maanden van de school chaos sticht als ze niet aansluit op de oude technologie, of wanneer ze de helft van het onderwijsprogramma van de vakgroep Engels wist, of wat vorig jaar is gebeurd, de adressen van de tweede ouder op de etiketten overslaat en niemand het merkt, totdat honderd woedende gescheiden vaders beginnen te bellen en eisen dat ze willen weten waarom zij geen kopie van Johnny's rapport hebben gekregen en waarom ze de onvoldoende voor biologie van hun verdomde ex-vrouw moesten horen. O, en laat ik het 'grappige' gedoe niet vergeten dat de binding met de universiteit moet bevorderen, zoals het eiergooien dat we moeten doen bij veertig graden of de speurtocht waarbij je 'de wiskundeleraar moet zoeken die die zomer in Ecuador is geweest en de administrateur die werkte als fietskoerier toen hij op de universiteit zat'. Maar goed, je snapt het. Het is vreselijk. Ik weet niet waar we ons op moeten oriënteren, behalve op martelingen.

Maar goed, terug naar mijn onderwerp. Ik maakte de envelop open en bekeek het schema (dit jaar gaan we een tijdcapsule voor de universiteit maken – hoera) en toen begon ik me schuldig te voelen. Nee, wacht even – laat me je nog wat meer achtergrondinformatie geven. Weet je, vanmorgen werd Parker vroeg wakker en ik speelde een uur of zo met haar totdat Deloris uit haar kamer kwam en toen was ik uitgehongerd. Ik gaf haar dus aan Deloris zodat ik een kom Grape-Nuts kon gaan eten, en toen ik me omdraaide en de kamer uit liep, begon Parker te huilen. Nou, ik weet dat het niet veel om het lijf heeft – ik bedoel, baby's huilen nu eenmaal als hun moeder wegloopt – maar dit was de eerste keer voor mij. Parker heeft nog nooit gehuild als ik wegliep en ik werd zo opgewonden, omdat ik me zo'n zorgen maakte dat ze geen band met me heeft sinds Susan dat stomme praatje heeft gehouden over verlatingsangst – o, juist. Dat heb ik je niet verteld? Oké. Ik ga nog een beetje verder terug.

Ongeveer een maand geleden was verlatingsangst het onderwerp in de les. Susan legde ons uit wat het is: een baby wordt bang als zijn moeder weggaat, omdat hij niet weet dat ze terugkomt en daarom begint hij te huilen als ze bij hem wegloopt. Maar goed, toen beschreef ze wat er gebeurt tijdens een typische episode van verlatingsangst: jij loopt weg, de baby huilt, dan kom je terug en de baby kalmeert en vervolgens loop je weer weg en de baby huilt nog harder enzovoort. Uiteindelijk, zei ze, leert de baby je te vertrouwen en zal hij niet meer huilen als je weggaat, omdat hij weet dat mammie altijd terugkomt.

Maar terwijl Susan dit zei, knikten alle mammunisten en zeiden dingen als: *O, ja, mijn baby huilt al als ik twee minuten wegloop om de telefoon op te nemen,* en ik was een totale mislukking, want tot vanmorgen heeft Parker amper gemerkt dat ik de kamer uit liep. Ik herinner me dat ik Stacey opbelde toen de les voorbij was om haar te vertellen dat ik verlatingsangstangst had – nou, technisch gezien, gebrek-aan-verlatingsangst-angst – want als een baby geen tekenen van verlatingsangst vertoont, betekent dat volgens Susan dat hij geen goede band met zijn moeder heeft. Verdomde Susan. Ik kan je zelfs niet vertellen hoe gestrest ik daardoor was. En het spijt me dat ik het niet eerder heb verteld, maar het gebeurde voordat ik besloot dat Susan helemaal niks was en ik kon het gewoon niet verdragen dat jij zou denken dat Parker niet weet wie ik ben, vooral nu ik steeds weer zeg dat ik zoveel tijd met haar doorbreng en dat ik zoveel van haar hou, blablabla.

En daarmee kom ik weer bij de post. Weet je, nu ik eindelijk het gevoel heb dat Parker weet dat ik haar moeder ben (Ze houdt van me! Ze houdt echt van me!) moet ik weer gaan werken en vergeet ze me weer helemaal. En toen kreeg ik het schuldgevoel. Je kent de exercitie: *Doe ik het goed? Ben ik egoïstisch? Moet ik ontslag nemen en thuis blijven bij haar, zodat ze niet denkt dat ik haar drie dagen per week in de steek laat? Als ik niet elke dag bij haar ben, zal ik dan alle vooruitgang die ik met haar heb geboekt tenietdoen?* En weet je, toen besloot ik dat de uitzonderlijke regen die in heel Zuid-Californië met bakken uit de lucht viel, alles met mij te maken had en dat het alleen maar regende omdat God Lara Stone uit Los Angeles wilde laten weten dat ze niet meer zo bang moest zijn, want soms regent het echt in de zomer.

En dus is het alleen maar verstandig om tijdens een gebeurtenis die maar één keer in je leven voorkomt, te besluiten om het aanbod van God aan te nemen en ben ik in mijn bed gaan liggen genieten van de regen en de rest van de dag nietsdoen. Of tenminste zolang Parker slaapt.

Maar twee seconden geleden heeft iemand aangebeld en nu wordt Zoey gek.

O, god, niet alweer. Ik had nooit gedacht dat ik dit zou zeggen, maar soms wil ik die hond vermoorden. Ik zweer je, ze blaft elke keer als het waait en God verhoede dat iemand aanbelt. Ze doet alsof we overvallen worden door stoottroepen. En ze is zo dom dat ze zelfs het verschil niet kan horen tussen de echte bel en een bel op televisie. Telkens als die stomme reclamespot van Pizza Hut uitgezonden wordt – die spot waarin ze tien keer op de bel duwen – moet ik dus naar de afstandsbediening duiken, zodat ik op pauze kan drukken voordat Zoey zichzelf een hartaanval blaft.

'Sst!' schreeuw ik en ik ren naar beneden. 'Zoey, koest!' Maar Zoey negeert me volkomen en staat bij de voordeur fanatiek te blaffen. 'Zoey, sst!' Ik buk me, pak haar bek vast en houd die met mijn hand dicht, terwijl ik met mijn andere hand de voordeur openmaak. Het is Nadine. Zoey stopt meteen met blaffen en begint met haar staart te kwispelen omdat ze geaaid wil worden. Ik laat haar bek los en kijk naar haar met afschuw. Verdomde hond. Ik zweer je, als ze Parker wakker gemaakt heeft, stuur ik haar naar een grote boerderij in de hemel, waar ze de hele dag kan rondrennen en heel hard kan blaffen als ze dat wil.

'Hoi,' zeg ik tegen Nadine. Ze draagt een zwarte lange broek en een dunne witte trui en ze houdt een lange zwarte paraplu vast die druipt van het water. Ik ben een beetje verward dat ze is gekomen. Zij en mijn vader zouden vanavond om zeven uur komen eten en we zouden de laatste details van het feest bespreken.

'Hadden we niet afgesproken om vanavond samen te eten?' vraag ik haar. 'Ben ik gek aan het worden?'

Nadine schudt haar hoofd en geeft me een envelop met mijn naam erop.

'Dit is voor jou,' zegt ze. Haar stem klinkt vreemd. Hij is niet lijzig – helemaal niet – en als ik weer naar haar kijk, zie ik dat ze heeft gehuild. Ik strek mijn hand uit en pak de envelop en als ik ernaar kijk zie ik dat het mijn vaders handschrift is.

'Wat is er aan de hand?' zeg ik met bonzend hart. 'Wat zit er in de envelop?' Maar ze zegt niets. Ze staat daar alleen maar en schudt haar hoofd. 'Nadine,' zeg ik dringend. 'Zeg het.'

Ze haalt haar schouders op en steekt haar handen omhoog in de lucht. 'Hij is weg,' fluistert ze. 'Hij is gewoon... weggegaan.'

Tranen wellen op in mijn ogen als ze dit zegt en ik heb het gevoel dat ik door mijn knieën zak. Mijn hoofd tolt en mijn gedachten gaan heen en weer tussen: *Er moet een verklaring voor zijn; hij zou dit niet nog eens doen,* en: *Jij stomme, stomme idioot. Hoe kon hij je dit twee keer aandoen?*

Ik scheur de envelop open en vouw het stuk papier open dat erin zit. Ik probeer het te lezen door een waas van tranen.

Lieve Lara,
Het schrijven van deze brief is het moeilijkste wat ik ooit heb gedaan, maar ik vond dat ik je deze keer ten minste een verklaring schuldig was. De middag die ik met jou en je prachtige dochter heb doorgebracht, was een van de mooiste en moeilijkste dagen van mijn leven. Ik weet dat je gelijk hebt dat we onze relatie opnieuw moeten opbouwen voordat je weer van me kunt houden, maar ik ben niet zo goed in relaties en ik ben bang dat je de persoon die je leert kennen, niet zo aardig vindt. Ik hoop dat je begrijpt dat dit niets met jou te maken heeft. Ik hou van je en je bent altijd in mijn gedachten. Ik kan gewoon beter alleen zijn; dat was altijd al zo. Zorg voor Nadine. Ze is een fantastische vrouw en ik ben blij dat jullie vriendinnen zijn geworden.

Liefs,
Pap

Als ik klaar ben met lezen, kijk ik op en ik kijk Nadine onbegrijpend aan. Ze komt naar me toe en omhelst me en ik ben blij dat ze er is en dat ik op haar kan steunen, zodat ik niet omval.

'Ik vind het erger voor jou dan voor mij,' zegt ze. 'Ik vind het zo erg dat hij jou dit heeft aangedaan. Ik had nooit gedacht dat...' Ze laat haar zin wegsterven. Ik weet zeker dat ze zich realiseert dat het geen zin heeft om hem te verdedigen of om te proberen het te verklaren.

Ik ruk me van haar los. 'Kom, we gaan naar binnen,' zeg ik. 'Ik moet gaan zitten.'

Ik kan nauwelijks praten en ik praat zo zachtjes dat ik mezelf bijna niet kan horen. Nadine pakt mijn hand en loopt met me naar de studeerkamer. We gaan op de bank zitten. Maar voordat Nadine iets kan zeggen, komt Deloris binnen.

'Parker slaapt nog steeds,' zegt ze tegen me. 'Maar je moet de hond opsluiten als ze slaapt. Deze keer hebben we geluk gehad.'

Ik knik, maar ik luister amper naar wat ze zegt. 'Oké,' zeg ik. 'Dank je wel, Deloris.' Deloris kijkt mij vragend aan – anders ga ik vijftien minuten lang tegen haar tekeer over hoe ik Zoeys stembanden moet laten doorsnijden als ze niet oppast – en dan loopt ze de kamer uit. Ik kijk naar Nadine.

'Hebben jullie ruzie gehad?' vraag ik haar.

Maar ze schudt haar hoofd naar me en kijkt verbijsterd. 'Nee. Helemaal niet. Toen ik vanmorgen wegging, zei hij dat hij zijn smoking voor de bruiloft ging ophalen en dat hij die zou passen als ik thuiskwam. Ik ging alleen maar naar de manicure. En toen ik terugkwam... was hij weg. Al zijn spullen waren verdwenen en er lagen twee enveloppen op het salontafeltje. Een voor jou en een voor mij.' Ze schudt haar hoofd en er springen tranen in haar ogen. 'Gisteravond zeiden we nog tegen elkaar dat we na de bruiloft een huis zouden gaan zoeken. Ik zei dat we ons hier moesten vestigen, iets permanents krijgen–' Ze legt haar hand op haar mond. 'O, mijn god, ik vraag me af of dat hem heeft afgeschrikt.' Ze schudt haar hoofd en trekt een bedroefd gezicht. 'O, Ronnie,' zegt ze tegen niemand in het bijzonder. 'Waarom heb je me niet gewoon verteld dat je er nog niet klaar voor was?'

Intussen ben ik over de eerste schok heen en ik begin kwaad te worden. 'Hij is een lafaard, Nadine,' zeg ik tegen haar. 'Dat is hij altijd geweest. Je bent beter af zonder hem. Dat zijn we allebei.'

Nadine krijgt vlekken in haar gezicht en een traan glijdt over haar wang. 'Dat is precies wat je vader in mijn brief schreef,' zegt ze. 'Hij heeft nooit begrepen dat mensen van hem houden en hem nodig hebben. Als hij niet de perfecte vader of de perfecte man kan zijn, als hij niet precies dát kan zijn wat iedereen wil dat hij is, dan is iedereen volgens hem beter af met helemaal niets. Hij denkt dat zijn verdwijning de problemen van iedereen oplost.' Ze zucht. 'Maar dat doet het niet. Het maakt ze alleen maar erger.' Ze kijkt me recht in de ogen.

'Ik weet dat je kwaad bent, Lara. Ik neem het je niet kwalijk. Maar jij bent niet beter af zonder hem. Zelfs als hij niet perfect is, ben je nog steeds beter af met hem en ik hoop echt dat jullie dat allebei op een dag kunnen accepteren.'

Ik denk hier even over na. Ze heeft gelijk, natuurlijk. Ik bedoel, onvolmaakt of niet, ik geef er wel de voorkeur aan als mijn vader een deel van mijn leven is. En ik zou het absoluut fijn vinden als hij een deel van Parkers leven is. Andrews vader is vijftien jaar geleden gestorven. Mijn vader is de enige grootvader die ze ooit zal hebben. Plotseling moet ik aan vanmorgen denken, toen Parker huilde toen ik de kamer uit liep.

Verlatingsangst, denk ik. Wat een toepasselijke naam. Ik denk dat ik met mijn vader de volwassen versie ervan had. Weet je, sinds hij verscheen, dacht ik elke keer als ik hem zag dat dit de laatste keer zou zijn. Maar dan kwam hij terug en kwam hij weer terug en kwam hij weer terug. Die laatste keer dat ik hem zag, op de dag dat hij langskwam, had ik eindelijk het gevoel dat ik hem kon vertrouwen. Eindelijk geloofde ik dat hij altijd zou terugkomen. Hoe ironisch dat dat de dag was waarop hij besloot dat niet meer te doen.

God, ik had nooit zo optimistisch moeten zijn over de regen. Ik bedoel, ik had moeten weten dat regen altijd een voorbode is van slechte dingen. Ik had dit moeten zien aankomen toen ik die eerste druppel op mijn hoofd voelde.

'Ik begrijp het gewoon niet,' zeg ik tegen Nadine. 'De laatste keer dat ik hem zag, zei hij dat hij meer van mij hield dan van iets anders op de wereld. Hij vertelde me dat dat nooit weggaat als je kinderen hebt.'

Nadines gezicht vertrekt als ik dit zeg, alsof haar hart breekt, en ze krimpt ineen van de pijn.

'Hij zei dat tegen je?' vraagt ze. Haar stem is kalmer dan ik ooit heb gehoord. Ik knik en ze legt haar hand op mijn been.

'Hij meent het, lieverd. Hij meent het echt.'

Ik staar haar aan en ik krijg een brok in mijn keel. 'Ik weet het,' zeg ik. 'Ik weet het, omdat ik weet hoeveel ik van Parker hou.' Ik schud mijn hoofd. 'Maar ik zou haar nooit zomaar in de steek kunnen laten.' Ik haal diep adem en kijk Nadine aan. 'Ik zou eerder doodgaan dan bij haar weglopen.'

Nadine knikt. 'Dat is goed, Lara. Dat zou je doen. En jij bent een fantastische moeder omdat je het zo voelt. Maar iedereen is anders, lieverd. Ik verdedig hem niet, maar iedereen toont zijn liefde op een andere manier. En in de ogen van jouw vader is dit het grootste offer dat hij voor jou kan brengen, omdat hij liever wegloopt dan dat hij jou teleurstelt in wie hij blijkt te zijn.' Ze wacht even en kijkt dan naar de grond. 'Schat, als er één ding is wat ik me over jouw vader heb gerealiseerd, dan is het wel dat hij niet erg veel van zichzelf houdt. Ik dacht dat ik dat bij hem kon veranderen. Ik dacht dat ik hem kon vormen en ervoor kon zorgen dat hij meer zelfvertrouwen kreeg, maar ik weet nu dat ik dat niet voor hem kan doen. Hij moet het zelf doen en blijkbaar is hij gewoon nog niet zover.' Ze zucht en kijkt weer omhoog. Ik krijg het gevoel dat ze niet weet wat ze nog meer moet zeggen.

'Het is oké, Nadine,' zeg ik. 'Met mij gaat het wel.' En ik voel me echt redelijk. Ik heb nu koud, hard bewijs dat ik absoluut, volstrekt niet op hem lijk en dat is een enorme opluchting. Ik realiseerde me echter zojuist dat ik helemaal niet heb gevraagd hoe het met Nadine gaat. Ik bedoel, de vrouw werd praktisch voor het altaar gedumpt. Ze moet een compleet wrak zijn.

'En jij, Nadine?' vraag ik. 'Hoe gaat het met jou?'

'O, lieverd,' zegt ze. De lijzige manier van praten is er weer en ze lacht droevig en knipoogt dan. 'Bijna perfecte mensen staan nooit toe dat sentimentaliteit hun gevoelens in de weg staat.'

Ik kijk haar verbaasd aan. Het klinkt vreemd met een vals zuidelijk accent en niet met een correct Engels accent, maar dit lijkt op een zin uit *Mary Poppins*. Hoe vreemd dat ze zo'n toespeling maakt. Ik weet zeker dat ik haar niet heb verteld dat ik dat gisteravond zo over haar dacht.

'Betekent dat ja?' vraag ik.

Ze lacht. 'Ja,' zegt ze. 'Dat betekent het.'

Oké. Ik heb de verwijzing begrepen. Die zin is de laatste zin die Julie Andrews zegt als ze aan het einde van de film wegvliegt. Ik bijt op mijn lip als ik begin te beseffen dat ik Nadine waarschijnlijk nooit meer zal zien.

'Wat ga je nu doen?' vraag ik haar.

Ze haalt haar schouders op. 'O, ik denk dat ik misschien een beetje ga reizen. Misschien ga ik weer terug naar Vegas. Ik wil alleen even weg uit LA. Het heeft geen zin om hier te blijven met zoveel treurige herinneringen.'

Ik knik. Op de een of andere manier wist ik dat ze dat ging zeggen. Dan staat ze zomaar op.

'Nou, schat, ik moet eens gaan. Ik moet een heleboel mensen bellen als ik deze bruiloft vóór volgend weekend wil cancelen.'

O, God. Daar heb ik nog helemaal niet over nagedacht.

'Ik ben bruidsmeisje,' zeg ik tegen haar. 'Is dat niet mijn taak?'

Nadine schudt haar hoofd. 'Nee, lieverd. Dank je wel voor je aanbod, maar ik vind dat ik dit zelf moet doen. Jij hoeft niet aan mensen uit te leggen waarom jouw vader me heeft verlaten.'

Nou, zo heb ik er niet over nagedacht. Ze heeft gelijk, denk ik. Ik sta op en loop met haar naar de voordeur en ze loopt snel naar buiten. De regen is eindelijk minder geworden. Het is nu nog maar een lichte motregen, maar een dichte mist is neergedaald, zodat ik amper verder kan kijken dan de stoep. Ik loop achter Nadine aan naar buiten en wil haar omhelzen, maar ze houdt me tegen.

'Ik hou niet van een lang afscheid, lieverd. Dat is te verdrietig. Zeg gewoon dat ik goed op mezelf moet passen en dat moet jij ook doen.'

Ik voel weer die brok in mijn keel – die verdomde Luthor – en ik weet dat ik begin te snikken als ik nu iets zegt en daarom knik ik alleen maar naar haar. En dan pakt ze haar paraplu, maakt die open en loopt de trappen voor mijn huis af zonder om te kijken. Ik kijk haar na als ze wegloopt. Ze lijkt te vervagen in de mist, maar de zwarte paraplu steekt af tegen de lucht. Even lijkt het bijna alsof ze zweeft. Ik lach tegen mezelf.

Tot ziens, Mary Poppins, denk ik. Blijf niet te lang weg.

26

Op de dinsdag na de Dag van de Arbeid vertrek ik om half acht 's ochtends voor Mijn Eerste Dag als Werkende Moeder. (Ik tel de voorlichtingsweek van de universiteiten niet mee, omdat ik de helft van de sessies heb overgeslagen en elke dag rond het middaguur ben weggegaan. O, alsjeblieft, wat ga je doen, me ontslaan?) Natuurlijk was ik praktisch in tranen toen ik vanmorgen wakker werd en vervolgens huilde ik de hele weg naar school omdat Parker nog sliep toen ik weg moest, en ik bleef eraan denken dat dit het dan was. Ik loop vanaf nu haar hele leven mis.

Maar goed, tegen de tijd dat ik om acht uur precies de parkeerplaats op rijd, mis ik Parker zo vreselijk en maak ik me zo'n bittere verwijten dat ik bijna geen adem krijg. Ik ben me heel goed bewust van het feit dat dit absoluut nergens op slaat, tussen twee haakjes. De meeste dagen ben ik namelijk al om acht uur precies op de sportschool en ik heb me nooit schuldig gevoeld omdat ik dan niet bij haar ben. Maar vandaag is niet 'de meeste dagen'. Vandaag is Mijn Eerste Dag als Werkende Moeder en ik vind dat een bepaalde hoeveelheid melodrama wel op zijn plaats is, hoewel niet direct vereist.

Als ik mijn kantoor binnenloop, zet ik eerst foto's van Parker op elk plat oppervlak dat ik kan vinden en dan staar ik ernaar en begin te huilen. Maar ik ben er amper een paar seconden of een van mijn leerlingen komt mijn kantoor binnenvallen. Ze draagt een lichtblauw shirt van Lacoste met korte mouwen en een kraagje, dat ongeveer drie maten te klein is en daarom de piercing in haar navel laat zien. Een gigantische pilotenzonnebril met roze gekleurde glazen zit boven op haar neus en touwschoenen met tien centimeter hoge hakken komen onder haar lowrider-jeans uit, die zo lang is dat hij over de grond sleept en met elke stap struikelt ze er bijna over. Haar lange blonde haar valt gedeeltelijk over haar gezicht en ze drinkt koffie uit een papieren beker van Starbucks.

Jezus, denk ik als ik naar haar kijk. Ik hou meer van baby's dan ik me realiseer. De modepop begint meteen te praten.

'O, mijn god, mevrouw Stone, wat fijn dat u er weer bent. Ik liet mijn leraar Engels een samenvatting van mijn essay voor Michigan zien en hij begreep er helemaal niets van. Hij zei dat het te provinciaal was. Ik begrijp helemaal niet wat hij bedoelt. Ik schrijf me in voor schone kunsten. Ik moet iets over mijn kunst vertellen, nietwaar?'

Ik veeg de tranen uit mijn ogen, beheers me en zeg tegen haar dat ze het achter moet laten, zodat ik het kan nakijken. Als ze de deur uit loopt, kijk ik naar de klok. Het is drie minuten over acht en ik heb al het gevoel dat ik nooit ben weggeweest.

Ik ga achter mijn bureau zitten en begin de stapel post, e-mails en telefonische berichten van de afgelopen vijf maanden te bekijken en ik krijg een update van tien minuten van mijn assistente – die me tussen twee haakjes al minstens vijftig keer heeft verzekerd dat ik er 'beter dan ooit' uitzie, dat zich volgens mij vertaalt in: 'Je bent echt dik, maar dat zou ik je nooit vertellen – over alle crises die zich sinds april hebben voorgedaan en die ik nu moet afhandelen. Veertien eindrapporten zijn nooit op de UCLA aangekomen en als we die niet met de post van vandaag opsturen, kunnen de leerlingen zich niet meer inschrijven voor de colleges. De school verlaagde ons budget voor dit jaar met vijftienhonderd dollar en nu hebben we geen geld om de spreker te betalen die volgende week naar de ouderavond van de zesde klas zou komen en daarom moeten we meteen iemand anders zoeken. De data van de SAT-examens staan verkeerd in het gestandaardiseerde proefwerkboekje dat we deze week naar de hele bovenbouw moeten sturen en we moeten het terughalen bij de kopieerafdeling voordat ze er zevenhonderd van afdrukken.

Ik pak een pen naast mijn telefoon en schrik als ik Parkers gezichtje in een zilveren fotolijstje naar me zie staren. God, ik was zo geconcentreerd met deze details bezig, dat ik haar helemaal ben vergeten. Ik kijk weer naar de klok. Ik ben er nog geen twee uur en ik heb al het gevoel dat ik zelfs nooit een baby heb gekregen. Ik besluit dat het ongetwijfeld beter is als ik dit niet ga analyseren.

Maar voordat ik een kans krijg om iets te doen, gaat mijn telefoon.

'Counseling,' neem ik op. 'Met Lara Stone.'

O, god, laat het alsjeblieft geen ouder zijn. Ik ben nog niet helemaal klaar voor ouders.

'Hoi,' zegt een bekende stem. Geen ouder. Ik adem opgelucht uit. Het is Stacey.

'Hoi,' zeg ik tegen haar. 'Is het niet een klein beetje vroeg voor jou?' vraag ik.

'Oude gewoonten verdwijnen niet snel,' zegt ze. 'Nou, hoe gaat het met je?'

Ik kijk naar de stapel papier op mijn bureau. 'Met mij gaat het goed,' zeg ik. 'Ik ben hier anderhalf uur en ik ben al bedolven onder het werk.'

'Ik bedoelde jouw vader. Nadine. De bruiloft.'

O, juist. De bruiloft. Ik denk dat ik die ook ben vergeten. Die zou het afgelopen weekend zijn – de zondag voor de Dag van de Arbeid.

'O, het gaat wel, hoor,' zeg ik. 'Ik voelde me een beetje neerslachtig op vrijdag, want dat was de dag waarop genodigden de cadeaus konden afgeven en ik heb zondagmorgen een beetje gehuild, maar het was goed. Om eerlijk te zijn, had ik niet veel tijd om erover na te denken. Deloris is een lang weekend weg en ik had het druk met Parker.'

Stacey klinkt verbaasd. 'Het gaat dus goed?' vraagt ze. 'Je bent niet bedroefd om je vader?'

'Nou, ja, ik ben wel bedroefd, maar wat kan ik doen? Ik heb geen tijd om erover te zitten mokken. En echt, het spijt me veel meer voor hem. Hoe erg moet het zijn als je zo ongelukkig bent dat je alles waar je van houdt in de steek wilt laten? Ik bedoel, dat is pas echt verdrietig.'

'Dat zal wel,' zegt ze. 'Ik ben alleen verbaasd dat je niet hysterisch bent. Want de laatste keer dat hij dit deed, was je helemaal over je toeren. Ik was bang dat je het eerste jaar op de universiteit niet zou halen.'

Ik zucht. 'Weet je, Stace, ik denk dat ik nu besef dat hij is wie hij is en dat ik hem niet kan veranderen. En om eerlijk te zijn, ik heb er de energie niet voor om me er helemaal door in beslag te laten nemen en mezelf de schuld te geven en te bedenken wat ik verkeerd heb gedaan. Ik heb gewoon het gevoel dat ik geen kind meer ben, weet je. Ik heb nu mijn eigen kind en ik moet haar moeder zijn.'

'Oke.' Ze is onder de indruk. 'Wie zou zeggen dat je zo zelfbewust was?'

'Ik weet het,' zegt ze. 'Het is raar om zo volwassen te zijn. Maar goed, hoe gaat het met jou? En met de bar?'

'O, die ga ik verkopen,' zegt ze nuchter.

'Wat?' vraag ik. 'Waarom? Je hebt hem net gekocht.'

'Ja, ik heb er genoeg van. Er is een man die geïnteresseerd is en hij wil het dubbele betalen van wat ik ervoor heb betaald, en daarom denk ik dat ik het geld moet pakken en weg moet wezen.'

'Maar wat ga je dan doen?' vraag ik haar. 'Je kunt niet gewoon niets doen. Je zou doodgaan.'

'Nee, ik ga niet niets doen. Ik heb met een paar oude cliënten gesproken en ik denk dat ik mijn eigen advocatenkantoor begin. Weet je, ik alleen, misschien met een goede assistent of zo.' Ze wacht even. 'Ik ben jurist,' zegt ze. 'Dat ben ik. De bar was leuk, maar dat past niet bij mij. Begrijp je wat ik bedoel?'

Ik kijk naar de foto van Parker en lach. 'Ja,' zeg ik. 'Ik begrijp precies wat je bedoelt.'

Een paar uur later, midden in een telefoongesprek met een hysterische moeder aan wie ik probeer uit te leggen waarom ik de onvoldoende die haar dochter voor algebra op haar rapport heeft niet kan schrappen, hoewel ze het vak tijdens de zomer heeft overgedaan en een ruim voldoende behaalde, komt een bezorger mijn kantoor in en zet een reusachtig bloemstuk op mijn bureau.

Van wie krijg ik dit? denk ik. Terwijl de moeder nog steeds praat – *Maar als u de onvoldoende niet schrapt, dan heeft ze geen enkele kans om op Stanford te komen* – maak ik het kaartje open.

Lieve Lara,
Veel geluk op je eerste schooldag en dank je wel voor je hulp met het Instituut – we zijn toegelaten! Liefs, Julie, Jon en Lily.

Nou, nou, nou. Het is Nadine dus gelukt. Ik schud mijn hoofd. Sinds het vrijgezellenfeest heb ik een aantal keer met Julie gesproken. Op de typische manier van Julie deed ze alsof het allemaal nooit was gebeurd en toen ik het ter sprake probeerde te brengen, veranderde ze van onderwerp en begon te praten over haar plannen voor Lily's eerste verjaardag. Maar natuurlijk wist ze wel dat

Nadine haar op het Instituut probeerde te krijgen. Ze belde me drie keer op één dag om er zeker van te zijn dat ik Nadine eraan herinnerde om Dan Gregoire te bellen en de volgende dag belde ze me twee keer om te vragen of Nadine wel had gebeld.

Maar nu bedenk ik me, dat ik niet meer met haar heb gesproken sinds mijn vader wegging. Ze denkt vast en zeker dat ik naar de bruiloft ben geweest en dat alles in orde is. Nou. Ik denk dat ik haar moet bellen.

Nadat ik de hysterische moeder heb beloofd dat ik een zin in haar dochters rapport zal zetten dat het het afgelopen schooljaar niet klikte tussen haar en haar wiskundeleraar en nadat ik haar heb verzekerd dat, ja, dat natuurlijk heel veel uitmaakt (maar zonder haar te vertellen dat er toch geen enkele kans is dat haar dochter op Stanford komt met een 6 en een 4 op haar rapport), hangt ze op en bel ik Julie, die meteen opneemt.

'Hoi!' zegt ze. 'Heb je het bloemstuk gekregen dat ik heb gestuurd?'

'Ja,' zeg ik. 'Dank je wel. Jij bent vast heel blij, hè?'

'Overgelukkig lijkt er meer op. Jon is buiten zichzelf. Echt, Lara, je hebt er geen idee van wat ik je hiervoor schuldig ben. Als je ooit iets nodig hebt, vraag het gewoon. O, en heb je het adres van Nadine? Want ik wil haar ook iets sturen. Denk je dat een mooie fles champagne genoeg is?'

'Eigenlijk,' zeg ik, 'is Nadine vertrokken. Ze is de stad uit.'

'O, dat is waar ook,' roept Julie. 'De bruiloft was zondag! Ze zijn op huwelijksreis. Hoe was het? Was het geweldig?'

Ik zucht. Ik word al moe als ik eraan denk dat ik dit verhaal weer moet vertellen. 'Ze zijn niet op huwelijksreis,' zeg ik. 'Ze zijn niet getrouwd. Mijn vader is er een paar dagen na het vrijgezellenfeest vandoor gegaan.'

'Wat?' zegt Julie geschokt. 'O, mijn god. En waar is ze nu?'

'Ik weet het niet,' zeg ik. 'Ze wilde weg uit LA. Ze zei dat ze een tijdje ging reizen.'

'God,' zegt Julie. 'Dat moet zo vreselijk voor haar zijn geweest.' Ze gaat zachter praten alsof haar huis wordt afgeluisterd door roddelaars en ze niet wil dat die alles horen. 'Was ze erg van streek?'

'Nee,' zeg ik. 'Niet echt. Ik kreeg het gevoel dat ze altijd al had geweten dat het niet echt ging gebeuren. Hoewel het aardig van haar zou zijn geweest als ze me dat geheimpje had verteld voordat ze met zijn afscheidsbrief op mijn stoep stond.'

Julie doet tss, tss, alsof ze wil zeggen dat ze met me te doen heeft. 'Lara, het spijt me zo,' zegt ze. Er valt een lange stilte en ik denk dat ze die gebruikt om haar moed te verzamelen. 'Hij schreef een brief voor je?' vraagt ze eindelijk. 'Wat stond erin?'

Ik wist het. God, Julie is zo'n mammunist. Het is ook zo grappig, want voordat ik Parker kreeg, dacht ik altijd dat ze zo anders was.

'O, je weet wel,' zeg ik. 'De gebruikelijke dingen.' Hoeveel ik ook van Julie hou, aarzel ik een beetje om haar alle bloederige details te vertellen. Ik wil gewoon niet dat dit weer een pikant verhaal wordt dat ze kan vertellen als ze de volgende keer luncht met de meisjes van haar Mammie-en-ik-klas.

O, mijn god, jongens, dit moet je horen...

'Maar goed, ik moet ophangen,' zeg ik en ik kijk naar de stapel papieren op mijn bureau. 'Ik heb een berg werk liggen.'

'O, oké,' zegt ze teleurgesteld. 'Nou, zullen we woensdag samen lunchen als je uit de les van Susan komt? We kunnen er dan over praten. Als je er tenminste over wilt praten.'

'Nee, dank je wel. Ik ben eroverheen. Echt waar. En bovendien, ik denk dat ik niet meer naar de les van Susan ga.'

'Nee?' vraagt ze verbijsterd. 'Maar waarom niet?'

Nou, Jul, op dit moment heb ik maar plaats voor één mammunist in mijn leven...

'Weet je,' zeg ik, 'ik weet nu eindelijk dat dit gewoon niet bij mij past.'

27

Als ik die middag thuiskom van mijn werk, barst ik bijna van opwinding bij de gedachte dat ik Parker zie. Ik draai in gedachten steeds weer opnieuw het volgende filmfragment af: ik loop door de voordeur naar binnen en hoewel ze nog niet loopt, begint ze op en neer te springen en te lachen, allemaal om me te laten zien hoe blij ze is dat haar geliefde moeder weer terug is gekomen, zoals ze heeft beloofd.

Ik storm door de voordeur en ren de trap op naar haar kamer. Deloris zit bij het zweefvliegtuigje met Parker op haar schoot en ze schudt met een rammelaar voor haar gezichtje.

'Hoi,' zeg ik enthousiast. 'Mammie is thuis!'

Parker draait haar hoofdje even naar me om en kijkt dan weer naar de rammelaar en probeert die in haar mondje te duwen. Geen lachje, niets. Nou, tot zover de warme ontvangst. Mijn hart krimpt ineen als ik aan iets anders denk dat Susan zei in haar les over verlatingsangst.

Baby's begrijpen het concept 'objectpermanentie' niet. Als je er niet bent, ben je niet gewoon een paar uur weg. Als je er niet bent, besta je niet meer.

Geweldig. In feite is ze me dus helemaal vergeten. Nou, dat is redelijk, denk ik. Ik bedoel, ik ben haar ook helemaal vergeten. Deloris is daarentegen heel opgewonden als ze me ziet. Ze springt bijna uit haar stoel als ik naar binnen kom.

'O, mevrouw Lara,' zegt ze. 'Goddank ben je thuis. Ik weet niet hoeveel langer ze nog kon wachten.' Ik kijk haar niet begrijpend aan.

'Wachten waarop?' vraag ik. 'Wat is er gebeurd?'

Deloris straalt en legt Parker op de grond.

'Ze probeert zich al de hele dag om te rollen en opeens deed ze het ook bijna, maar Deloris pakte haar op en zei nee, nee, ze moet wachten tot mamma thuiskomt, want mamma moet het zien als ze het de eerste keer doet.' Ze kijkt naar Parker. 'Deloris heeft je de hele middag vastgehouden, nietwaar, schatje.'

Ik kijk naar beneden en, zoals Deloris zei, Parker duwt haar lichaampje omhoog in een poging zich om te rollen. Elke keer lukt het bijna, maar valt ze toch weer terug op haar rug. Maar bij de vierde poging doet ze het.

'O, mijn god!' schreeuw ik. 'Ze deed het. Ze heeft zich omgerold!' Deloris en ik beginnen allebei hard te klappen. 'Goed gedaan, schatje,' zeg ik. 'Ik ben zo trots op je. Je bent helemaal alleen omgerold.'

Ha! denk ik. De dikke baby heeft zich toch omgerold. Voor de eerste keer wou ik dat er een paar mammunisten waren.

Maar Parker lijkt helemaal niet zo opgewonden over haar prestatie. Ze ligt met haar gezichtje op de kriebelende berber en begint meteen te huilen.

'O, ze kan niet terugrollen,' zegt Deloris en ze rolt haar voorzichtig op haar rug. Ik kijk met opgetrokken wenkbrauwen naar haar.

'Was dat echt de eerste keer dat ze het deed?' vraag ik. Deloris knikt.

'Ja,' houdt ze vol. Een seconde later rolt Parker zich weer om en jammert en ik pak haar op. Dit wordt vast een leuke tijd.

'Dank je wel, Deloris,' zeg ik. 'Ik vind het echt heel fijn dat je hebt gewacht.'

Deloris lacht. 'Je bent een goede moeder,' zegt ze als ze naar de deur loopt. Ze loopt de gang op, blijft staan en draait zich om. 'Je hebt een harde leerschool doorlopen.'

Ik weet niet of ze mijn problemen met mijn vader bedoelt, of met haar of gewoon met mezelf, maar dat maakt niet uit. Na de dag die ik net heb gehad – nee, na de vijf maanden die ik net heb gehad – is dat precies wat ik wilde horen.

Nawoord

Ik wandel door de straten van Beverly Hills en duw Parker in haar nieuwe kinderwagen van Maclaren Quest (ze is uit het autostoeltje gegroeid, godzijdank, dus dag Snap-N-Go) en ik voel me heel goed. Ik ben eindelijk die laatste twee kilo kwijtgeraakt en de gedachte dat ik weer normaal ben, heeft me vanmorgen extra energie gegeven. Mijn haar zit ook heel goed vandaag – ik heb het gisteravond geföhnd en op de een of andere manier zat het gewoon perfect toen ik vanmorgen wakker werd. Niet bezweet en gekroesd en vol klitten zoals op andere ochtenden als ik er de hele nacht op heb geslapen. Ik trek zelfs een rok aan en dat heb ik niet meer gedaan sinds de dag dat ik met Julie ben gaan lunchen toen Parker pas geboren was en niets anders in mijn kleerkast me paste. God, ik heb het gevoel dat dat een eeuwigheid geleden is.

Ik ben in feite op weg om met een nieuwe vriendin te gaan lunchen. Zij heeft een zoon van ongeveer dezelfde leeftijd als Parker en we hebben elkaar in het winkelcentrum ontmoet. We waren in een dure winkel voor kinderkleding. Ik zocht een outfit voor Parker voor Thanksgiving Day en zij kocht een cadeautje voor iemand. Haar baby huilde en ze zocht verwoed in haar luiertas en ik denk dat ze zag dat ik naar haar stond te kijken, want ze wierp me een boze blik toe. De blik zei: *Loop naar de hel, heeft jouw kind nog nooit gehuild?* en ik herkende die meteen, want zo kijk ik ook altijd naar mensen als ik woest ben of doodop en ik Parker niet stil krijg. Maar goed, ik wilde niet dat ze ging denken dat ik een mammunist was of dat ik haar veroordeelde of zoiets en daarom liep ik naar haar toe en vroeg of ze iets nodig had.

'Ik ben die verdomde flesvoeding vergeten,' zei ze. Ze klonk alsof ze ging huilen. 'Ik had twee pakjes gepakt – die kleine pakjes van één maaltijd die ze tegenwoordig hebben – en wilde die in mijn luiertas doen, maar ik heb ze vast per ongeluk op het aanrecht laten staan. God, ik ben zo stom. Ik maak nu officieel een goede kans op de prijs voor de slechtste moeder van het jaar.'

Ik weet nog dat ik in haar luiertas keek en dat was een zootje. Er lagen overal papieren in en ze had haar aankleedkussen er gewoon in geduwd, niet opgerold of zo.

Nou, die lijkt op mij, dacht ik bij mezelf.

Het bleek dat we allebei hetzelfde merk flesvoeding gebruiken en daarom pakte ik het grote blik uit mijn luiertas en vroeg of ze wat wilde hebben.

'Echt waar?' vroeg ze. 'Meen je dat?'

'Ja,' zei ik. 'Ga ja gang. En eigenlijk heb ik de prijs voor de slechtste moeder van het jaar al gewonnen, maak je dus geen zorgen. Ze had eens diarree in de supermarkt en ik had geen extra luier of schone kleertjes bij me, daarom moest ik haar naakt in de kinderwagen leggen en heb ik haar toegedekt met papieren handdoekjes.'

Ze staarde me aan. 'Was jij dat?' vroeg ze en toen lachte ze. 'Weet je wel dat je beroemd bent? Dat gerucht doet al maandenlang de ronde.'

Ik wilde door de grond zakken toen ze dat zei, maar toen zei ze iets anders en daarmee voelde ik me wat beter. 'Elke keer als ik dat verhaal hoor,' zei ze, 'kan ik alleen maar denken: "Dat zou mij ook kunnen gebeuren, ware het niet bij de gratie Gods".'

En dat was het. De afgelopen twee maanden zijn we elke woensdag met de baby's gaan lunchen – we noemen het onze Mammi-en-martini-klas, hoewel we allebei nog nooit om half twaalf 's morgen een martini hebben gedronken – en we praten de hele tijd over van alles, van hoe we Jeff van *The Wiggles* haten tot hoeveel zorgen ik me maak dat Parker dik wordt tot hoe gestrest ze is dat Luke (dat is haar zoon) zich nog steeds niet heeft omgerold. Ze komt oorspronkelijk uit New Jersey en ze werkt vier dagen per week bij Merrill Lynch als specialist voor obligatieleningen. O, en ze praat al vijf jaar niet meer met haar ouders, omdat ze ontdekte dat die geld van de spaarrekening afhaalden die haar grootmoeder haar had gegeven toen ze klein was. Erica heet ze. Erica Daniels. Stacey is dol op haar.

Oké, dat is de vijfde die me aanstaart en lacht. En ik bedoel geen vluchtige blik. Ik bedoel een blik recht in mijn gezicht en die vervolgens langs me heen loopt en zich omdraait om opnieuw te kijken. Wauw. Ik moet er écht goed uitzien. Weet je, Nadine had gelijk. Het is verbazingwekkend wat er gebeurt als je een beetje zelfvertrouwen uitstraalt.

Ik loop het restaurant in en Erica zit al aan ons vaste tafeltje. Ze voert Luke babyvoeding uit een potje – Susan heeft ons eens verteld dat we dat nooit mochten doen, omdat het speeksel dat na elke hap op de lepel achterblijft de rest van het potje kan bederven. Bah, ik ben zo blij dat ik niet meer in die klas zit. Ik haat het dat ik zelfs die informatie heb. Ik bederf gewoon veel liever het potje en doe iets aan de kans van een-op-een-miljard dat Parker voedselvergiftiging krijgt of wat ze ook kan krijgen van babyvoedsel dat is bedorven door haar eigen speeksel – en ik lach.

'Hoi,' zeg ik. Ik draai me om om Parker uit de kinderwagen te tillen en ik hoor Erica grinniken.

'Mooie string,' zegt ze. 'Roze is absoluut jouw kleur.'

Wat? Ik draai mijn hoofd naar achteren en kijk naar mijn achterwerk. *O, dat meen je niet.* De onderkant van mijn rok zit in het elastiek van mijn ondergoed en mijn hele achterwerk is bloot. Ik trek hem er snel uit en ga zitten en ik sla mijn handen voor mijn ogen.

'O, mijn god,' jammer ik. Ik kijk naar haar en begin ondanks alles te lachen. 'Ik kon al niet begrijpen waarom iedereen naar me bleef staren. Ik dacht steeds: verdomd, meid, je moet er wel superhot uitzien. O, ik voel me zo vernederd.'

Erica schiet in de lach. 'Hé,' zegt ze, 'bekijk het van de zonnige kant. De mensen keken tenminste. Stel je voor hoe slecht je je had gevoeld als ze allemaal hun handen voor hun ogen hadden geslagen en hard waren weggerend.'

Dat is waar. Op die manier had ik er nog niet over nagedacht.

'Ah, daarom hou ik van je,' zeg ik tegen haar. 'Altijd de optimist.'

Ze lacht en begint dan vol vuur te vertellen over hoe ze al meer dan twintig kilometer op de autoweg had gereden toen ze zich pas realiseerde dat ze Luke niet in zijn autostoeltje had vastgebonden. Als ik naar haar luister, kijk ik naar Parker die met haar vuistje Lukes haren probeert te pakken en ik besef plotseling dat ik al lang niet meer zo gelukkig ben geweest.

Hm, denk ik. Wat denk je? Ben ik toch nog een blije mammie geworden.

Een interview met Risa Green

Vraag: Hoeveel van dit verhaal is ontleend aan je eigen leven?
Antwoord: In tegenstelling tot *Buikgevoel* is dit boek helemaal niet ontleend aan mijn eigen ervaring (nee, mijn vader was nooit verloofd met een Hollywood Madam). Dat gezegd hebbende, ik heb wel gebruikgemaakt van mijn eigen gevoelens over het krijgen van een baby. De knagende onzekerheid, het gevoel totaal overweldigd te worden en zelfs de woede op de wereld omdat ze me 'de waarheid' over het moederschap niet hadden verteld, waren dingen die ik allemaal heb ervaren nadat mijn dochter was geboren. O, en natuurlijk de Mammie-en-ik-klas. Ik ging naar vier of vijf verschillende cursussen en de klas in het boek is er een mengeling van. Ik weet nog dat ik met tien of twaalf andere mammies op de grond naar het gesprek zat te luisteren en dat ik dacht: *Zou het erg onbeschoft zijn als ik nu mijn schrijfblok uit mijn tas haal? Want dit is écht goed materiaal.*

Vraag: Er staan een paar grappige personen in je boek die heel goed passen bij het stereotiepe beeld van de rijke moeder van LA. Wat zijn de voor- en nadelen van een kind opvoeden in LA?
Antwoord: Afgezien van het feit dat je een kind van vijf jaar in LA nooit in een skipak hoeft te ritsen, kun je moeilijk voordelen bedenken. Serieus, Los Angeles is een moeilijke stad om kinderen op te voeden. Het openbare schoolsysteem is een janboel, maar de particuliere scholen zijn zo elitair dat ik bang ben voor de dag waarop mijn dochter me vraagt waarom we geen privé-vliegtuig hebben. Soms fantaseer ik erover dat we ons huis verkopen en verhuizen naar een stadje in het Midwesten, waar mijn kinderen in de wei kunnen spelen en mijn buren boeren zijn in plaats van televisieproducenten, maar dan kijk ik naar *Doc Hollywood* op TBS en ik realiseer me dat dat nooit zou werken. De werkelijkheid is dat

als je in LA of in een andere grote stad woont, het gewoon betekent dat je als ouder zoveel harder moet werken en je kinderen waarden moet bijbrengen en een goed voorbeeld moet zijn. En weet je, ik weet niet zeker of dat een voor- of een nadeel is. Het is waarschijnlijk een klein beetje van allebei.

Vraag: Wat waren de uitdagingen bij het schrijven van dit vervolg op *Buikgevoel*?
Antwoord: De grootste uitdaging was het feit dat mijn zoon ongeveer een maand nadat ik was begonnen met schrijven werd geboren, en ik had me van tevoren niet gerealiseerd hoe moeilijk het zou zijn om tijd te vinden om te schrijven met een peuter en een pasgeboren baby. Of hoe moeilijk het voor me zou zijn om te schrijven als ik niet geslapen had. Er waren natuurlijk dagen waarop ik zes of zeven uur lang aan het schrijven was. Maar de volgende dag las ik het dan over en het sloeg nergens op.

Vraag: Lara vindt het heel moeilijk om zich aan te passen aan het moederschap. Wat is jouw advies aan moeders die in dezelfde situatie verkeren?
Antwoord: Zoloft.
Oké, oké, grapje. Mijn echte advies is dat je moet begrijpen dat de geboorte van een kind iets fantastisch is dat gevierd moet worden, maar dat het ook een einde maakt aan een periode in je leven die voor veel vrouwen een heel opwindende, bevrijdende tijd is en dat het heel normaal en gezond is om daar even over te treuren. Vroeger gingen vrouwen direct na hun studie trouwen en kregen meteen kinderen en ik denk niet dat de realiteit van het moederschap een erg grote schok was voor die generatie. Maar nu stellen zoveel vrouwen het krijgen van kinderen uit totdat ze in de dertig of veertig zijn, en moeder worden betekent dan vaak het opgeven van een levensstijl en we voelen ons schuldig als we die levensstijl missen. Daarom zeg ik, laat dat schuldgevoel los en denk eraan dat June Cleaver zo'n geweldige moeder was omdat ze er geen idee van had wat ze miste.

Vraag: Waren er onderwerpen of ideeën die je aan je lezers wilde overbrengen toen je de roman aan het schrijven was?
Antwoord: Mijn belangrijkste doel bij het schrijven van dit boek

was om te laten zien dat het oké is als je het niet altijd fijn vindt om moeder te zijn. Ik denk dat heel veel vrouwen zich zo voelen, maar dat de meeste dat niet durven toegeven omdat ze denken dat ze dan op de een of andere manier een mislukking zijn. Ik wilde ook het idee overbrengen dat onze ouders ons hoe dan ook vormen tot de ouders die wij zullen worden. En als we eenmaal ouders zijn geworden, is het belangrijk dat we nadenken over onze eigen jeugd, zodat we begrijpen aan welk gedrag we bij onszelf moeten werken, zodat we de fouten die onze ouders bij ons maakten, niet herhalen.

Risa Green groeide op in een buitenwijk van Philadelphia, Pennsylvania, en studeerde aan de University of Pennsylvania en The Georgetown University Law Center. Ze werkte als financieel-advocaat bij een advocatenkantoor en recentelijk als decaan op een particuliere school. Ze woont samen met haar man, hun dochter, zoon en hond in Los Angeles.

Buikgevoel
Roman

Risa Green

TRUTH❤DARE

ISBN 978 90 499 9947 6
€18,90